TYRED I'N GWAREDU

Bywyd John Roberts Llanfwrog

I
ELIN A PERIS,
mam a thad
JOEL

TYRED I'N GWAREDU

Bywyd John Roberts Llanfwrog

DEREC LLWYD MORGAN

Gwasg y Bwthyn
2010

ISBN 978-1-907424-03-8

Dymuna'r cyhoeddwyr
gydnabod cymorth
Adrannau Cyngor Llyfrau Cymru

Cyhoeddwyd ac argraffwyd gan
Wasg y Bwthyn, Caernarfon

CYNNWYS

RHAGAIR

Penderfynais gyhoeddi cyfrol ar fywyd y Parchedig John Roberts Llanfwrog ar ganmlwyddiant ei eni yn rhannol am fy mod, fel llu o bobl eraill a'i hadwaenai, yn meddwl y byd ohono. Pregethwr mawr, emynydd rhagorol, bardd mwy na chymedrol dda, a gŵr yr oedd hyfrydwch urddasol ei bersonoliaeth yn firain i'w ryfeddu. Ond rheswm dros ysgrifennu cywydd mawl, nid cofiant, yw hwnnw. Yn hwyr yn ei fywyd y deuthum i i'w adnabod, bedair blynedd ar ôl iddo ymddeol fel gweinidog eglwys, a phan fu farw bum mlynedd yn ddiweddarach gresynais lawer na chefais ragor o'i gwmni. Yr oedd ein tŷ ni bob amser yn hyfrytach lle ar ôl iddo ef ymweld ag ef. Y rheswm pennaf dros gasglu deunydd amdano a'i drefnu'n hanes oedd fy awydd i geisio deall beth a wnaeth y pregethwr a'r emynydd gwych hwn yr hyn ydoedd, sut y dilynodd y llwybrau a ddilynodd, a beth a'i cynhaliodd ar hyd y daith. Tawodd y pregethwr pan fu farw yn 1984, ac erbyn hyn diflannodd y rhan fwyaf o'r cynulleidfaoedd a arferai wrando arno, ond y mae ar lawr gwlad wŷr a gwragedd sy'n dal i gofio'i genadwrïau a'i weinidogaeth. Fel calennig eleni cefais lythyr manwl yn sôn am rai o'i bregethau yng Ngheredigion hanner cant a phump o flynyddoedd yn ôl. Mewn angladd ym Mrynsiencyn dair wythnos yn ddiweddarach dywedodd amaethwr amlwg wrthyf fod ei fam a'i dad yn fythol ddiolchgar i John Roberts, ac yntau ar y pryd yn fyfyriwr diwinyddol, am weddïo beunos wrth erchwyn gwely modryb iddynt yn hen ysbyty'r C & A ym Mangor, modryb a gawsai driniaeth ddrwg gan lawfeddyg meddw; y cof am benlinio wrth erchwyn gwely i weddïo yw cof diwethaf teulu'r diweddar Barchedig Harri Williams amdano hefyd. Ond ei emynau a bâr fod ei enw mor adnabyddus heddiw. Ceisiaf yma bortreadu'r dyn cyfan.

Llyfr hanes ydyw hwn, llyfr hanes un dyn. Ar yr un pryd ni all lai na bod yn hanes enghreifftiol yn ogystal, – hynny yw, yn enghraifft o hanes ugeiniau lawer, onid cannoedd, o ddynion dawnus a dysgedig eraill yn yr ugeinfed ganrif a gysegrodd eu bywydau i achos a oedd, yn sicr er canol y tridegau, onid cynt (fel y mynn rhai), ar y goriwaered, sef Anghydffurfiaeth Gymraeg. Am gan mlynedd a rhagor, o tua 1820 ymlaen, gwroniaid da fel efe (ac weithiau gwirioniaid dwl, annhebyg iddo fe) a arweiniodd ac a gynhaliodd yr Anghydffurfiaeth honno. Gan imi gael fy magu ynddi a chan imi dreulio cryn amser yn astudio'i llên, dros y blynyddoedd meddyliais lawer amdani, am ei datblygiad, am natur ei heglwysi, am gyflwr ei gweinidogaeth, ac am ei hymdrech faterol ac ysbrydol – ofer, fe ymddengys – i oroesi seciwlariaeth yr ugeinfed ganrif. Petai John Roberts yn dal yn fyw ac yn darllen yr hyn a ysgrifennais yma'n awr, diau y cyfeiriai fi at Epistol Cyntaf Paul at Timotheus ar ei hyd, at y bedwaredd bennod yn benodol, ac y dywedai gyda'r Apostol ei fod yn dal i 'obeithio yn y Duw byw'. Prin yw'r gobeithwyr hynny bellach.

Aeth chwarter canrif a rhagor heibio er pan gladdwyd ef – cenhedlaeth gyfan. Ond, ac ystyried y newidiaeth a brofwyd yng Nghymru, ni waeth inni ddweud bod *tair* cenhedlaeth wedi mynd heibio. Bydd llawer o'r amgylchfyd a ddisgrifir yn y llyfr hwn yn ddieithr iawn i'w ddarllenwyr iau. Nid yn unig y byd bach a brofid yn Llanfwrog neilltuedig tua 1920 pan oedd John Roberts yn fachgen, ond ethos, ysbryd a chymeriad y rhan honno o'r gymdeithas Gymraeg y tybiai'r selog hyd yn oed hanner can mlynedd yn ôl y gellid ei hachub drwy gapelydda, er rhyfel, er cynnydd materoliaeth, er gorseddiad y meddwl gwyddonol. Yr oedd y gymdeithas honno'n dal i fod pan oeddwn i'n grwt; diflannodd ymhell cyn imi ymddeol. Yr oedd yn gymdeithas hollol ddihyder erbyn 1970, ac am hynny'n rhannol yr oedd yn gymdeithas na wynebodd eithafrwydd ei thrueni tan ei bod yn rhy hwyr.

Ond petai wedi'i wynebu, beth allasai ei wneuthur? Onid oedd grymoedd anorthrech yr ugeinfed ganrif yn drech na hi, yn drech na'i gweinyddiaeth a'i gweddi? Fel arfer, nid da gennyf y cyffredinoli ysgrythuraidd a Saundersaidd ar gyflwr gwlad neu genedl, ond, gan mai dyna athroniaeth hanes y Beibl a chan mai mater o achub neu golli yw hanfod y grefydd Gristionogol, yn y llyfr hwn ar un o bregethwyr ac emynwyr amlycaf ei gyfnod ni ellir peidio â sôn am ddirywiad – dirywiad ffordd o feddwl a ffordd o addoli. Ni wadai John Roberts mo'r dirywiad hwnnw, ond ceisiai godi uwchlaw'r digalondid a'i dilynai, ymhyfrydu drwy'i oes waith mewn crefydd a llên, bugeilio'i bobl orau y gallai, a phregethu'n nerthol.

Wrth fynd ati i ysgrifennu'r llyfr hwn deuthum i gysylltiad â nifer o bobl a gofia John Roberts. Cefais gymorth gwerthfawr ganddynt, a chymorth gan rai nas cofia ond a allodd mewn gwahanol ffyrdd oleuo fy ffordd i o'i gwmpas. Enwaf yn gyntaf, wrth gwrs, ei ferched, Elisabeth Lynn, Judith Huws a Gwen Stride, a diolch iddynt am adael imi ymgymryd â'r gwaith ac am fy nghynorthwyo drwy siarad â mi am eu mam a'u tad a'u bywyd gartref gynt. Gwn nad yw popeth sydd yn y llyfr yn gymwys wrth eu bodd, ond ni allwn ysgrifennu am John Roberts heb ysgrifennu am dristwch yn ogystal â llawenydd ei fywyd teuluol. Bu'r Parchedig Trefor Jones Caernarfon, cyfaill agos a chymydog i John Roberts a fedd ddarlith wych arno, yn 'dal y gannwyll' i mi yn y dechrau'n deg: cefais groeso cynnar ganddo ef a'i wraig Rhoda i drafod y gwaith. Ym Môn aeth Gwynneth a Richard Gardner Williams y Fali â Jane a mi o gwmpas yr hen fro, aeth Richard â mi i ymweld â thylwyth Mrs John Roberts, a chefais nifer o gymwynasau eraill ganddynt. Fel gan y Parchedig Athro John Rice Rowlands o'r un fro. Bu R. Eryl Edwards fel sgowt ym Mhenllyn. Ac agorodd y Parchedig D. Gareth Edwards fwy nag un drws ym Mhorthmadog. Am gymhorthion eraill o bob math – lletyol a llyfryddol, technegol ac atgofiannol – yr wyf yn ddiolchgar iawn i Dafydd Ap-Thomas, Eluned Bridger, Gwenda Davies, Richard Ellis Davies, y Parchedig W. J. Edwards, y Parchedig Huw Ethall, Catherine Evans, Arthur J. Hughes, Gwilym Hughes, Dr J. Elwyn Hughes, Dafydd Iwan, Beti a Tegwyn Jones, Geraint R. Jones, y Parchedig Athro Gwilym H. Jones, Mona Maelor Jones, y Parchedig Athro D. Densil Morgan, James Nicholas, Gwyneth Owen, y Parchedig Iorwerth Jones Owen, Richard Owen, Dr Dafydd Wyn Parry, Elfyn Pritchard, y Parchedig Hugh Pritchard, y Parchedig Emlyn Richards, Beryl Roberts, Ellis Wyn Roberts, Helen a Dr Ian Roberts, Jack Roberts, Llion Pryderi Roberts, Martin Roberts, Peter Scott Roberts, Eilir Rowlands, Dr Owain Bryn Rowlands, Eluned Stephen, Einion Thomas, Nerys Vaughan, Dr Huw Walters, Dr Gwynne Wheldon, Alun Williams, Beti Williams, Ceridwen Williams, David Puleston Williams, Dylan Williams, Gwilym Williams, ac Ifanwy Williams.

Diolch o galon hefyd i staff Archifdai Môn a Gwynedd, Llyfrgell Prifysgol Bangor a Llyfrgell Genedlaethol Cymru.

Bu Geraint Lloyd Owen yng Ngwasg y Bwthyn yn frwd ei gefnogaeth i'r llyfr o'r cychwyn, a dymunaf nodi fy ngwerthfawrogiad dwfn o'i waith ef a'i gydweithwyr.

Yn olaf, ond nid yn lleiaf, diolch i'm gwraig am ei hasbri a'i hamynedd, ac am ei diddordeb yn y gwrthrych fel yn y gwaith.

FFYNONELLAU

Yn 1987 prynodd y Llyfrgell Genedlaethol lawysgrifau a phapurau John Roberts (B1987/10) oddi wrth ei weddw Mrs Jessie Roberts, a oedd, erbyn hynny, wedi symud o Lanfwrog i Gaernarfon yn ei hôl. Y mae'r papurau yn cynnwys cryn dipyn o'i ohebiaeth, drafftiau a chopïau o gerddi ac emynau, cannoedd o bregethau, anerchiadau o bob math, darlithoedd llenyddol, anerchiadau i blant, teyrngedau, sgyrsiau radio, &c., a sgriptiau rhaglenni nodwedd a sgetsus. At hynny, y mae yn eu plith nifer o *gopy-books*, llyfrau'n cynnwys nodiadau ar gyrsiau coleg, llyfrau'n cynnwys dyfyniadau a gododd ef o lyfrau a chofnodolion ar hyd y blynyddoedd, a llyfrau lloffion. Bûm yn pori llawer yn y blychau sy'n cynnwys y pethau hyn yn Aberystwyth, ond ni wneuthum ond samplo'r pregethau. At hynny, cefais fenthyg llawer o ddeunydd gan ei ferched, ei Feiblau gwaith a'i hoff lyfr emynau, llyfrau eraill o'i eiddo, tri ablwm lluniau, llythyron oddi wrth bobl at eu tad nad aethant i'r Llyfrgell yn 1987, a llythyron ganddo ef atynt hwy. Gan rai o'r bobl dda a enwir yn y Rhagair cefais eto fenthyg teipysgrifau a llythyron oddi wrth John Roberts atynt, a benthyg nifer o'r llyfrynnau a'r cardiau pert a baratôi ar gyfer ei gyfeillion adeg y Nadolig.

Gan na chatalogwyd y papurau sy'n y Llyfrgell yn fanwl fanwl (rhif eu bocsus sydd arnynt), gan na chatalogwyd y papurau preifat o gwbl, a chan nad oes neb yn debyg o fynd ar f'ôl i'w hastudio'n academaidd, penderfynais beidio â chynnwys troednodiadau: caiff y stori siarad drosti'i hun, yn ddiateg megis.

Pennod 1

GLAN-YR-AFON

(i) 1910

Am y rhan fwyaf o ddigon o'r blynyddoedd a dreuliodd John Roberts ar glawr daear, tybiodd mai efe oedd unig blentyn William ac Elizabeth Roberts, Glan-yr-afon, Llanfwrog. Bwthyn unllawr a godwyd tua chanol canrif Victoria yw Glan-yr-afon, nid ar lan unrhyw afon fel yr awgryma'i enw, ond heb fod ymhell o lan y môr ar dalcen gorllewinol Sir Fôn gyferbyn â thref Caergybi. Yn yr ardd o flaen y drws ffrynt yr oedd – ac y mae – cwt allan gyda chôt fawr sinc amdano, côt sinc a beintiwyd yn goch pan welais i ef gyntaf. Am flynyddoedd yn ystod plentyndod a glaslencyndod John, ac yn wir am flynyddoedd ar ôl iddo ef adael y nyth, byddai'r teulu yn neilltuo i'r cwt hwnnw am fisoedd bwy'i gilydd bob haf, ac yn gosod y tŷ i ymwelwyr. Twristiaeth amrwd oedd y dwristiaeth honno, diau. Er bod y rheilffordd yn cysylltu pob man ym Mhrydain Fawr gyda Chaergybi, lle diarffordd i deithwyr ar dir oedd Llanfwrog, fel y rhan fwyaf o lannau Môn yn nechrau'r ugeinfed ganrif. Y mae'n anodd i ni, yn amrywiaeth ddigonus yr unfed ganrif ar hugain, feddwl pa beth a ddenai pobl yno ac eithrio hyfrydwch garw'r glannau a gwladeiddiwch anniball y lle.

Gyrru heibio i Lan-yr-afon y mae'r ymwelwyr a ddaw i'r

cornelyn hwn o Fôn heddiw, gyrru heibio iddo i gyrraedd stad garafanau helaethwych y Penrhyn Mawr, ffarm y mae ei ffermdy uchelgaerog drichanllath i ffwrdd megis yn gwarchod Glan-yr-afon a'i gymdogion. Gwas i Edward Williams, meistr y Penrhyn, oedd William Roberts pan briododd. Yn Llanddeusant yn y flwyddyn 1885 y ganed ef – cofia rhai fod y wraig a gadwai dŷ capel Bethania'r Annibynwyr yno ganol yr ugeinfed ganrif yn ei hystyried ei hun yn chwaer iddo, – ond y mae tystysgrif ei briodas yn awgrymu na chawsai fachgendod didrafferth. Fel hyn y gosodir ei enw ar y dystysgrif honno: 'William David Jones commonly known as William Roberts'. Fel pe na bai'r dirgelwch hwnnw'n ddigon, o dan y pennawd 'FATHER'S NAME AND SURNAME' yr enw a geir yw 'William Davies'. Y William Davies hwn oedd ei dad naturiol, siŵr o fod. Ac ar ei ôl ef y cafodd ei enw bedydd, y mae'n debyg. Os mab llwyn a pherth ydoedd, ai Jones oedd enw morwynol ei fam? Ac a briododd hi wedyn â rhyw Roberts, y cymerodd ei mab ei gyfenw? Am nad yw'n waith hawdd dod o hyd i dadau a chyndadau na fynasent arddel eu plant ar ffurflenni'r wladwriaeth, ni welais yn dda hel achau er mwyn hel achau: cael dweud am John Roberts, ei amgylchiadau a'i gyraeddiadau a'i gampau, sy'n bwysig i mi yn y llyfr hwn. Hyn a wyddom, sef mai gwas ffarm dygn, profiadol, breichgryf, pump ar hugain oed oedd ei dad pan aned ef, â'i fyd heb fod yn foethfawr erioed.

Yr oedd Elizabeth, ei fam, dair blynedd yn ifancach. O gyffiniau Rhyd-wyn yr hanai hi. O'r hyn a glywais gan gyn-gymdogion iddi a ddylai wybod, plentyndod anodd a gafodd hithau. Dywedir bod ei thad, dyn arall yn dwyn yr enw Edward Williams, a lysenwid 'Ned Fawr', pan fyddai'r byd a'r bywyd hwn yn mynd yn drech nag ef, yn mynychu'r Tloty yn y Fali. Weithiau âi â'i eneth gydag ef, sy'n awgrymu bod y fam wedi marw pan oedd hi'n bur ifanc. Adeg ei phriodas â William, ym Mheniel-fin-môr Llanfwrog y trigai Elizabeth. Diau ei bod yn gweini yno.

Dyna ddwy frawddeg fer, foel y gellir eu hestyn a'u haddurno. Ar y 30ain o Fai 1910 y priodwyd William Roberts ac Elizabeth Mary Williams, yn eglwys y plwyf, Llanfwrog, gyda'r rheithor, y Parchedig Albert Owen Evans, yn gweinyddu. Ganed John dridiau'n ddiweddarach ar yr 2il o Fehefin. Er nad oedd cenhedlu plant y tu allan i briodas, ys awgryma Daniel Owen ym mrawddeg agoriadol *Profedigaethau Enoc Huws*, ddim yn beth cwbl anghyffredin yn Sir Fôn, y mae'n anodd meddwl bod misoedd y gaeaf a gwanwyn 1910 wedi bod yn gyfnod rhwydd i Elizabeth Williams, er ei hiechyd a'i hieuengrwydd. Yn ei chyflwr, diau yr holai beth a ddeuai ohoni, ohoni hi a'r plentyn oedd yn ei chroth. Fel y mae'n digwydd, holai'r cwestiwn hwn am yr eildro o fewn ychydig flynyddoedd. Oblegid yr oedd wedi esgor ar blentyn i William Roberts o'r blaen. Merch y tro hwnnw, merch a aned yn 1906 ac a roddwyd i deulu o'r Fali i'w magu, chwaer na wyddai John Roberts ddim am ei bodolaeth tan ei fod bron yn drigain mlwydd oed. Yn ôl ei ferched ef ei hun, yr oedd crwydryn, crwydryn a âi i wrando arno bob tro y pregethai yn nhop yr hen sir, wedi dweud wrtho droeon y dylai fynd 'i'r tŷ-a'r-tŷ yn y Fali'. Pan aeth, agorwyd y drws iddo gan wraig olygus nid annhebyg iddo ef ei hun a'i cyfarchodd yn syth: 'John!' Yr oedd hi'n gwybod ei bod yn chwaer iddo. Chwedl y merched, 'Yr oedd pawb yn gwybod, teulu Dudley House [sef teulu-yng-nghyfraith John yn ddiweddarach] a phawb, pawb ond Dad.' Dywedodd Richard Gardner Williams, un o feibion y Penrhyn, ŵyr i'r hen Edward Williams, wrthyf fod John wedi gofyn i'w dad, Iorwerth Williams, 'Pam na f'aset ti wedi deud wrtha i [am y chwaer]?' 'Nid fy musnas i oedd deud,' ebe hwnnw'n gywir ddigon. Gwladys oedd enw'i chwaer. Pan brynodd William Roberts gwch pysgota flynyddoedd lawer ar ôl ei geni, *Gwladys* a roes yn enw arno.

Pan aned Gwladys, yr oedd ei mam yn gweini bymtheng milltir i ffwrdd o Lanfwrog, sef yn Nhrecastell, gerllaw Llanfaelog. Ond rhaid ei bod yn ymweld â'i hen ardal yn gyson ar ei dyddiau gŵyl. Dywedais gynnau fod merched John Roberts o'r farn mai un o'i wrandawyr crwydrol a ddywedodd wrtho am ei chwaer. Clywais gan arall mai Mary Owen, merch Trecastell, Mrs Thomas yn ddiweddarach, a gadwodd gysylltiad â chyn-forwyn ei mam drwy'i hoes, a ddywedodd wrtho am fodolaeth ei chwaer, a hynny ar ôl i Gwladys golli'i gŵr yn sydyn iawn ym mis Gorffennaf 1969. Dyna ddau adroddiad amdanynt yn dod ynghyd. Ni wn i heddiw p'un sy'n gywir.

Teg gofyn beth a barodd i William Roberts briodi mam ei blant y tro hwn, yr eildro yr oedd Elizabeth Williams yn disgwyl ei blentyn, ac yntau wedi peidio â'i phriodi y tro cynt. A roddwyd pwysau arno gan Edward Williams y Penrhyn? A oedd arwyddocâd i'r ffaith fod Elizabeth y tro hwn yn gweini ym mhlwyf Llanfwrog, yn feichiog megis yng ngŵydd pobl a'i hadwaenai'n dda? Ond pam ei gadael hi mor hwyr cyn priodi, dridiau cyn yr esgor? Gellid gofyn hefyd beth a barasai iddi hi ddal i ganlyn William ar ôl holl helynt geni Gwladys, achos ni allai lai na bod yn helynt. Ymlyniad cnawdol? Cariad? Cwestiynau yw'r rhain na chymerant lawer o ystyriaeth o foesau nac arferion – nac economi – y math o gymdeithas wledig oedd ohoni yng Nghymru, bron na ddywedwn yng ngorllewin Ewrop, yr adeg honno, ac ers canrifoedd yn wir. Er i lu o gapelwyr syber a sobrfucheddol dybied, bron drwy gydol yr ugeinfed ganrif, fod y Gymru Gristionogol o'r ail ganrif ar bymtheg ymlaen yn biwritanaidd-bur ei hagwedd at ryw, nid felly'r oedd hi o bell ffordd. Yng ngwlad Môn yn y bedwaredd ganrif ar bymtheg ac ym mlynyddoedd cynnar yr ugeinfed ganrif, fel ym mhob gwlad lle trigai cnawd, genid plant anghyfreithlon lawer, a rhoddid plentyn yn aml i'w fagu gan eraill oni allai ei rieni naturiol ei fagu. Sut bynnag fu hi rhwng William Roberts ac Elizabeth Williams rhwng 1906 a dydd eu priodas yn haf 1910, glynu wrth ei gilydd a wnaethant, setlo gyda'i gilydd ar ôl priodi, fel y gwnaeth parau dirifedi, o gariad neu o raid, a chreu aelwyd ddiddan, ddymunol.

Y mae pawb a'u cofia yn cofio'r croeso cynnes a gaent ar yr aelwyd honno. Y mae Beti Williams, a aned yn 1930, yn agor ei llyfryn *Ffrwd Win ac Ati* drwy ddweud mai'r tonic gorau a gâi hi'n eneth ar 'brynhawn diflas' yn Llanfwrog oedd mynd am dro i Lan-yr-afon 'i weld Lizzie.' 'Byddai croeso mawr yno, a chwerthin iach gan Lizzie bob amser.' *Lizzie*, sylwer, gan un a oedd dros ddeugain mlynedd yn iau na hi. 'Yr oedd rhywbeth yn galonnus ynddi,' meddai Mrs Williams wrthyf mewn sgwrs, 'a chwarddai dros y tŷ.' Y pysgotwr yn William Roberts a gofia yn bennaf, y William Roberts a ymrysonai gyda'i thad am fod y ddau'n bysgotwyr cimychod. Disgrifia Wil, chwedl hithau, fel dyn go fychan 'gydag ysgwyddau mawr llydan' a oedd yn berchen ar gar yn ogystal â chwch, 'Austin 7 Ruby – un o'r ceir butraf a welodd neb erioed!' Byddai ef yn cyflawni rhai o dasgau anodd yr hen ffordd o amaethu yn yr ardal. Er enghraifft, ef, ar y cyd â Wil Thomas, gwas bach y Penrhyn, a gâi'r gwaith o saethu ceffylau a aethai'n rhy hen i weithio. Cofier bod o leiaf chwe mil o geffylau gwedd yn Sir Fôn yn yr oes gyn-dractoraidd honno, a'u bod yn gweithio'n galed. Ar ôl diffygio, arweinid ceffylau methedig Cylch y Garn 'i dwll mawr yr oedd yn hawdd ei gloddio ar dir Towyn Mawr wrth ochr Lôn Rhiw, a William Roberts yn eu saethu.' Wele, yr oedd ar aelwyd Glan-yr-afon hwyl barod a diofnadwyaeth ymarferol.

Mewn tŷ 'gyferbyn ag Abarim', sef capel y Methodistiaid Calfinaidd yn Llanfachraeth, y ganed mab Lizzie a Wil. John Roberts ei hun sy'n dweud hynny yn un o'i amryw nodiadau bywgraffyddol. Enw'r tŷ oedd Graig Lwyd. Yn nechrau'r ugeinfed ganrif yr oedd iddo ddwy ran. Mewn hen lun printiedig o'r pentref, gwelir mai bwthyn unllawr oedd y naill ran, a bod i'r llall ddau lawr. Yno, yn y tŷ deulawr, y trigai Owen ac Emma Bennett a'u dau blentyn – Owen, fel Elizabeth Roberts, yn frodor o Ryd-wyn, ac Emma o Lanfaelog. Efallai i Elizabeth Roberts fynd i Llanfachraeth dros gyfnod genedigaeth ei mab am ei bod yn cyfrif y Bennettiaid yn berthnasau iddi, ac yn gweld yn Emma Bennett fodryb i'w hymgeleddu. Ond nid arhosodd yno'n hir: ymhen ychydig yr oedd yn ôl yn Llanfwrog. Yn y llyfr sy'n cofnodi bedyddiadau eglwys y plwyf hwnnw dywedir mai 'JOHN child of William and Elizabeth Mary Roberts' a drigai yn 'Ty'n Cae Bach Llanfwrog' a fedyddiwyd ar yr 17eg o Orffennaf. Mewn nodyn bywgraffyddol arall dywed John ar ei ben mai Tyn Cae Bach oedd 'cartref cyntaf fy rhieni', mai'r tŷ cyntaf a gofiai ef ei hun yw Hafod-y-gof, Pont Hafod heddiw, ac mai o'r fan honno y symudasant dros y ffordd i Lan-yr-afon, pan oedd ef yn dair oed.

Mewn nodyn bywgraffyddol arall eto fyth dywed mai yn yr Eglwys y maged ei fam (ond o gofio'i hamgylchiadau, a'r hynny bach a wyddom am gyflwr ei thad, dichon mai magwraeth eglwysig mewn enw oedd honno) ac mai gyda'r Annibynwyr y maged ei dad, ond iddynt am ryw 'reswm cêl' ymuno â'r Methodistiaid yn Salem Llanfwrog. Dywedai cofiannydd o oes gynharach mai Rhagluniaeth Duw a barodd iddynt fyned yno, er mwyn codi seraff arall i'r Trefnyddion Calfinaidd. Gwell gennyf i eilio'r seraff ei hun a dweud na wn i ddim beth a'u tynnodd i Salem.

(ii) Plwyfoldeb tir a môr

Rheithor y plwyf yn 1910, fel y gwelsom, oedd y Parchedig Albert Owen Evans. Brodor o Gaernarfon oedd ef, gŵr gradd mewn Hebraeg o Goleg Dewi Sant Llanbedr Pont Steffan a symudasai o Gei Connah i fywoliaeth wledig braf Llanfaethlu a Llanfwrog y flwyddyn gynt. Anglicanwr i'r carn, amddiffynnydd glew yr Eglwys Wladol yn y dyddiau hynny pan geisiai'r Rhyddfrydwyr ddatgysylltu'r Eglwys yng Nghymru, a gŵr a reolai ei blwyfi gyda 'phersonoliaeth gref a llaw haearn', â dyfynnu Beti Williams unwaith yn rhagor. Arhosodd A. O. Evans yn Llanfaethlu a Llanfwrog tan iddo gael ei benodi'n Archddiacon Bangor yn 1921, a haedda'i gofio, ymysg pethau eraill, am astudiaeth fanwl o'r Llyfr Gweddi Gyffredin a gyhoeddodd mewn tair cyfrol yn 1922. Go brin y byddai A. O. Evans wedi edrych yn ffafriol ar fyned dau a briodwyd ganddo ddiwedd Mai 1910, a'r mab a aned iddynt dridiau'n ddiweddarach, i gorlan y Methodistiaid Calfinaidd, er mai plentyn y Fam Eglwys oedd yr enwad hwnnw. Ond mynd i Salem a ddarfu William ac Elizabeth Roberts a'u mab. A dod ymhen amser yn golofnau i'r achos, hi'n athrawes Ysgol Sul ac yn gwasanaethu wrth yr offeryn, ef, o 1944 ymlaen, yn flaenor. Yn ironig, pan gladdwyd y mab yn 1984, ei ddewis ef oedd cael ei gladdu nid ym mynwent Salem nac ym mynwent Bethania Llanddeusant gyda'i rieni, ond ym mynwent gron yr eglwys blwyf, yn y bedd nesaf at fedd dau forwr anhysbys.

Un o'r rhesymau am hynny oedd fod John Roberts, o'r diwrnod yr adroddodd ei dad yr hanes wrtho'n fachgen, wedi ei swyno gan stori'r ddau gorff a olchwyd i'r lan ym Mhorth Delysg yn 1884, union gan mlynedd cyn ei farw ef. Betsan Parri Clipera, wrth hel broc môr ar ôl tymestl, a'u darganfu. Â'i gwynt yn ei dwrn aeth ar ei hunion i adrodd am ei darganfyddiad brawychus wrth feistr y Penrhyn. Ac yn nhrol y Penrhyn y cyrchwyd y ddau, na wyddai neb pwy oeddynt na sut y golchwyd hwy i'r lan, i gwt yr elor islaw mynwent Mwrog. Saith mlynedd ar ôl eu claddu, daeth y Parchedig Richard Hughes Williams, taid yr enwog Kyffin Williams o ochr ei fam, i reithoriaeth Llanfaethu a Llanfwrog. Er i'r arlunydd yn ei hunangofiant ddisgrifio'i daid fel un yr oedd ei fywyd yn ddiflas gan salwch ac aflawenydd, y mae'n rhaid fod iddo ochr olau, ddyngar hefyd. Pan welodd ef fedd digofnod y morwyr anhysbys penderfynodd yn y fan y rhoddai garreg goffa arnynt. Anfonodd air at ei gyfaill, y Parchedig William Lewis, ficer Abergynolwyn, a fuasai cyn ei ordeinio yn llythyr-gludydd rhwng Pentre Berw a Niwbwrch ym Môn, i ofyn beth fyddai orau iddo'i gerfio ar y maen. Yr ateb a gafodd oedd y pennawd a'r englyn godidog hwn:

YMA Y GORWEDD GWEDDILLION

Gwŷr yrrwyd i'n gororau yn waelion
Ar elor y tonnau.
Duw ei hun ŵyr eu henwau;
Daw ryw ddydd i godi'r ddau.

Stori cyfansoddi'r englyn hwn, ebe John Roberts mewn darlith a luniodd flynyddoedd lawer yn ddiweddarach, 'a enynnodd fy niddordeb cyntaf mewn barddoniaeth.' 'Fy nhad a dynnodd fy sylw at yr englyn – y pennill, chwedl yntau. Euthum i'r fynwent yn hogyn i'w ddysgu.'

Yr oedd sawl elfen o'r stori hon a gyffyrddai ag anian ac â diddordebau William Roberts a John, ac y mae'r rhan fwyaf ohonynt yn ymwneud â'r môr. Soniais eisoes am William Roberts yn hel cimychiaid, mewn cystadleuaeth gyda thad Beti Williams. Âi i'w hel yng nghwmni taid ac un o ewythrod Huw Tudor yr actor hefyd, fel yr âi i hel berdys (*shrimps*) a gwichiaid. Ond ar ei ben ei hun neu gyda'i fab yr âi amlaf, i dyllau, i *diggings* na fynnai i eraill wybod amdanynt. Aent gyda'i gilydd i bysgota hefyd. A mwynhâi John nofio yn y môr, – y môr peryglus a laddodd y morwyr anhysbys, y môr a sicrhâi froc i Betsan Parri a phob broc-heliwr o'i chyff a'i thebyg ar fin y don rhwng aber Afon Alaw a Phorth Trefadog yn yr oes ddifaldod honno pan oedd pryd o fwyd môr yn anghenraid nid yn foeth, a phan oedd unrhyw beth a gariwyd gan y don i'r lan yn ychwanegiad da i drysorfeydd prin ceginau. 'Bûm yn casglu broc môr ar hyd y glannau ganwaith pan oeddwn blentyn' yw tystiolaeth John Roberts. Yr oedd gwybod beth i'w godi a beth i'w adael yn 'grefft a redai'n gryf yn ein teulu ni,' meddai, fel petai'r teulu yn dylwyth anferth a'r grefft yn gyfrin. Ei dad a'i dysgodd, wrth gwrs. Unwaith, cododd y tad 'gist fechan llongwr ifanc' a ddaethai i'r lan. Ychydig bapurau yn unig oedd ynddi, ac anfonwyd hwy'n ddi-oed i'w pherchennog i gyfeiriad yn Iwerddon (yntau, y mae'n amlwg, wedi'i achub pan suddwyd ei long). Diolchodd y Gwyddel am y papurau ond dywedodd wrth deulu Glan-yr-afon am gadw'r gist. 'Bedyddiodd fy mam hi'n "gist yr hogyn bach",' ebe John Roberts, 'ac y mae ar gael eto, â'r ddau air *Ernest Nye* wedi eu hysgrifennu ar ei chaead.'

Fel y cawn weld yn y man, yr oedd yr ysgol elfennol yr âi John iddi gam go fawr o'i gartref, ac am hynny yr oedd mynd iddi'n drafferthus. Ond nid felly'r môr. Yr oedd hwnnw gerllaw, ganllath o garreg y drws. Ac yr oedd y bachgen yn ei garu, ac wrth ei fodd yn gwylio'r 'rhyfeddodau fyrdd' a oedd 'yng nglas a gwyrdd y tonnau.'

Y môr a glywais yn fore, ar daith
Ger dôr fy hen gartre',
A'i ru llaes hyd greigiau'r lle.

Am iddo ymhoffi cymaint yn y môr, un o'i ddyheadau cynnar oedd cael mynd yn llongwr. Gerbron cynulleidfa Saesneg unwaith dywedodd ei fod, pan yn fachgen, yn gwybod pa awr o'r dydd oedd hi

> by clocking the hour when the Irish Mail bugled its way
> past Salt Island just before Mother's call for dinner.

Da y dywed Aled Eames yn ei gyfrol *Ships and Seamen of Anglesey 1588-1918* fel y byddai'r bechgyn a ruthrai allan o'u hystafelloedd dosbarth yn ysgolion Sir Fôn ddiwedd y bedwaredd ganrif ar bymtheg yn breuddwydio am y dydd y caent hwylio i Ffrisco, Callaô, Bombay neu Sydney. O amgylch yr arfordir, o Lanrhwydrys, Llanbadrig, Amlwch a Moelfre, yr hyn a welai'r hogiau ar eu ffordd adref o'r ysgol, fel yr hogiau ychydig yn hŷn a weithiai ar y tir, oedd y llongau tal a hwyliai heibio, a gwaith anodd iawn gan rieni oedd dylu'r rhamant a berthynai i'w hantur hwy. O'r lan gyferbyn â Glan-yr-afon safai John i ryfeddu at y llongau anferth o China a hwyliai o ben-draw morglawdd Caergybi 'on the banana trail', a dychmygai sut fywyd oedd ar eu byrddau, yn union fel y rhamantai'n ddychmygus yng nghwch ei dad:

> Ym mad fy nhad, 'roedd fy nydd
> Yn bennaf mwynder beunydd.
> Draw'n y bae crwydrwn y byd,
> A chwiliwn cyn dychwelyd
> Gegau ogofâu o fôr;
> Drysau breuddwydiol drysor.

Ie, rhamantu, rhamantu er bod y môr yn beryglus yn Llanfwrog a'r cylch oherwydd yr holl greigiau. Nid nepell yr oedd cloch y bwi, cloch fawr Clipera, yn y dŵr ynghlwm wrth y creigiau ac yn seinio'i rhybudd cyson i'r llongau a ddeuai'n rhy agos atynt. Fel y nodwyd eisoes, dair milltir i ffwrdd, ar draws y dŵr hwnnw yr oedd harbwr prysur Caergybi. Gynt, ymhell cyn i John Roberts gael ei eni, hwyliai fferi i Gaergybi o Borth Swtan a fferi arall o Borth Trefadog. Y tro cyntaf iddo ef fynd i'r dref, mewn *wagonette* yr aeth, *wagonette* Bob Jones y Cow, a hynny yn ystod un o flynyddoedd y Rhyfel Byd Cyntaf. Aeth hefyd ar y bws cyntaf ('os gellir ei alw'n fws') a aeth o Lanfwrog i Gaergybi erioed. Yn ddiweddarach, hwylio yno a wnâi, 'efo cwch' chwedl yntau, ond y rhan amlaf, yn enwedig ar ôl troi pedair ar ddeg, ar feic yr âi.

Beth a gâi yno? 'Toffi bendigedig' yw un o'r pethau cyntaf y cofiai'i gael. Cofiai weld pethau dieithr eraill hefyd, megis pobl yn begera 'ar ganol y stepiau i'r Farchnad' – 'rhyfeddod i fachgen o'r wlad!' Ymhen amser daeth i werthfawrogi mynwent yr eglwys blwyf lle claddwyd Siôn Robert Lewis yr almanaciwr a'r emynydd, awdur 'Braint, braint | Yw cael cymdeithas gyda'r saint', a William Morris, 'yr hoffusaf o'r brodyr enwog', awdur 'Golchwyd Magdalen yn ddisglair'. Daeth hefyd i ddeall mai yno y maged Dr Owen Thomas, un o gewri Methodistiaeth y bedwaredd ganrif ar bymtheg, a Morswyn, sef S. J. Griffiths, awdur 'Arglwydd Iesu, arwain f'enaid | At y graig sydd uwch na mi'. Ond, yn llanc, y ddau le brafiaf ganddo oedd y stesion, terminws pwysig y rheilffordd o Lundain, a'r Cae Mwd, sef y cae pêl-droed, lle gwelodd un tro Gaergybi yn chwarae yn erbyn tîm llawer mwy llewyrchus Wrecsam. Y peth odiaf ganddo am Gaergybi oedd bod ei fam 'yn mynnu aros i siarad efo pobl o Lanfwrog ar y stryd'. Ond y peth gorau ganddo oedd gweld y dref o'i blwyf ei hun: 'Caergybi o Lanfwrog oedd y lle.'

I lygaid dŵad, lle diarffordd o ffermydd cymysg eu maint gyda thai moelion ar wasgar yn ddibatrwm hwnt ac yma ydyw Llanfwrog, pentref heb fod yn bentref yn yr ystyr fod ei anhedd-dai yn glystyrau gyda'i gilydd. Ond gan fod John yn sôn am 'fynd i'r pentref' ar fân negeseuon dros ei fam, y mae'n ddiau bod y trigolion yn ystyried bod iddo ganol. Yr oedd yno Swyddfa Bost a siop, ac eglwys a chapel wrth gwrs. Pan nad oedd John yn cimycha neu'n pysgota, câi fynd gyda'i dad i'r Penrhyn weithiau i weld Mr a Mrs Edward Williams, a phan âi ei dad i helpu Griffithiaid Plas-yn-Glyn câi fynd yno hefyd. Un prynhawn ar ôl te gofynnodd Edward Williams iddo fynd gydag ef i godi bwgan brain yng Nghae Carreg C'lomen. Cawsant hwyl arni, y meistr a'r gwas bach, a'r meistr yn canmol ei gynorthwywr yn arw. Ar ôl mynd tua thref penderfynodd John yr hoffai gael bwgan brain yn ei ardd ei hun. Chwiliodd ei fam am deunydd iddo a'i helpu i'w godi. Caiff ef ganlyn y stori:

> 'Wn i ddim yn iawn be ddigwyddodd, a oeddwn wedi blino, a hithau'n nosi, ynteu beth? Ond yn ôl y stori a glywais lawer gwaith gan Edward Williams mewn blynyddoedd diweddarach, bu'n rhaid i'm mam fynd i'r ardd i dynnu'r bwgan brain i lawr cyn y mentrwn fynd i'm gwely!

A dyma'r pregethwr yn ychwanegu:

> Yr oedd gennyf ofn y bwgan a godais i fy hun!

Dilynai ei dad hefyd gydag ambell dasg amaethyddol. Y mae Dr Dafydd Wynn Parry, a fu drwy ei oes waith yn aelod o staff yr Adran Fotaneg Amaethyddol yng Ngholeg y Gogledd, yn cofio John yn dod, ganol y dauddegau, gyda'i dad i'w ffarm nhw ar y ffordd o Gaergybi i Laingoch, i nôl lloeau gwryw. Bob tro y byddai un o'r buchod yno yn bwrw llo gwryw, byddai tad Dafydd Parry, John Parry Tyddyn Bach, yn hysbysu'r Penrhyn o'r digwyddiad, byddai Edward Williams yn ei brynu ac yn anfon William

Roberts i'w gyrchu. 'Lapiai ef mewn sach a'i roi yng nghist y car modur. Yna âi'r ddau dad i'r tŷ am baned. Seiadu mawr wedyn.' Dyna John yn cael tro arall i Gaergybi, a dyna ni'n cael un rheswm dros fudreddi diarhebol car ei dad!

Y rhyfeddod, wrth gwrs, yw bod gan was ffarm gar modur o gwbl yn nauddegau'r ugeinfed ganrif. Ac nid ar y car yn unig y gwariai ei gyflog prin. Prynodd gwch hefyd, fel y gwelsom. Fel y cawn weld yn y man, cafodd John lawer o bethau na allai mab a chanddo frodyr a chwiorydd fyth freuddwydio am eu cael. Gan mor hyfryd o fonheddig ydoedd ar hyd ei oes ni ellir dweud iddo gael ei ddifetha. Ond dywed ei ferched eu bod, ymhell cyn iddynt ddod i wybod am Gwladys, yn tynnu ei goes ac yn ei gyhuddo'n aml o ymddwyn 'fel unig blentyn' – hynny yw, fel un a adawai i bobl eraill wneud mân dasgau diflas drosto, golchi llestri, trin yr ardd, mofyn glo o'r cwt glo, &c.. Yn un o'r nifer mawr o lyfrau lloffion a adawodd John Roberts ar ei ôl, y mae toriad o gartŵn gan un Ivan Waller na lwyddais i (na'm cyfaill Tegwyn Jones, y dyscedicaf o gartwnwyr Cymru) i'w olrhain. Yn y cartŵn gwelir tri milwr gerbron rhingyll ac un ohonynt yn gwisgo côt drom dros ei iwnifform, yn ogystal â sgarff a menig polca-dot, druan bach, a'r rhingyll yn gofyn iddo dan grechwenu, 'Padron me for asking, but do you happen to be an only child?' Rhaid bod y cartŵn wedi canu rhyw gloch ym meddwl y sisyrnwr a'i cadwodd.

Fel yr awgrymais ar ddechrau'r bennod hon, yr oedd Llanfwrog gyda'i fôr a'i lannau a'i wladeiddiwch naturiol yn lle deniadol i ymwelwyr haf. Caiff Lizzie Roberts yr enw o fod gyda'r cyntaf i gadw fisitors yno. A, chan hynny, o fod gyda'r cyntaf i gael ffynhonnell arall o arian. Ond fe'i hefelychwyd i'r fath raddau fel y byddai 'llawer *iawn* o bobl' yno'n cadw fisitors ddiwedd y dauddegau a thrwy'r tridegau. Hysbysebu yn y *Manchester Evening News* a'r *Liverpool Echo* y byddai'r lletywyr, a chymryd eu gwaith gyda'u hymwelwyr o ddifrif iawn. Mynd â dŵr ymolchi iddynt i'w hystafelloedd bob bore, eu bwydo bob pryd gan goginio iddynt ar dân agored neu ar stôf baraffin, golchi a smwddio drostynt, a thaenu gwelyau glân bob wythnos. A hyn oll ymhell cyn bod sibrwd-sôn am ddŵr rhedegog a thrydan yn y tai. Diau bod y mab weithiau'n rhoi help llaw i'w fam brysur. At hynny, byddai helfa o gimwch a helid ganddo, neu fasgedaid o fadarch a godai, yn gyfraniad nid bychan at y fwydlen yng Nglan-yr-afon.

Parhâi tymor yr ymwelwyr yn hir ambell flwyddyn. Un tro yn Awst aeth John am naw diwrnod o wyliau i Lerpwl – ni ddywed at bwy – a phan ddychwelodd, 'ein hymwelwyr', y Bramers, a ddaeth i gwrdd ag ef at y trên yn eu car. Y flwyddyn honno, 1924, yr oedd ymwelwyr, y Burkes wrth eu henw, yng Nglan-yr-afon mor hwyr â'r 18fed o Hydref. Yr oedd yn hwyr hyd yn oed i fisitors mwyar duon. Teulu arall a dreuliai ran o'r haf yn gyson am nifer da o flynyddoedd yng Nglan-yr-afon oedd teulu Richard J. Cyriax, hanesydd morol, a gyhoeddodd yn 1939 gyfrol o'r enw *Sir John Franklin's Last Arctic Expedition: A Chapter in the History of the Royal Navy*, yr anfonwyd copi ohoni i Lanfwrog 'with the author's compliments'. Mewn llythyr at John y flwyddyn ganlynol noda Richard Cyriax ei fod mewn siop lyfrau ail-law wedi codi copi o Ramadeg Cymraeg Spurrell, 'the same man who compiled my dictionary', nodyn a ddengys fod y Robertsiaid dros flynyddoedd eu lletygarwch wedi llwyddo i ennyn diddordeb yn yr iaith Gymraeg ynddo, fel y llwyddodd ef, yn ddiau, i gyfoethogi eu diddordeb plwyfol hwy ym mhethau mwy y môr mawr.

Yn ystod y tridegau yr oedd gan Lizzie Roberts, a William Roberts o ran hynny, ymwelydd tra gwahanol i ymorol am ei fwyniant. Perchennog ffatri ddillad yn Lloegr oedd Mr Cobden: wrth y teitl hwnnw y gelwid ef gan bawb, ebe Beti Williams. Ef hefyd oedd sefydlydd a pherchennog y Cobden Hotel sydd yng Nghapel Curig hyd y dydd heddiw. Ddechrau'r tridegau, pan oedd John yn y coleg, dyma Cobden, a arferasai ddod yn ei Rolls Royce ar wyliau hela i Gylch y Garn, yn prynu darn o dir am y berth â Glan-yr-afon ac yn codi tŷ arno, tŷ ar lun *shooting lodge* â feranda iddo, tŷ (os caf ddyfynnu Beti Williams dda goeglyd unwaith yn rhagor) 'y gallai saethu eirth ac anifeiliaid eraill ohono' heb symud cam o'r fan! Anaml yr ymwelai Cobden â'i eiddo newydd, ond pan ymwelai ag ef cyflogai Mrs Roberts i wneud swper iddo ef a'i wraig a'i chwaer, a phan âi cynllunio'r prydau hyn yn drech na hi piciai i Benrhyn gyfagos i ofyn i Mrs Mary Williams a'i merch Hetty 'am awgrymiadau'. Gan fod William Roberts yn berchen ar ddryll, câi yntau waith yn helpu Cobden i hela. 'Ond,' ebe Beti Williams, 'nid oedd Wil mor driw i'w feistr ag y meddyliai gan ei fod yn rêl potsiwr pan oedd Cobden i ffwrdd.' Am fod Mrs Roberts yn edrych ar ôl Gwylanfa, ys enwyd y *shooting lodge* ar awgrym John, rhoddodd y Cobdeniaid deleffon yng Nglan-yr-afon – Llanfaethlu 214 – er mwyn iddi allu cysylltu â hwy mewn angen, ac er mwyn iddynt hwy yn ddilythyr allu ei rhybuddio hi eu bod ar fin ymweld â'r lle.

Ar ffermydd bach ac ar aelwydydd gweision ffermydd yn ystod y cyfnod llwm digymhorthdal hwnnw yn union ar ôl y Rhyfel Mawr ac am ugain mlynedd wedyn, y peth prinnaf o ddigon oedd arian sychion. 'Does dim dwywaith fod cryn swm o'r arian a enillwyd yng Nglan-yr-afon drwy ddiwydrwydd hafau hir o gadw fisitors wedi'i neilltuo i brynu rhai pethau at hybu llwyddiant John, beth bynnag fyddai hwnnw. John, meddai pawb, oedd cannwyll llygad ei fam. Ond gan na chedwid adroddiadau ar waith plant ysgolion elfennol yr oes honno, ni wyddys dim swyddogol am ei gynnydd addysgiadol yn yr ysgol. Ac ni soniodd ef fawr ddim amdano, chwaith. Cyfeiriodd droeon at yr addysg emynyddol a phrydyddol a gafodd ar yr aelwyd: 'Mam yn canu "Pe meddwn aur Periw" William Lewis, ... Fy nhad yn adrodd "Mi fûm yn gweini tymor".' Nododd hefyd y gwyddai ei dad, ac yntau'n was ffarm a dreuliasai flynyddoedd mewn llofftydd stabal, ugeiniau o Hen Benillion, 'a difyr oedd gwrando arno yn eu hadrodd', llawer ohonynt yn feddargraffiadau. Er enghraifft:

> Gwen o'r diwedd aeth i'w bedd,
> 'Rôl treulio'i hoes yn hyll ei gwedd;
> Pan ddêl yr angel dyweda'n llon,
> "Yn enw Duw, o ble daeth hon?"

Yr oedd ei dad hefyd, meddai, yn feistr ar y llinell goll.

Er na adawodd John ar ddu a gwyn ddim cofion am Ysgol Ffrwd Win, ar lafar canmolai bob amser yr athrawes Mrs M. M. Davies, Botan, Llanfachraeth, am osod 'y sylfaen academaidd iddo', ynghyd â rhes dda o athrawon didystysgrif a ddeuai yno ar bwcs. Ffrwd Win yw'r enw prydferth a roddodd E. J. Williams, y prifathro ym mhumdegau'r ugeinfed ganrif, ar yr Ysgol Fwrdd a godwyd yn 1879 ar gyfer plant Llanfaethlu a Llanfwrog ar y cyd – Ffrwd Win am fod tyddyn o'r enw hwnnw ger y safle cyn iddo gael ei ddymchwel, ebe rhai; fe'i henwyd 'ar ôl un o lednentydd afon Penrhyn,' ebe *Nabod Môn*, 2003. Melltith ei lleoliad oedd ei bod yn bell o'r naill bentref a'r llall. Oherwydd ei phellter – yr oedd dwy filltir a hanner rhyngddi a Glan-yr-afon – nid anfonwyd John iddi tan ei fod yn saith oed, ac nid anfonid ef bob dydd wedyn. Fel hyn y cafodd Huw Tudor yr hanes, naill ai gan John Roberts neu gan ei dylwyth ei hun. Os byddai'n bwrw glaw galwai John ar ei ffordd i'r ysgol yn Isfryn, tŷ hwsmon Bodfardden

Ddu, Richard Hughes a'i wraig, sef taid a nain Huw. 'Ar ddyddiau llaith neu wlyb,' ebr ef, 'byddai fy nain yn newid sanau J. R., ei fam wedi rhoi pâr sych yn ei boced i'w cyfnewid am y pâr a fyddai am ei draed.' Nain Hughes wedyn 'yn eu sychu o flaen y tân, ac yn eu rhoddi yn y popty tan hanner awr wedi tri, pan alwai John amdanynt ar y ffordd adref.' Os deuai'n storm yn ystod y dydd ac yntau yn yr ysgol, ar ganiad cloch y prynhawn âi i Isfryn i ymochel, aros yno tan y deuai Richard Hughes adref, a mynd ar far beic hwnnw, gyda chlogyn o sachliain amdanynt, am Lan-yr-afon. Ys dywedodd John Roberts ei hun adeg canmlwyddiant yr ysgol:

Nid oedd na bws na modur
  I'n cario oes a fu,
Cerdded o ben Llanfaethlu,
  I lawr allt Penrhos-ddu;
A cherdded o Lanfwrog,
  A'r ffordd âi'n hwy a hwy
Wrth ddringo'r elltydd creulon
  I ysgol y ddau blwy'.

(iii) Owens College a'r capel

Ddechrau 1924 symudodd John i ysgol yng Nghaergybi, nid i'r ysgol sir ond i Owens neu Owen's College. Pan holais ei ferched am y blynyddoedd a dreuliodd John Roberts yn y fan hon, dywedasant iddynt glywed rhai'n dweud iddo gael ei gadw o'r ysgol sir am fod Gwladys, ei chwaer, yno, ac am na fynnai ei rieni iddo ddod i wybod amdani. Ar y llaw arall, er ei fod yn fachgen dawnus, efallai iddo fethu'r sgolarship. Ni wyddom. Ond mi wyddom ei fod, ar yr 8fed o Ionawr 1924, yn dair ar ddeg a hanner oed, yn nodi yn ei ddyddiadur: 'Went to new school'. Yr oedd ei fyned i ysgol newydd yn dystiolaeth sicr o awydd ei rieni i'w weld yn dilyn gyrfa amgenach na gweini ffarmwrs neu hwylio'r moroedd, dau brif ddewis gwerinblant Sir Fôn yn yr oes honno.

Yr oedd enw'r ysgol newydd ar unwaith yn enw disgrifiadol ac yn enw rhyfygus braidd. Yr oedd yn enw disgrifiadol o ran mai Owen oedd enw ei pherchennog, John Owen Owen o Rosygaer yn nhref Caergybi, gynt o Kingsland. Yr oedd yn enw rhyfygus nid yn unig am fod y perchennog wedi galw'r ysgol yn goleg, ond am fod Owens College yn enw anrhydeddus iawn yn hanes addysg Lloegr yn y bedwaredd ganrif ar bymtheg, enw anrhydeddus y gobeithiai J. O. Owen nid hwyrach fanteisio arno. Sefydlwyd yr Owens College nodedig ym Manceinion yn y flwyddyn 1851, yn bennaf gyda'r ffortiwn o gan mil o bunnau a waddolwyd iddo gan John Owens (1790-1846), masnachwr cotwm llwyddiannus a oedd yn awyddus i sefydlu coleg, yn wahanol i golegau Rhydychen a Chaergrawnt, na fynnai gan y llanciau a âi iddo brawf o'u hymlyniadau crefyddol. Yn 1902, pan gafodd ei siarter annibynnol, dyma'r coleg a ddaeth yn Brifysgol Manceinion.

O'r dechrau dysgid yno y canghennau o ddysg a gwyddoniaeth a ddysgid ym mhrifysgolion eraill Lloegr. Yn y coleg o'r un enw yng Nghaergybi diau y dysgid rhifyddeg a Saesneg, fel ym mhob ysgol drwy'r wlad, ond dysgid yno hefyd law fer a theipio a llyfrifeg, *book-keeping*, i baratoi'r disgyblion ar gyfer gofynion clercyddiaeth, gweinyddiaeth a masnach.

Y mae'n siŵr gennyf fod J. O. Owen wedi cerdded heibio i'r adeilad nobl a gartrefai Owens College yn Oxford Street, Manceinion, lawer tro. Y mae'n siŵr gennyf hefyd fod yr enw ar goleg Rhosygaer wedi apelio at lawer o drigolion Caergybi a'r cylch a ddymunai roi tymor pellach o addysg i'w plant a fethodd neu na fynasent am ryw reswm neu'i gilydd fynd i'r ysgol sir. Os yw dilladau yn arwydd o dda bydol, y mae'r ddau lun a welais i o ddisgyblion Owens College yn nauddegau'r ugeinfed ganrif yn tystio'n hardd i'r ffaith mai trigolion pur dda'u byd oedd y rhan fwyaf o'r rhieni a anfonai eu plant i'r coleg hwn. Y merched glân rhubanog mewn ffrogiau goleuliw llaes, y bechgyn yn siwtiog-wasgodog ac mewn coler a thei, a'r oll yn edrych yn ffyniannus ac yn hyderus dros ben. Nid felly yr edrychai disgyblion ysgol fach yn y wlad ar gamera yn y cyfnod hwnnw.

At y plant bwrdeisaidd hyn, ynteu, yr aeth mab y gwas ffarm o Lan-yr-afon a'i wraig, o'r ysgol wledig rhwng Llanfwrog a Llanfaethlu i Owens College yng Nghaergybi ar waelod Stryd yr Orsaf heb fod ymhell o hen ddepot bysiau Crosville, a, bron yn union-syth, i adeilad a addaswyd ar gyfer y coleg yn Cleveland Avenue. Nid ysgrifennwyd hanes Owens College ac am hynny nid oes sicrwydd pryd y mudodd o'r naill le i'r llall. Ond y mae gan John Roberts gofnod dyddiadurol am Ddydd Gwener yr 11eg o Ionawr 1924 sy'n dweud: 'Lady Thomas opened new school'. Gwraig Syr Robert John Thomas, y Rhyddfrydwr cefnog a fu'n aelod seneddol dros Wrecsam rhwng 1918 a 1922 ac a olynodd Syr Owen Thomas fel yr A.S. dros Sir Fôn yn 1923, oedd y Lady Thomas honno. Pa un a aeth John yn gyntaf i Rosygaer ac yna i Cleveland Avenue neu i Gleveland Avenue yn syth-bin, mynd a wnaeth at lanciau a llancesi gwahanol iawn i hogiau Llanfwrog. A mynd ar gefn beic. Ar hyd yr hewl yr oedd honno'n siwrne o naw milltir un ffordd. Er ei hwyed, nid oedd yn beth anghyffredin ei seiclo. Bythefnos i fewn i'r tymor yn nechrau 1924, ebe John Roberts, 'Did not go to school because of the awful weather'. Amlach na'r *did not go* yw'r cofnodion sy'n nodi 'Rode to school and back'. Ddydd

Gŵyl Dewi 1924, wele'i dad yn mynd i'r dref i archebu beic newydd iddo, beic a gyrhaeddodd wythnos yn ddiweddarach. 'Went to school and back on my new bicycle' yw'r cofnod am y 12fed o Fawrth. Yn ystod yr wythnos rhwng archebu'r beic a'i gael, un o'r cofnodion yn y dyddiadur yw 'Paid school fees'. Dyfalu yn unig yr wyf, ond tybiaf mai'r arian cadw-fisitors a dalai ffioedd Owens College – ac am y beic, siŵr o fod. Dyfalu ymhellach yr wyf, ar sail ychydig yn sicrach, pan ddywedaf mai un o'r ymwelwyr haf cyson yng Nglan-yr-afon, Dr Parry Edwards, a oedd yn feddyg ar longau'r Blue Funnel, a gynghorodd William ac Elizabeth Roberts i anfon John i Owens College. Ni wn a gyfrannodd ef yn uniongyrchol at y ffioedd ai peidio – yr oedd ganddo'i ddwy ferch ei hun i'w magu – ond gwn mai ef a anogodd John rai blynyddoedd yn ddiweddarach i gymhwyso'i addysg dechnennig at waith swyddfa.

Y mae'n werth aros gyda dyddiadur y flwyddyn 1924 am ychydig, oblegid er byrred y cofnodion sydd ynddo fe ddywed gryn dipyn wrthym am fywyd y crwt. Fel y dangosaf yn nes ymlaen, byddai John yn cadw dyddlyfr ambell flwyddyn yn y weinidogaeth. Ond dyddiadur 1924 yw'r cyntaf – y cyntaf o ddau – sydd gennym am flynyddoedd ei fachgendod. *Pocket Diary* ydyw, dyddiadur bychan bach pedair modfedd wrth ddwy-a-hanner a brynwyd yn siop 'W. O. Jones, Stationer, Fleet Street, Holyhead'. Taldra'i berchennog, J. Roberts, meddai'r "Things to Remember", yw pedair troedfedd a dwy fodfedd (rhaid ei fod wedi prifio'n sydyn yn ystod y blynyddoedd nesaf). Yn nechrau 1924 y mae'n pwyso chwe stôn, y mae ei gap o faint 6¾, tair modfedd ar ddeg a hanner yw maint ei goler (pwysig cael coler a thei yn Owens College), a phump yw maint ei esgidiau. Yn ogystal â'r ffeithiau corfforol hyn a'r mynych gyfeiriadau at farchogaeth y deuroduron hen a newydd rhwng Llanfwrog a Chaergybi, ceir cyfeiriad prin

prin at waith y coleg ('Started short hand' meddir y diwrnod cyn i Lady Thomas agor y lle newydd). Ceir cyfeiriad neu ddau at weithgaredd diwylliadol (er enghraifft, 'Tryed [*sic*] arholiad sirol', 'Cymanfa at Bryndu', 'Tea and Concert at Chapel'). Sonnir am rai gweithgareddau gwledig: 'Caught 1st mole of the season' ar y 1af o Fai, 'Went fishing' ar y 14eg o Fehefin. A sonnir am ymwelwyr, am gymdogion yn troi i fewn i Lan-yr-afon, am hwn-a-hwn yn dod i swper, am Johnny Jones y teiliwr yn dod i fesur ei dad am siwt, ac am y meddyg yn dod i edrych am ei fam yn ei salwch rai dyddiau yn nechrau mis Mawrth. Ond y ddau beth mawr yn y dyddiadur yw'r sôn am gerddoriaeth ac am gapel, y ddeubeth ar wahân a'r ddeubeth ynghyd.

Ar ddalen lân gyntaf y dyddiadur, o dan y pennawd "Memoranda", cofnododd y bachgennyn diddorus dri o ddigwyddiadau pwysig yr ychydig flynyddoedd cynt. 'Passed 1st Music Exam 18 Dec 22' yw'r cofnod cyntaf. O dano ceir 'Passed 2nd Music Exam 19 Dec 23'. Ac o dan hwnnw wedyn, 'My Organ came 27 Jan 1921'. Y mae'n amlwg fod y rhieni a'u gyrrodd i Owens College, ac a fynnodd feisicl newydd iddo deithio yno, wedi hen gynllunio prynu pethau i'w hyfforddi a'i ddiwyllio. Os clandrodd John y blynyddoedd yn gywir – '2 years today I first started music' yw'r nodyn a roddodd wrth '31 Dec. 1923' (dyddiad a osododd yn nyddiadur 1924 â'i law ei hun) – prynwyd yr organ bron i flwyddyn cyn iddo ddechrau cael gwersi. Y mae'n siŵr gen i mai harmonium oedd yr offeryn, ond fel organ y cyfeirir ato. 'Diwrnod mawr', meddai John Roberts mewn pregeth yng Nghapel Tegid y Bala yn 1959, 'oedd hwnnw pan gyrhaeddodd yr organ. Coffa da am fy nhad a minnau, trwy ymgynghoriad â'm mam, wrth gwrs, yn ceisio cael lle iddi yn y gegin.' Ei fam, meddai, a oedd wedi mynnu 'rhoi miwsig' iddo.

Dywed y dyddiadurwr mai ar brynhawniau Sadwrn yr âi am wersi, at athrawes 'yn y pentref', ond nis enwir. Cofia rhai yn Llanfachraeth ei fod yn dod yn ddiweddarach at Mrs James, Bedo am wersi. Y Sul olaf yn Ionawr 1924 cafodd ddechrau chwarae'r offeryn yn y capel: 'Started playing in Chapel', ebe'r dyddiadur. Ymhen pythefnos edrydd: 'Played 4 times in Chapel'. Yr oedd hyn yn beth mawr i blentyn, yn anrhydedd ac yn gyfrifoldeb. Dichon na wyddai ef y pryd hwnnw ba mor gyndyn y buasai cynulleidfaoedd Anghydffurfiol y Cymry i osod offerynnau cerdd yn eu capeli, na pha mor gyndyn y bu llawer ohonynt i fabwysiadu llyfr emynau. Y tebyg yw mai o'r *Llyfr Hymnau a Thonau* a olygwyd gan J. H. Roberts, Pencerdd Gwynedd, ac a gyhoeddwyd yn 1897, y cymerai John Roberts ei donau yn 1924. Yr oedd y llyfr emynau'n chwarter canrif oed, ond yr 'organ hardd gyda phibellau gwynt' yn gymharol newydd. Fe'i prynwyd i gofio pedwar llanc o'r pentref a gollodd eu bywydau yn y Rhyfel Mawr.

Y mae'n amlwg fod gan y capel a'i wasanaethau ran bwysig yn ei fywyd cyn iddo eistedd wrth yr organ. Gwelsom uchod ei fod yn sefyll arholiad sirol ac yn mynychu cymanfa – ai cymanfa bregethu neu gymanfa ganu, ni ddywed, – ac y mae'r dyddiadur (y dyddiadur eto fyth) yn cofnodi ymweliad ambell noson waith â chapel Hyfrydle Caergybi, lle'r oedd y Parchedig R. W. Jones, mab-yng-nghyfraith yr enwog Ddr Puleston Jones, yn weinidog. John yn mynd yno o Goleg Owens. Yn ddiweddarach dywedai i R. W. Jones fod yn gefn mawr iddo, 'a'i fod yn cadw'r ochr ysbrydol yn fyw iawn yn fy meddwl'. Gartref mynychai'r Ysgol Sul yn Salem Llanfwrog ac oedfeuon pregethu'r Saboth yn gyson. Yn wir, yn bedair ar ddeg oed y mae ganddo ddigon o ddiddordeb ynddynt i adrodd amdanynt. Fel hyn, er enghraifft:

March 2 Sun. Went to chapel in the morning. Only 3. there

April 27 Sun. Turned Sunday School to a prayer-meeting (morning)

June 8 Sun. E. P. Roberts at Chapel good sermon*

Eithriad yw'r cofnod gan John lle cyfeddyf iddo aros yn ei wely tan y prynhawn (Sul y 13eg o Orffennaf). 'Went to chapel morn and after.' a geir y rhan amlaf, neu 'Went to chapel 3 times'. Os pregethodd E. P. Roberts yn dda ar yr 8fed o Fehefin, ei siomi a gafodd gan y Parchedig W. Llewelyn Lloyd dair wythnos ynghynt. 'W. Ll. Lloyd did not come to our chapel', ebe fe, fel petai'n awgrymu bod y capel bach islaw sylw Mr Lloyd. Dyna'r awgrym, dyna dôn y cofnod. Ond wrth gwrs y mae'n bosibl fod y gennad, nad oedd yn ŵr da'i iechyd, yn sâl, a'r gwir amdani yw mai bugail ar eglwysi bychain a fu ef drwy'i yrfa. Ymhen rhai blynyddoedd wedyn, daeth John i edmygu W. Llewelyn Lloyd yn ddirfawr.

Yr oedd y siom a gafodd yn absenoldeb Llewelyn Lloyd mewn gwrthgyferbyniad i'r gorfoledd a deimlodd, yn rhannol dros ei dad, dair neu bedair blynedd ynghynt pan glywodd un arall o wroniaid y pulpud Cymraeg, gwron

*Tad Mr Eifion Roberts CF a'r Arglwydd [Wyn] Roberts o Gonwy oedd y Parchedig E. P. Roberts, a ddaethai'n weinidog i Lansadwrn a Phenygarnedd ym Môn ryw dair blynedd ynghynt ar ôl bod yn weinidog ar y Trefnyddion Cymraeg yn Sunderland am rai blynyddoedd diffaith. Dywedodd Eifion Roberts wrthyf fod rhagflaenydd ei dad yn y dref ddociog honno, y Parchedig Lewis Jones, yn arfer dweud, 'Cafodd Alice fynd i *Wonderland*, a chafodd Lewis fynd i Sunderland.' Daeth E. P. Roberts yn fath ar ohebydd i Fethodistiaeth Môn drwy ail chwarter yr ugeinfed ganrif: yr oedd ei "Loffion o Fôn" yn nodwedd ddifyr ar gynnwys *Y Goleuad*.

amlycach na Llewelyn Lloyd hyd yn oed, er cystal pregethwr oedd hwnnw – neb llai na'r Parchedig Ddr John Williams Brynsiencyn. Yr wyf yn dweud *tair neu bedair blynedd ynghynt* am fod John Roberts yn dweud mewn un lle iddo'i glywed yn 1920 ac mewn dau le arall mai yn 1921 y'i clywodd. Yn sicr, fe'i clywodd yn ystod y flwyddyn neu ddwy olaf y bu Brynsiencyn byw. Diau bod William Roberts wedi edrych ymlaen am wythnosau bwy'i gilydd i glywed John Williams ym mhulpud Salem, ac wedi trosglwyddo'i ddisgwylgarwch i'w fab. John Williams Brynsiencyn, wrth gwrs, oedd un o bregethwyr mwyaf oll y cyfnod hwnnw, ac yr oedd ei ddyfod ef, cyn-weinidog Princes Road Lerpwl, cyfaill Lloyd George, iarll Llwyn Idris, i gapel bach diarffordd Llanfwrog fel dyfod tywysog i gornelyn dieithraf ei deyrnas. (Ond da cofio mai un o gyffiniau Mynydd y Garn yn y gongl ogledd-orllewinol honno o Fôn oedd ei dad, a'i fod yntau, a garai'r ardal, wedi dweud o Gadair Cymanfa Gyffredinol y Methodistiaid Calfinaidd mai yn Llanfair-yng-nghornwy yn y fro honno y tynnai'r iaith Gymraeg ei hanadl olaf.) Wythnosau cyn y Sul y disgwylid John Williams i Lanfwrog, 'Ddaw o, tybed?' oedd cwestiwn William Roberts beunydd beunos. Y bore Sul hwnnw a ddaeth. Wele William Roberts a'i fab yn cerdded ar draws y caeau o Lan-yr-afon tua'r capel. 'Ddaw o, tybed?' o hyd ar wefusau'r tad. Cyrraedd y capel. Agor y drws. A William Roberts yn troi at John ac yn dweud, *'Mae o yma!'*

Pwysleisiais fychander y capel. O ran ei faint yr oedd yn fwy nag ambell gapel gwledig, 'does dim dwywaith, ond ni bu erioed yn dabernacl nodedig. Fel y rhan fwyaf o achosion yn hanes y seiadau Methodistaidd, mewn tŷ annedd y cychwynnodd yr achos yn Llanfwrog, a cheid pregethu yn Nhrelywarch mor gynnar â chanol y ddeunawfed ganrif. Adeiladwyd capel cyntaf y Methodistiaid yn y pentref ym mlwyddyn fawr Yr Ordeinio, 1811, a hynny er nad oedd Cyfarfod Misol Môn ddim o'i blaid. Gofynnwyd yn sarhaus yno ai pysgod o'r môr oedd am ddod i'r gynulleidfa! Ailadeiladwyd y capel yn 1858, ac, yn ôl arfer yr oes optimistig oedd ohoni, helaethwyd ef yr eilwaith yn 1901. Yn 1902 codwyd 'ysgoldy destlus' gerllaw iddo.

Y gweinidog er 1921 oedd y Parchedig T. H. Griffith, a ddaethai i ofalaeth Lanfachraeth a Llanfwrog o Sir Drefaldwyn yn ŵr deugain namyn dwy. Dywedir amdano yn y *Braslun o Hanes Methodistiaeth Galfinaidd Môn 1935-1970* a olygwyd gan Huw Llewelyn Williams nas cyfrifid yn 'bregethwr mawr', ond, os derbyniwn beth a ddywedodd yr unig un o feibion ei eglwys a'i canlynodd i'r weinidogaeth, dynion nad oeddynt yn bregethwyr mawr oedd y rhan fwyaf o'i gyd-weinidogion hefyd. Pan ddywedodd hynyna, gwneud pwynt yr oedd John Roberts am natur ysbrydol yr aelwyd gartref pan oedd ef yn llefnyn. 'Doedd fy nhad a'm mam ddim yn saint,' ebr ef, 'ond roeddynt yn helpu i godi pont addoli o Sul i Sul ac yn amlach na hynny yn yr hen gapel. Doedd yna fawr i'w ganmol yn y pregethwyr, ond gwyddent fod y salaf yn cynrychioli'r pethau yr oeddynt hwy mewn dygn angen amdanynt.' Beth a welwn yma yw ymwybyddiaeth y mab o ddefosiynoldeb ei rieni (er, fel y gwelsom, 'doedd y defosiynoldeb hwnnw ddim yn biwritanaidd o bell bell ffordd); gwelwn hefyd eu gwerthfawrogiad hwy o werth cenadwri pregethwr pa mor gyffredin bynnag ei ddoniau.

Wrth gwrs, heblaw Brynsiencyn, clywodd y bachgen John Roberts bregethwyr gwych, gwreiddiol, eraill, neu wreiddiol yn unig, nad anghofiodd amdanynt ar hyd ei oes, pregethwyr fel John Owen y Parc, a fu ar ymweliad â gwlad Canaan ac a ddywedai hynny bob gafael. Ddeng mlynedd ar hugain ar ôl gadael ei fro enedigol cofiai hefyd gallineb gwreiddiol y blaenoriaid a oedd yn Salem ei fachgendod, Thomas Griffith Peniel, a âi i Lan-yr-afon am swper at ei hen forwyn weithiau, W. J. Hughes Twll Clawdd y gweddïwr campus, a Henry Parry Tyddyn Sherriff y codwr canu ('gan ei frawd, Robert,' ebe John Roberts unwaith, 'y cefais y cyngor gorau erioed at ddannodd: "Paid meddwl amdani, machgen i"').

Er lluosoced ei nodiadau bywgraffyddol byrion, ni ddatgelodd John Roberts erioed beth yn union a'i denodd i fynd yn bregethwr. O, do, dywedodd â'i dafod yn ei foch fod 'yr hen Breis' – 'Preis y Peniel' – wedi gofyn iddo unwaith ar y ffordd adref o'r capel, 'Beth wyt *ti* am fod, 'y machgen i?' Yntau'n ateb, 'Pregethwr.' Ac am yr ateb yn cael ceiniog. 'Gweld ei bod yn talu mynd yn bregethwr!' Er difyrred y stori, 'dyw hi'n ddim cymorth i ni ddeall datblygiad meddwl yr organydd ifanc capelgar. Stori ffraeth am fachgen ar ei brifiant ydyw, nid gair o brofiad llanc o ddifrif. Rhoddodd dystiolaeth ddifrifolach ar ddechrau araith ar "Efengylu Heddiw" a draethodd yn ei oed a'i amser, ond am fod y dweud mor ymwybodol-ormodieithog nid oes cymorth yno chwaith i neb a fynn iawn ddeall tro ei yrfa. Beth a ddywedodd yno yw:

> Euthum yn bregethwr gyda'r syniad fy mod am newid pobl Llanfwrog a phob Llan arall. Yr oeddwn wedi darllen *Cofiant Richard Owen Cana* – y diwygiwr. Yr oedd ef wedi newid bywyd pobl ym mhob man. Pam na allwn innau wneud fel yntau?

Erbyn hyn, ychydig sydd hyd yn oed yn cofio enw Richard Owen. Un o feibion Llangristiolus ym Môn ydoedd – ganed ef yn 1839 – a gynorthwyodd lawer ar eglwys fechan y Methodistiaid yng Nghana Rhos-cefn-hir, cyn mynd yn fyfyriwr i Goleg Lewis Edwards yn y Bala yn 1863. Nid arhosodd yno'n hir. '... anodd iawn, onid annichon,' ys dywed *Y Bywgraffiadur Cymreig hyd 1940*, 'oedd i un a oedd eisoes ar gerdded cyson fel efengylydd wneuthur fawr ohoni fel efrydydd.' Er na chafodd ei ordeinio tan y flwyddyn 1873, pregethodd gydag angerdd anghyffredin drwy Gymru benbaladr hyd ei farw yn 1887. Heb os, yr oedd Richard Owen, y cyhoeddwyd ei gofiant a detholiad o'i bregethau yn 1889, yn arwr mawr i'r ddwy genhedlaeth o flaen John Roberts, a chan hynny nid yw'n syndod iddo'i weld fel rhyw fath o esiampl iddo'i hun.

Er hyn, y gwir yw ei bod yn amhosib bellach ysgrifennu hanes ei alwad. Ond am fod ar glawr ddyddiadur a gadwodd am 1927 gwyddom i'r llanc dreulio'r blynyddoedd ar ôl 1924 yn rhannol fel y treuliasai y flwyddyn honno, yn mwynhau'r môr a'i bethau, yn ymhyfrydu yng nghwmni'r ymwelwyr haf, yn cario gwair fan hyn, yn lladd ŷd fan draw, yn mynychu oedfeuon ei eglwys ei hun ac oedfeuon rhai o eglwysi Caergybi, yn chwarae'r organ, ac yn meistroli'r pynciau ymarferol yr hyfforddid ef ynddynt yn Owens College.

Pitman's Shorthand and Typewriting Year Book and Diary for 1927 yw'r dyddiadur hwnnw, llawnach a manylach ei gofnodion na chofnodion dyddiadur bychan 1924. Ac eithrio enwau'r pregethwyr a nodir yno, y mae'r cofnodion am Ionawr i gyd mewn llaw fer. O hynny ymlaen, ysgrifenna'n llawn, yn Saesneg tan Orffennaf, ond yna gyda dyfodiad yr Eisteddfod Genedlaethol i Gaergybi yn nechrau Awst y mae'r dyddiadur yn troi'n dri-chwarter Cymro. Ac yntau'n mynd allan yn aml i saethu ac i bysgota, edrydd John Roberts yn fanwl am ei gampau ar faes a môr, saethu hyn-a-hyn o gwningod, dal hyn-a-hyn o gimychiaid – 'Went fishing off the rocks and caught one rock breem (first of the season)' meddir Ddydd Mercher y 4ydd o Fai, a thrannoeth 'shot rabbits etc at Holyhead [and] bought a knife 3/-' (i'w blingo, y mae'n debyg). 'Gyda'r Dr' – Parry

Edwards heb os – 'yn pysgota yn yr afon' ddiwedd Awst, a chanol Medi y mae'n anfon cimwch neu ddau iddo: 'Sent lobsters to Dr. Also football coupons'.

Noder ei fod yn y fan hon yn dweud iddo bostio'r diwrnod hwnnw, yn ogystal â'r cimychiaid i Dr Parry Edwards, gwponau pêl-droed. Yr oedd hynny'n arferiad ganddo, heb os. Yr hyn a geir ar ddalen wag gynta'r "Diary for 1927" yw truth gan John Roberts ar 'How I won £20' ar y pyllau pêl-droed am y 12fed o Chwefror, sef trwy anfon i'r *Liverpool Weekly Post* dri chwpon a chael ar yr olaf un ganlyniadau un-ar-ddeg o gemau'n gywir. Y mae hyd yn oed wedi pastio rhestr y gemau hynny ar y ddalen, Derby County v. Burnley, Liverpool v. Everton, etc., gyda llinell drwy enwau'r colledigion! Ar y ddalen gyferbyn â'r truth hwn pastiodd y toriad o'r *Weekly Post* a gyhoeddodd ar y 19eg o'r mis na phroffwydodd yr un cystadleuydd ganlyniadau cywir y deuddeg gêm a chwaraewyd y Sadwrn cynt, eithr bod un yn haeddu'r Wobr Gysur am ddod yn agos. 'A cheque for this amount has been sent to the winner', ebe'r papur, gan roi ei enw a'i gyfeiriad. 'Thomas Griffith (the postman) brought the letter containing the cheque for £20,' ebe'r dyddiadurwr. 'Went to Holyhead in the afternoon, and cashed some at the Midland Bank.'

Buasai ef ei hun wedi gwneud bancer trefnus os diddyfalbarhad. Yng nghefn y *Pitman's* cadwodd ei gyfrifon personol am dri mis o'r flwyddyn, yn Dderbyniadau a Thaliadau. Noda'r naill golofn iddo ym mis Chwefror gael chweugain gan ei fam, iddo ddechrau mis Mawrth gael swllt arall ganddi, iddo hefyd ennill 5/4 am werthu crwyn tyrchod daear, a chael 6/- am adrodd. Gwariodd ddeuswllt ar gopi o *Daith y Pererin*, yn iaith John Bunyan ei hun, mi dybiaf, oblegid 'Pil. Progress' sydd yn y golofn daliadau. *Stamps, sweets, exercise books* a phapurau newyddion yw'r pethau a brynodd amlaf y misoedd hynny, ond ceir 'Welsh dic.' unwaith (pris 1/6). John Roberts hefyd, y flwyddyn honno, oedd yn gyfrifol am werthu copïau o'r "Detholiad", y detholiad o emynau at y gymanfa ganu yn Salem, mi dybiaf, cyfrol y gwerthwyd tri chopi ohoni i deulu'r Penrhyn fel i deulu Glan-yr-afon, ond un yn unig i'r gweinidog, er bod ganddo wraig.

Fel yn nyddiadur 1924 sonia am ei feic, ac ychydig am feic ei fam, ond wythnos ar ôl i echel ôl ei feic ef ei hun dorri y mae'i dad yn dwyn tua thref feic modur Mr Griffith Plas-yn-Glyn 'which we hope we'll keep'. Dridiau'n ddiweddarach y mae'r tad a'r mab yn Llangefni 'with the motor bike getting licences'. Ddeuddydd eto ac y mae ef a'i fam yn mynd ar ei gefn i Gaergybi. I'r glaslanc dwy-ar-bymtheg esgyrnog, tenau, pum troedfedd a naw modfedd o daldra, wele foddion newydd i farchogaeth y milltiroedd. Efallai iddo fynd â merch ifanc yn ogystal â'i fam ar gefn y motor-beic, oblegid y mae nifer o gyfeiriadau yn nyddiadur 1927 at Edna May, un o ferched y gwerthwr glo a gadwai hefyd Gwynfa Shop yn Llanfwrog.

Ond y mae, yn ogystal â brwdfrydedd y llanc at ei fywyd beunyddiol a'i lwc dda gyda'i bethau, nodwedd arall ar ddyddiadur 1927, sef ymwybod dyfnach a mwy difrifol â chrefydd a diwylliant y capel. Cyfeiriais eisoes at y ffaith ei fod yn enwi pregethwyr yn y dyddiadur. Nid â wythnos heibio heb iddo ar frig y tudalen enwi'r pregethwr sydd yn Salem y Sul, ei radd os oes ganddo radd, a'i destun neu ei destunau; ac weithiau dyry sylw ar y pregethwr. Y mae'r llaw sy'n ysgrifennu'r enwau a'r testunau hyn gyda'i Waterman's – ef sy'n enwi'r *fountain pen* – yn ddestlusach, yn fwy ymwybodol, yn fwy parchus, na'r llaw sy'n llenwi corff y dyddiadur. Ar frig y ddalen sy'n nodi wythnos lawn gyntaf mis Hydref noda mai'r gweinidog oedd yn Salem y Sul hwnnw ('pregethodd Mr. Griffith yn dda iawn heddyw'), ond, at hynny, noda mewn llythrennau breision 'DR. T. CHAS. WILLIAMS. MA, DIED', sef oedd hwnnw gweinidog disglair Capel Mawr Porthaethwy, un o ragorolion y pulpud Anghydffurfiol Cymreig yn chwarter cynta'r ugeinfed ganrif. Y mae'n gwbl amlwg fod John yn gwybod yn dda amdano ac am y golled ar ei ôl.

Erbyn hynny, yr oedd ef ei hun hefyd wedi dechrau byw'r bywyd cyhoeddus. Yr oedd wedi dechrau cystadlu ar adrodd a chyfansoddi mewn eisteddfodau ym Môn ac Arfon, ond at hynny, ac yn llawer pwysicach na hynny, yr oedd wedi dechrau ambell oedfa yn Salem. Y Sul olaf yn Chwefror, gyda J. E. Hughes, olynydd John Williams ym Mrynsiencyn, yn cadw cyhoeddiad yno, ebe John, 'I started the meeting this evening.' Ystyr hynny oedd cyhoeddi'r emynau agoriadol a darllen o'r Ysgrythur, ymarferiad cyhoeddus yr anogid bechgyn ifainc â'u bryd ar bregethu i ymgymryd ag ef. Cyn diwedd mis Hydref cafodd ddechrau'r oedfa i neb llai na'r hybarch Ddr Thomas Williams Gwalchmai, câr enwog i'r diweddar enwog Thomas Charles Williams. A'r nos Sul ganlynol rhoddodd anerchiad yn y capel ar ddirwest. Da nad hap-chwarae oedd y pwnc! Y mae'n amlwg fod mab Glan-yr-afon, yr heliwr a'r pysgotwr wrth reddf, wrth reddf arall yn ymbaratoi at fywyd o rwydo eneidiau, a bod swyddogion ei eglwys yn cymeradwyo'i hedyn o ddyhead: onid e, ni wahoddid ef i gymryd rhannau mor amlwg yn ei hoedfeuon.

Ond un peth oedd breuddwydio am fynd yn bregethwr. I lanc nad oedd eto'n ddeunaw, heb addysg uwchradd ac eithrio addysg y Pitmaniaid, peth arall yn hollol oedd cael caniatâd ei enwad i wireddu'r freuddwyd honno. Deued y flwyddyn newydd, siawns nad oedd yn rhaid i John Roberts, fel pawb arall, ennill ei fara. A chafodd waith a weddai i *Owens Colleger*, clercyddiaeth o ryw fath mewn swyddfa cwmni insiwrin yn Wrecsam. Fel yr awgrymais gynnau, y mae'n fwy na thebyg fod a wnelo'r dywededig Ddr Parry Edwards rywbeth â'r penodiad hwnnw, achos pan ddaeth hi'n bryd iddo sefyll ei arholiadau proffesiynol ffoniodd John y doctor – ar y teleffon a osododd Mr Cobden, tybed? – i ddweud wrtho na chymerai mohonynt, a'i fod yn hytrach am geisio mynd yn bregethwr. Pe na bai a wnelo'r doctor ddim â'r swydd yn Wrecsam, pa reswm yn y byd fyddai i John roi cyfrif iddo am ei gamre? Pan ddarfu, ffromi a rhegi a ddarfu Parry Edwards.

Yn 1928 cynigiodd ei hun yn ddarpar-ymgeisydd am y weinidogaeth i Gyfarfod Misol Môn. 'John,' meddai'r Parchedig T. H. Griffith wrtho, 'John, os medri di beidio, paid.' Mynd ddarfu John. Beth tybed a ddywedodd Lizzie a Wil wrtho? – y fam barablus, ddawnus, ddarbodus hael a brynasai'r organ iddo, ac a ddymunai bob da iddo; a'r saethwr a'r pysgotwr o dad adnabyddus am ei gryfder, am gryfder ei gorff a chryfder ei ymlyniad wrth yr achos – y ddau a'u gyrrodd i Owens College? Beth oedd yn eu meddyliau hwy? Y syniad disyml, y mae'n debyg, na allai'r mab wneud dim byd rhagorach.

Y bregeth gyntaf o'i eiddo sydd ar glawr yw'r bregeth a ysgrifennodd ar yr 21ain o Chwefror 1929 ar Actau 4:19, adnod o araith Pedr gerbron henuriaid, ysgrifenyddion ac archoffeiriaid y bobl. Gan mor ddestlus a melys ydyw, y mae tri pheth am bregethu John Roberts yn amlwg o'r dechrau: yn gyntaf, trefnusrwydd ei feddwl; yn ail, ei ddawn gyda geiriau; yn drydydd, ei sicrwydd efengylaidd. Dengys pennau'r bregeth seml hon hynny i'r dim. Ar ôl rhagymadroddi, dyry'r pennau hyn iddi: 1) 'Mai person wedi ei groeshoelio ydoedd Iesu Grist.' 2) 'Mai person wedi ei atgyfodi ydoedd.' 3) 'Mai yn ei Enw Ef yn unig yr iacheir dynion.' Rhaid ei fod wedi'i phregethu droeon ar ei gylchdaith o gwmpas capeli'r Dosbarth y perthynai Salem

Llanfwrog iddo, achos ni châi'r un ymgeisydd fynd gerbron Bwrdd yr Ymgeiswyr heb sêl bendith ei eglwysi cymdogol.

Ym mhapurau John Roberts y mae cerdd *vers libre* a gyfansoddodd yn ystod haf 1971, cerdd yn dwyn y teitl "Dan glogwyn y traeth". Yr oedd yn fardd gwell yn y mesurau traddodiadol ac yn y mesurau caeth nag oedd yn y mesur penrhydd, ac y mae'r gân hon ymhell o fod ymhlith ei bethau gorau. Ond a bwrw ei bod hi'n hunangofiannol – ac nid yw ffansi di-sail yn nodwedd o'i farddoniaeth – y mae'n taflu peth goleuni ar ymddygiad y llanc yn ystod y cyfnod rhagbaratoawl (megis) oddeutu 1927-28, pan oedd ei ddyhead am fynd yn bregethwr yn aeddfedu. Fel hyn y mae'r gerdd honno'n agor: 'Yno', sef dan glogwyn y traeth,

> Yno mae craig fy mhulpud,
> â chynulleidfa'r mân gerrig
> yn dyrfa flêr o'i flaen.

Yr wyf yn tybied mai dwyn i gof y mae'r bardd y ffordd yr oedd yn ystod ei lencyndod yn sefyll ar lan y môr yn rihyrsio sefyll mewn pulpud go iawn o flaen cynulleidfa go iawn. Yr awgrym cryf yn ail baragraff y gerdd yw bod John Roberts yn credu ei fod wedi ei arfaethu i fod yn bregethwr:

> Wedi clywed gweddïau
> yr hen Breis yn y festri,
> gweddïau cymysg o atal dweud
> a dagrau'r Diwygiad;
> ac wedi darllen am y gŵr o Gana
> a stori dychweledigion Gras,
> sefais yn fy mhulpud,
> a oedd ers canrifoedd
> yn disgwyl amdanaf.

Pennod 2

MYND YN BREGETHWR

(i) 'Os medri di beidio, paid'

Paham y dywedodd ei weinidog wrtho am beidio? Yn rhannol, am ei fod ef ei hun wedi edifarhau iddo fynd i'r weinidogaeth; yn rhannol hefyd am fod arwyddion yr amserau yn awgrymu'n gryf fod anawsterau dybryd yn wynebu neb pwy bynnag a ystyriai redeg gyrfa eglwysig. Buasai Methodistiaeth gyffrous y ddeunawfed ganrif yn danbaid ei ffydd. Y pryd hwnnw tybid y gellid profi bodolaeth Duw drwy'r hyn a ddywedai'r cread amdano, tybid bod y Beibl yn Air diysgog Duw a chan hynny'n awdurdodol ei ddysgeidiaeth o ran ffydd a moesoldeb, a thybid mai dyhead pennaf dyn oedd cadwraeth ei enaid tragwyddol yr addawodd Duw ei achub drwy Ei Fab. O ganol y bedwaredd ganrif ar bymtheg ymlaen, er nad oedd y mwyafrif o fynychwyr eglwysi yn dirnad hynny, yr oedd ceyrydd y grefydd Gristionogol yng ngwledydd Ewrop eisoes o dan warchae, gyda chatrodau o wyddonwyr yn herio'r datganiadau am natur a hanes y creu a geir yn yr Ysgrythur (a thrwy hynny'n codi amheuaeth sylfaenol am berthynas dyn a Duw), a chyda chatrodau o ysgolheigion dyneiddiol yn herio awduraeth y Gair (a thrwy hynny'n codi amheuaeth am ei awdurdod). *O dan warchae*, meddaf, *o ganol y bedwaredd ganrif ar bymtheg ymlaen*. Y gwir amdani yw bod holl duedd dysg er dwy ganrif ynghynt – dysg wyddonol, hanesyddol a damcaniaethol – wedi arwain pobl i amau bodolaeth Duw, er bod Cristionogaeth yn ymddangos yn ffyniannus drwy'r ddeunawfed ganrif a thrwy ganrif Victoria. Ymhellach, yr oedd chwyldro diwydiannol y cyfnodau hynny a chynnydd aruthr diwydiannaeth, cyflymder digyffelyb y newidiadau cymdeithasol ac economaidd a'u dilynodd, a'r cyffroadau gwleidyddol a ganlynodd y ffenomenau cymhleth hyn wedyn, oll wedi cyfrannu at yr ymdeimlad o ansicrwydd dwfn a nodweddai lawer cylch o gymdeithas Oes Victoria, ansicrwydd dwfn a oedd megis yn cystadlu gyda rhyw ewyllys i ddal i gredu mewn rhywbeth, boed hwnnw'n ddatblygiad y ddynoliaeth neu gynnydd.

Beth sydd a wnelo hyn â Llanfwrog wiwlan wledig hanner canrif yn ddiweddarach? A ellir dweud bod dylanwad gwyddoniaeth a beirniadaeth Feiblaidd, a chyn hynny sgeptigiaeth y meddwl rhyddfrydol a roesai i Ffrainc Rousseau ac i Ynys Brydain Hume, wedi tarfu ar yr ychydig werinos a addolai yno yn Salem? Na ellir. Ond fe welsom eisoes ym machgendod a llencyndod John Roberts rai o effeithiau moderniaeth. Effeithiau *pitw* moderniaeth, y mae'n wir, ond effeithiau moderniaeth er hynny. Beth a gyfrifir yn foderniaeth? At y pethau a nodwyd yn y paragraff uchod ychwaneger mecaneiddio gwaith, torfoli cymdeithas, torri ar hen ffiniau perthyn a brogarwch, datbatrymu'r dychymyg mewn celfyddyd. Noder mai'r symudedd a enillwyd drwy'r chwyldroadau mewn diwydiant a thrafnidiaeth a ddaeth ag ymwelwyr haf cyson o Sir Gaerhirfryn a Chilgwri i Lanfwrog, ymwelwyr haf Saesneg eu hiaith, pobl a chanddynt ddiwylliant dieithr. Cofier mai perchennog ffatri, *mass manufacturer,* oedd Mr Cobden Gwylanfa, a'i fod ef a'i wraig, fel llawer o'r Walkers a'r Turners a'r lleill y ceir eu henwau a'u cyfeiriadau yn nyddiadur John Roberts yn 1927, yn cynrychioli'r dosbarth canol masnachol Seisnig da'i fyd. Cynrychioli yr oedd y bobl hyn wedd ar materoliaeth moderniaeth. Ystyrier ymhellach y difyrion newydd, pêl-droed a rasus ceffylau (a ddaethai'n ddiddanwch cymharol newydd i'r dosbarth gweithiol), difyrion a ddenodd y John ifanc i astudio hynt chwaraewyr ac ambell geffyl, gan ymddiddori'n enwedig yn llwyddiant Aston Villa a chan gofnodi yn 1927 enw buddugwr y *Lincoln Handicap*. Cynrychiolai'r pethau hyn eto wedd ar faterolaieth moderniaeth. O, ie, enghreifftiau pitw a diniwed ydynt, mân grychiadau arwynebol o ddaeargryndod a oedd wedi dwfn-fygwth yr hen biwritaniaeth ers tro byd, bygythiad nad âi ymaith. Fel y dywed yr Athro D. Densil Morgan yn *The Span of the Cross*:

> Although Welsh Nonconformity would continue to flourish outwardly, by the turn of the century the corrosive effect of agnosticism, an incipient atheism, and general secularization was beginning to be felt.

Diau bod y ffyniant allanol hwn y cyfeiria Densil Morgan ato yn un o'r pethau a barodd i John Roberts anwybyddu rhybudd ei weinidog – hynny, ynghyd â'i awyddfryd ifanc i bregethu'r efengyl fel y pregethasai ac y pregethai ei arwyr hi. Oni welid y ffyniant allanol hwn yn Salem Llanfwrog – wedi'r cyfan, ychydig oedd rhif yr holl aelodau – fe'i gwelid yn bendant yng Nghaergybi, lle'r oedd capeli mawrion gan y pedwar enwad Anghydffurfiol, a phedair eglwys lewyrchus gan y Methodistiaid Calfinaidd eu hunain, Armenia, Disgwylfa, Ebeneser (Kingsland) a Hyfrydle. Y flwyddyn y ceisiodd John Roberts fynd i'r weinidogaeth yr oedd yn Sir Fôn dros hanner cant o weinidogion ordeiniedig a saith pregethwr lleyg cydnabyddedig gan ei enwad ef yn unig. Yn eu plith yr oedd gwŷr o gryn fri, R. W. Jones a J. E. Hughes (a enwais o'r blaen), R. R. Hughes, J. Owen Jones (Hyfreithon), D. Cwyfan Hughes a rhagor.

Gwŷr dŵad i'r ynys oedd rhai o'r gweinidogion hyn, ond buasai Sir Fôn yn nythfa nerthol i bregethwyr Methodist er dechrau'r bedwaredd ganrif ar bymtheg, a diau bod hynny hefyd wedi dylanwadu ar benderfyniad mab Glan-yr-afon i fynd yn bregethwr. Yr oedd yr enwocaf o bregethwyr diweddar Môn, John Williams Brynsiencyn, fel y nodwyd uchod, yn ei fedd er 1921, a'r mwyaf deniadol-dalentog o'i gymrodyr iau, Thomas Charles Williams, yn ei fedd, eto fel y nodwyd uchod, er 1927. Dyma ddau seraff y bu galw cyson am eu gwasanaeth ym mhulpudau Cymru a Lerpwl a Llundain a dinasoedd eraill yn Lloegr, gwasanaeth a enillodd iddynt fri mawr a da bydol. Enillasant enwogrwydd, a digon o fodd i godi tai mawrion. Pan bregethent yn y prif drefi caent geir modur i'w cludo i'w hoedfeuon. Pan bregethent yn y brifddinas caent lety yn rhif 11 (ac, ymhen y rhawg, yn rhif 10) Downing Street. Ni ellir o hyd lai na rhyfeddu at y derbyniad a gâi pregethwyr mawr Cymru gyda thro'r ugeinfed ganrif – ym mhulpudau'r tabernaclau helaeth a godwyd bron ymhob man yn y tair sir ar ddeg, fel yn nhemlau'r brif ddinas a Lerpwl a Manceinion.

Lle nad oedd adeiladau digonol i gynnwys y cynulleidfaoedd a ddylifai i wrando arnynt codid llwyfannau pwrpasol ar eu cyfer. Y mae gan T. Davies (Dewi Meirion) gyfrol fechan ddifyr o'r enw *Tair Pabell ar "Brynsiencyn"* lle disgrifia gynulleidfa 'ar lechwedd glas rhwng Lôn y Garth a Love Lane' ym Mangor, cynulleidfa yn wynebu '*stage* yn hanner cylch a'i chefn at Dên Street, a'r pulpud yn taflu allan o'i chanol, a *sounding board* uwchben iddo'. Disgrifir 'gweinidogion yn llenwi y *stage* y tu cefn i'r pulpud' a'r gynulleidfa yn disgwyl i John Williams draddodi ei genadwri. Golygfa wych: golygfa o dorf yn disgwyl cael ei difyrru. Ie, difyrrwch diwylliedig sydd yno i raddau. Ond na wawdied neb hynny. Wedi'r cyfan, diwylliant y Gair yn cael ei fynegi mewn pregethau esboniadol ac angerddol oedd diwylliant yr Anghydffurfwyr Cymraeg o'r dechrau. Onid pregethu'r Gair oedd priod waith gweision y Gwaredwr? Ac oni ddenai'r fath ddiwylliant llafar fechgyn capelgar talentog i gyfrannu iddo?

Yn 1905, am nad oedd Diwygiad Evan Roberts wedi ychwanegu at y cynhaeaf yng nghapel Princes Road Lerpwl, ac am fod nifer yr aelodau wedi syrthio i 921, pryderai John Williams am ddyfodol ei eglwys. Chwe blynedd yn ddiweddarach, a dylanwad Diwygiad 1904-5 wedi pylu drwy Gymru i gyd, galwodd gynhadledd i drafod amcan y weinidogaeth. Yn y gynhadledd honno dywedodd T. Charles Williams fod 'eisiau i weinidogion ein gwlad ddechrau credu mwy mewn pregethu.' Eithr oni chredent eisoes mewn pregethu, beth a gredent ynddo? Gofidiau fel hyn a dywyllasai dalcen T. H. Griffith.

Diben y sylwadau hyn yw nodi bod pregethu yn nechrau'r ugeinfed ganrif, yn wyneb newidiadau'r oes, ar unwaith yn gyffrous ac eto'n annigonol. Ymhen ychydig flynyddoedd eto y mae'r byd oll yn profi arswyd a effeithiodd ar ffydd pobl gyffredin yn llawer mwy cignoeth ac uniongyrchol nag yr effeithiodd gwyddoniaeth a beirniadaeth destunol arni erioed. Cododd Rhyfel Mawr 1914-18 gyda'i laddfeydd didostur fwy o amheuon ynghylch crefydd Duw Cariad nag y codai mil o athronwyr rhyddfrydig a deng mil o feirniaid testunol gyda'i gilydd. Ac, wrth gwrs, rhoddodd y rhyfel y farwol i'r gred yn natblygiad anochel Dyn. Yn rhannol drwy anogaeth rhai o'r pregethwyr y cyfeiriwyd atynt eisoes, heidiodd degau o filoedd o ddynion ifainc Cymru, llaweroedd ohonynt yn blant yr Ysgol Sul a'r seiat, i'r fyddin, naill ai i farw yn ffosydd Ffrainc neu i ddod oddi yno'n fethedig o gorff ac yn friwedig gorff ac enaid, gyda'u syniadau sicr am y byd a'r betws yn chwilfriw. Ni wiw pedlera'r hen shiboletháu mwyach. Yr oedd ar rai o'r dychweledigion a'u tylwyth eisiau credoau newydd i greu cymdeithas newydd. Yr oedd eraill dirifedi a greithiwyd y tu hwnt i gred.

Ym marn rhai, yr angen yn eglwysi Anghydffurfiol Cymru oedd diffinio set newydd o athrawiaethau, diwinyddiaeth ddigonol nad oedd yn rhy bell oddi wrth ffydd draddodiadol yr Eglwys Gristionogol ac a fyddai'n cwrdd â gofynion y gymdeithas gyfoes. Un o benderfyniadau'r Comisiwn a sefydlwyd gan y Methodistiaid Calfinaidd ar ôl y Rhyfel Mawr i ystyried ei effeithiau ar grefydd a chymdeithas oedd cyhoeddi Datganiad Byr ar Ffydd a Buchedd, nid o raid i gymryd lle'r Gyffes Ffydd a ddiffiniodd Fethodistiaeth Galfinaidd gan mlynedd ynghynt, eithr i grynhoi safbwynt diwinyddol yr enwad yn wyneb pob newidiaeth. Pastiodd y John Roberts ifanc destun y Datganiad coeth hwnnw y tu fewn i gloriau'r Beibl a gafodd yn rhodd gan un o'i gymdogion ar ei dderbyniad yn ymgeisydd am y weinidogaeth yn 1928, ond nid pawb a'i coleddodd.

O ystyried y materion hyn i gyd, nid rhyfedd, meddaf unwaith yn rhagor, fod ei weinidog wedi cynghori John Roberts i beidio â mynd i'r weinidogaeth. Ac eto, ac eto, er gwaetha'r argyfyngau a'r gofidiau, yr oedd nifer o agweddau ar waith y weinidogaeth, fel yr awgrymais o'r blaen, yn ddeniadol. Pregethu, heb os. Hyd yn oed yn y dauddegau a'r tridegau yr oedd rhywbeth yn ddeniadol iawn mewn esgyn i bulpud i wynebu cynulleidfa a'i haddysgu, ei chysuro, ac weithiau ei gwefreiddio. Cynnal cyfarfodydd gweddi a seiadau, yn ogystal, a bugeilio praidd. At hyn, yr oedd gan bob un o'r enwadau gyfnodolion ac wythnosolion a oedd yn wir ddiddorol ac addysgiadol, yn ddiwinyddol a llenyddol a chymdeithasol.

Yr oedd rhywbeth yn werthfawr a deniadol hefyd yn y ffaith fod y bywyd diwylliannol Cymraeg, gyda'i gymdeithasau llenyddol a'i gymanfaoedd canu a'i gyfarfodydd pen-chwarter, wedi'i weu i wead bywyd y capel. Ac yn bennaf dim – ac yn y cyfwng mwyaf melltigedig ni ddylid colli golwg ar hyn – rhaid ystyried bod gan y mwyafrif o'r rheini a ddymunai fynd i'r weinidogaeth awyddfryd pur, a synnwyr cryf o genhadaeth, o fod eisiau 'gwneuthur rhywbeth gwiw dros Grist' mewn gwirionedd.

Yn ddeunaw oed dichon na wyddai mab Glan-yr-afon Llanfwrog am hanner y pethau peryglus i grefydd a driniwyd hyd yma yn y bennod hon (er, fe ddaeth i wybod amdanynt yn fuan). Diau y credai mai Duw oedd Craig Pob Sicrwydd, fel y gwyddai mai ei ddymuniad ef ei hun oedd ei wasanaethu. Yr oedd yn bryd iddo'n awr argyhoeddi ei Henaduriaeth ei fod yn deilwng o gael mynd i'r weinidogaeth, ac yna i feddwl am addurno a grymuso'r dymuniad hwnnw â chwrs hir o addysg.

(ii) Ysgol Clynnog a Choleg Clwyd

Mewn cyfres o benillion sy'n amlwg yn adleisio baled William Jones Tremadog, "Y Llanc Ifanc o Lŷn", y mae Elis Aethwy, wrth ysgrifennu am John Roberts, yn agor trwy ofyn

> Ble'r ei di mor hwyliog, lanc ifanc o Fôn,
> Â'th becyn o lyfrau, mor sionc ar y lôn?

A'r ateb? —

> 'Rwy'n mynd tua Chlynnog, a Bangor cyn hir:
> I weini ar f'Arglwydd, rhaid addysg yn wir.

Yng Nghlynnog Fawr yn Arfon, o bob man, y lleolid yr ysgol lle hyfforddid ymgeiswyr y Methodistiaid Calfinaidd yn nhraean cynta'r ugeinfed ganrif, nid yn gymaint i'w paratoi am y weinidogaeth eithr i'w paratoi ar gyfer cwrs addysg mewn coleg. Clynnog *o bob man*, meddir, am na feddyliai neb am *sefydlu* ysgol hyfforddi yno ym Medi 1928, bellter glew o drefi colegau'r Brifysgol. Fel gyda llawer o sefydliadau tebyg, lleoliad a etifeddwyd ydoedd. Athro cyntaf Ysgol Clynnog oedd Eben Fardd, a ddaethai i Glynnog yn 1827 ar gais offeiriad y plwyf i gadw ysgol o dan nawdd y Gymdeithas Genedlaethol. Yn 1842, dair blynedd ar ôl ailymuno â'r Methodistiaid Calfinaidd, torrodd Eben ei gysylltiad â'r Gymdeithas honno, ac yn 1845 aeth â'r ysgol i'r capel. Fe'i cadwyd yng Nghlynnog yn ddi-dor a'i chynnal yn ysgoldy capel Ebeneser o hynny hyd 1930, pan symudwyd hi i'r Rhyl – eto, o bob man.

Ei phrifathro pan gofrestrodd John Roberts Llanfwrog ynddi oedd y Parchedig R. Dewi Williams, brodor o Bandy Tudur, Sir Ddinbych, a fu, ar ôl graddio yn y clasuron yn Rhydychen, yn weinidog yng Nghesarea a Phenmaen-mawr, cyn cael ei benodi i Glynnog yn 1917. Mab ffarm oedd R. Dewi Williams, gŵr bonheddig ei anian, ei wedd a'i wisg. Gŵr, ys mynn ei holl fyfyrwyr, a oedd yn 'athro wrth reddf', yn 'ysgolhaig diymhongar', ac yn gyfuniad ardderchog 'o ddiwylliant cefn gwlad a diwylliant ehangach yr hen brifysgolion'. O dano ef a'i gynorthwywr dysgid yng Nghlynnog rywfaint o Roeg a Lladin, ychydig o ddaearyddiaeth a hanes, mathemateg, a Chymraeg a Saesneg. A hynny'n aml 'yn hudol', am fod ganddo 'ddawn ddewinol' fel athro.

Fel ym mhob ysgol o'r fath yr oedd y myfyrwyr yn gymysg iawn o ran eu cyflawniadau ac o ran eu cyraeddiadau. Rai blynyddoedd o flaen John Roberts yr oedd yno ambell fyfyriwr na ddeallai'r llyfrau Groeg a

Lladin am na ddeallai'r Saesneg oedd yn gyfrwng dysgu Groeg a Lladin. Diau fod yno fathemategwyr gwan hefyd. A mwy nag ambell un a oedd yn ansicr o'i Gymraeg ysgrifenedig. Ni wn ai gwir ai apocryffaidd yw'r stori a adroddodd John am y myfyriwr hwnnw yn y dosbarth Cymraeg yr oedd 'ei iaith a'i arddull yn ddifrifol o wallus'. Gyda 'bil yr inc coch yn cynyddu' mynnai ysgrifennu o hyd ac o hyd '*giâr* yn lle *iâr.*' 'Look here, my boy,' ebe Dewi Williams wrtho ymhen hir a hwyr, 'why don't you do like the hen, drop the G!' Beth bynnag am afael y myfyriwr hwnnw ar bethau, dengys dyddiaduron 1924 a 1927 fod Cymraeg y llanc o Lanfwrog, fel ei Saesneg a'i rifyddeg, yn burion. Ond cafodd gan Dewi Williams flas ar bethau yn yr ieithoedd hynny nas ceid o gwbl yn Owens College nac yn Salem, sef blas aruthrol ar lenyddiaeth anysgrythurol. Lawer tro mewn blynyddoedd i ddod y dywedodd John Roberts mai R. Dewi Williams a'i 'galwodd gyntaf i grwydro'r broydd euraid', fel y galwai feysydd llên, ac mai ef a'i cyflwynodd 'i Shakespeare, Matthew Arnold, a John Keats,' – 'a pharhawn yn gyfeillion da o hyd.' Ceisiai'r prifathro gael ei efrydwyr i gyfansoddi rhai pytiau llenyddol eu hunain. Yn 1912 yr oedd ef wedi cyhoeddi cyfrol o straeon byrion o dan y teitl *Clawdd Terfyn*, cyfrol o straeon byrion annhebyg i ddim a luniwyd yn Gymraeg o'i blaen. Yng Nghlynnog yn 1926 sefydlodd gylchgrawn i'r Ysgol, *Broc Môr*, 'llawysgrifau o waith hwn ac arall wedi eu rhwymo'n ddigon afrwydd.' Cyfarwyddai ei fyfyrwyr hefyd i gystadlu yn yr eisteddfodau lleol a gynhelid yn Nhrefor a Chapel Uchaf, a thrwy hynny gaboli eu dawn ysgrifennu. Diau fod hyn wrth fodd John Roberts.

Ychydig o ddim a ddywedodd am yr hyfforddiant clasurol a gafodd gan R. Dewi Williams, ond dengys y nodiadau Groeg a Lladin a welir yn rhai o'i lyfrau-copi a'i nodiadau ar gyfer pregethau fod ganddo afael dda arnynt yn eithaf cynnar yn ei yrfa. Ychydig o ddim a ddywedodd hefyd am y wedd ysbrydol ar fywyd Ysgol Clynnog, dim mwy na myfyrwyr a fu yno o'i flaen na'i gyfoeswyr. Pan drefnwyd aduniad yng Nghlynnog ym Medi 1954, chwarter canrif ar ôl ei chau, atgofion am yr addysg a gafwyd, am ddulliau dysgu'r pen addysgwr, ac am y gyfeillach gynnes yno oedd uchaf ym meddyliau'r rhai a ddaeth ynghyd. Huw Llewelyn Williams biau dweud:

> Ni ddaw Ovid dros fy min –
> Mae'r Lladin wedi llwydo;
> Na holl ddiclension "Siôn a Siân,"
> 'Rwyf wedi glân anghofio;
> Ond nid â'r hen gwmnïaeth gynt
> Na'i helynt byth yn ango'.

Gyda golwg ar bregethu, âi'r myfyrwyr i'w cyhoeddiadau bob Sul pe bai ganddynt gyhoeddiadau, a'r un cyngor cofiadwy gan y prifathro a gofir yw iddo ddywedyd wrthynt, 'Peidiwch â threio pregethu'n dda – pregethwch.' O'r pymtheg ar hugain a oedd ar y gofrestr yn 1928, yr oedd dau ar hugain ohonynt yn ddarpar-weinidogion gyda'r Methodistiaid Calfinaidd. Ys dywed Huw Llewelyn Williams eto: 'Llwyddodd yr athro i beri i'r tir mwyaf anaddawol ddwyn cnwd sylweddol i'r Weinidogaeth.'

Ddechrau'r flwyddyn academaidd 1929 symudodd yr ysgol o Glynnog i'r Rhyl. Neu, yn hytrach, caewyd Ysgol Clynnog a sefydlwyd Coleg Clwyd yn ysgol baratoawl newydd. Disgrifiad ysgrythuraidd John Roberts o'r mudo yw i ddeg ohonynt 'gludo arch addysg baratoawl y Cyfundeb yn y Gogledd ... o Glynnog i'r Rhyl.' Daeth ychydig dros ugain newydd atynt, a threuliasant y tymor cyntaf yn ysgoldy capel Clwyd Street am nad oedd y tŷ helaeth a addaswyd yn gartref i'r Coleg yn barod. I fewn i'r ail dymor, dyma ugain a rhagor o las fyfyrwyr na allent wrthgyferbynu helaethrwydd ystafelloedd darlithio'r adeilad newydd gyda chyfyngder y festri fach yng Nghlynnog gynt. Yn awr, yn hytrach na bod am y llen â'i gilydd yn llythrennol, yr oedd gan y dosbarth hŷn ei ystafell ei hun a'r dosbarth iau yntau ei ystafell ei hun. Yr oedd yno hefyd ddwy ystafell gyffredin a llyfrgell, a thrigfan i'r prifathro a'i deulu.

Pa eisiau gwell? O, yr oedd rhai ar y pryd yn pryderu y byddai atyniadau conffeti-ffair y Marine Lake a strydoedd difyrrus y dref yn dylanwadu'n ddrwg ar fechgyn ifainc na welsant ddim byd mwy temtasiynol gynt na thawelwch gwlad Beuno Sant a'i merched. Pryder rhai o'r bechgyn eu hunain oedd na fyddai gan wragedd llety'r dref ddim diddordeb mewn lletya myfyrwyr diwinyddol cymharol dlawd ar ôl ymbesgi'r haf ar y Saeson a ddeuai yno ar eu gwyliau. 'Ofni'r cwbwl,' chwedl John Roberts, 'heb achos ofni'n bod.'

Unwaith yn rhagor, dywedwst iawn fu ef am addysg ac am awyrgylch ysbrydol Coleg Clwyd. Canmolodd yn fawr gymdeithas gyfeillgar y lle, a chymdeithas pobl y Rhyl a'r cyffiniau, cyffiniau a barodd fod difyrrwch yr efrydwyr yn dra gwahanol i'r hyn ydoedd o'r blaen. Y difyrrwch allanol a gofiai John Roberts orau oedd y gêm bêl-droed – *football* eto! – rhwng Coleg Clwyd a phlismyn Sir y Fflint a chwaraewyd ar faes y Belle Vue. Yntau yn cadw gôl, yn ei esgidiau bob-dydd am ei fod wedi rhoi menthyg ei esgidiau pêl-droed i un a oedd heb esgidiau. A'r gleision yn ennill 13-0. 'Buasai'r sgôr yn uwch,' ebe Llanfwrog, 'oni bai fy mod i'n digwydd bod yn y gôl y diwrnod hwnnw'! Gwobr gysur y darpar-weinidogion oedd gwledd, â'r heddlu'n talu, 'yn un o dai bwyta parchusaf' y dref.

Bu John yn Ysgol Clynnog ac yng Ngholeg Clwyd am dair blynedd cyn pasio'r arholiad am fynediad i brifysgol. Efallai iddo gymryd tair blynedd i'w gymhwyso'i hun ar gyfer astudiaethau pellach am na fu mewn llawn iechyd rhwng 1928 a 1931. Yn sicr, gweithiai'n galed, a gweithio'n galed gyda chorff yr oedd ei fframyn wedi prysur dyfu'n dal, denau. 'Cymerwch ofal o'ch iechyd,' ebe'i brifathro wrtho unwaith. 'Da genyf i chwi ddal o ran eich iechyd, er heb fod ar eich gorau,' meddai eto. Er bod Glan-yr-afon yn cynnig angorfa fendigedig yn ystod y gwyliau, go brin fod lletyau myfyrwyr ym mlynyddoedd dirwasgedig y dauddegau a'r tridegau yn eu maethu'n foesaidd. Ac ni all neb ddweud bod eu bywyd yn rhwydd ddi-dreth. Yn ogystal â gweithio ar eu gwersi, a olygai ddysgu ieithoedd newydd ac ambell wyddor newydd, paratoai'r myfyrwyr eu pregethau, a theithient, weithiau'n rhwydd, weithiau'n drafferthus, bob bwrw Sul i'w traddodi yn rhywle neu'i gilydd, lle byddai'n rhaid iddynt letya a mwy na mân-siarad. Diau i John aeddfedu fel pregethwr yn ystod y blynyddoedd hyn, yn union fel yr aeddfedodd fel myfyriwr. Siawns na phrifiodd fel cymdeithaswr yn ogystal.

Ym Mehefin 1931 y safodd ei arholiadau. Y dydd olaf o'r mis hwnnw cafodd lythyr oddi wrth y Parchedig R. S. Hughes, a ddaethai i Goleg Clwyd yn gynorthwywr i R. Dewi Williams yn 1930, llythyr sydd, y mae'n amlwg, yn cynnig atebion i ofidiau arholiadol yr oedd John wedi'u lleisio mewn nodyn cynt ato ef. Nodweddir y llythyr gan ffraethineb cydymdeimladol un a oedd wedi bod drwy'r heldrin ei hunan:

> Yr oeddwn yn falch o dderbyn eich llythyr a'r cwestiynau. Yr oedd hynny yn arwydd eich bod yn fyw ar ol yr heldrin, er mai sŵn cwyno a oedai drwyddo, a dyna sy'n nodweddiadol o'r rhai sy'n treio'r arholiadau o genhedlaeth i genhedlaeth.

Y 'geography' a ofidiai John fwyaf. Ebe'r athro, gan

ddatgelu gwybodaeth heb ollwng cyfrinach, 'Mae'n debyg eich bod wedi gwneuthur yn well nag yr ofnwch.' At hynny:

> Mae'n debyg i chwi gael hwyl ar yr Optional Questions. Mae'n debyg fod y Greek y tu hwnt i amheuaeth genych. Dylsech fod wedi cael rhai mwy anodd. (Go dda, ynte) ...

Fis yn ddiweddarach dyma gerdyn oddi wrth y prifathro a chyda'r un post lythyr oddi wrth ei gynorthwywr yn llongyfarch John ar ei lwyddiant – 'yn y Matriculation' chwedl y naill, 'yn y Matric' chwedl y llall – ac yn dymuno'r gorau iddo yn 'y *Stage* nesaf' ym Mangor, lle caiff, ebe R. Dewi Williams, 'dair blynedd o lafur digon caled, ond nid oes eisiau i chwi bryderu.'

(iii) Coleg y Gogledd

Os dywedwst ydoedd ynghylch 'hyfrydwch' Ysgol Clynnog a Choleg Clwyd – ei air ef ydyw – yr oedd John Roberts yn fwy dywedwst fyth am ei gyfnod yng Ngholeg y Brifysgol, Bangor, lle bu am chwe blynedd, yn fyfyriwr am y radd BA rhwng 1931 a 1934 ac yna'n fyfyriwr am y radd BD rhwng 1934 a 1937. Y mae'n bosibl mai'r pregethwr aeddfed ganddo ymhen blynyddoedd wedyn a ddywedodd na ddarfu iddo fwynhau Bangor ryw lawer, y pregethwr a farnai iddo dreulio wrth ddesg mewn darlithfa ac wrth fwrdd mewn llyfrgell flynyddoedd y gallai fod wedi eu treulio mewn gofalaeth eglwysig. Wedi'r cyfan, yr oedd chwe blynedd yn y brifysgol, ar ben tair yng Nghlynnog a Chlwyd, yn rhan nobl o oes waith dyn. Ond dyna'r drefn er dechrau'r ganrif gyda myfyrwyr da'r holl enwadau, sicrhau bod y gwŷr ifainc yn meistroli rhyw faes mewn gwybodaeth gyffredinol (os arbenigol) yn gyntaf ac yna canolbwyntio ar ddiwinyddiaeth. Ac i fyfyriwr na fu mewn ysgol ramadeg yr oedd yn rhaid wrth Glynnog a Chlwyd er mwyn cael mynd i Fangor.

Yr oedd y Coleg ar y Bryn yn sefydliad mawr iawn o'i gymharu â Choleg Clwyd. Er hynny, yr oedd yn ddigon bychan i'r staff a'r myfyrwyr adnabod ei gilydd – tua chwe chant o fyfyrwyr oedd yno, gydag un o bob deg ohonynt yn ddarpar-weinidog – a'r argraff a geir yw bod eu bywyd yn ddifyr yn ddiwylliadol ac yn fyrlymus yn gymdeithasol. Un o'r ffotograffau doniolaf a ddarlunia fywyd y myfyrwyr yn ystod y tridegau yw hwnnw a ddaliodd ddarpar-weinidogion yr Hen Gorff ryw wythnos rag, wedi'u gwisgo'n beilotiaid ac yn faharajas ac yn swancs, y naill garfan ar gefn lori a'r llall ar lawr, gyda rhai yn dal eu bocsys-casglu. Yn y blaen y mae John Roberts Llanfwrog wedi'i wisgo mewn dillad babi a'i osod mewn pram, ac megis yn ei wthio y mae John Roberts arall, John Robert Roberts o Ddeiniolen, mewn côt fawr ddu a het silc, â sigâr (oer, am wn i) yn ei geg. Yr oedd y naill John yn ddwylath o ddyn, a'r John arall, fel Sacheus, yn fychan o gorffolaeth. Daeth y ddau yn gyfeillion oes.

Ar ddiwedd y flwyddyn gyntaf dilyn y cwrs gradd anrhydedd mewn Hebraeg a wnaeth J. R. Deiniolen; y cwrs BA Cymraeg cyffredin a ddilynodd ein John ni. Os y cariad angerddol at lenyddiaeth anysgrythurol a blannodd R. Dewi Williams ynddo a'i cymhellodd i astudio Cymraeg, diau iddo gael ei siomi yn y cwrs. Yr oedd llawer iawn ohono'n ymwneud â thestunau'r Hen Ganu, ag agweddau technegol ar farddoniaeth yr Oesau Canol, ac â gramadeg yr iaith ac ieitheg. Yr Athro a phennaeth yr Adran Gymraeg oedd Ifor Williams, a fuasai ddeng mlynedd ar hugain ynghynt yntau yn fyfyriwr yn Ysgol Clynnog, ac a ddaethai yn ŵr ifanc i gryn enwogrwydd fel pregethwr yn ogystal â darlithydd. Gan hynny, disgwylid bod ganddo ddiddordeb neilltuol yn y *ministerials*. Er, chwedl R. T. Jenkins, pur ychydig o bobl a aeth i fewn i'w gyfrinach ef ar faterion crefyddol a diwinyddol. Er bod ei gyhoeddiadau yn ystod y tridegau, y testun modern cyntaf o *Pedeir Keinc y Mabinogi* a'r gweithiau mawr arloesol *Canu Llywarch Hen* a *Canu Aneirin*, yn tystio'n loyw i'r ffaith ddiymwad mai ef oedd ysgolhaig Cymraeg mwyaf ei genhedlaeth, gŵr siriol, diymhongar ac anymwthgar oedd Ifor Williams. Gydag ef yn yr adran, neu gydag ef yn yr hanner, yr oedd y bardd digymar R. Williams Parry, yr hwn, am ei fod yn treulio hanner arall ei amser yn ddarlithydd allanol, a farnai ei fod yn cael cam mawr gan ei bennaeth adran a chan y Coleg. Dywedai'n fychanus am Ifor Williams mai'r peth a wnâi ef orau oedd gweddïo yng nghyrddau gweddi Capel Mawr Porthaethwy. Fel y caf ddangos eto, am rai blynyddoedd yn y pedwardegau a'r pumdegau daeth John Roberts ac R. Williams Parry yn gyfeillion piwr. Y trydydd ar y staff oedd Thomas Parry, cefnder i R. Williams Parry, cefnder ugain mlynedd yn iau nag ef. Yr oedd yr hynaf o'r cefndryd ychydig yn encilgar, yn nerfus hyd yn oed; ond yr oedd yr ieuengaf yn afieithus ac iachus o hunanhyderus, yn ysgolhaig o fri, yn ddarlithydd medrus coeth, ac yr oedd yntau hefyd yn fardd. Yn wir, ar ddiwedd blwyddyn gyntaf John Roberts yn y Brifysgol daeth Thomas Parry mor agos â phosib at ennill Cadair yr Eisteddfod Genedlaethol yn Aberafan gyda'i awdl ar y testun "Mam." Dros y blynyddoedd daeth ef yntau yn un o gyfeillion John Roberts, ond nid yn gyfaill mor garuaidd â'i gefnder.

Tybiaf mai gan Thomas Parry – neu o leiaf drwy Thomas Parry – y dysgodd John y cynganeddion. Yn ystod y tridegau cynnar, sef pan dechreuodd ar ei astudiaeth fawr o waith Dafydd ap Gwilym, darlithiai Thomas Parry ar

"Gynghanedd Beirdd y Cywydd", ac y mae nodiadau John o'r darlithoedd hynny o hyd ar glawr. Ni chadwodd ddim o ddarlithoedd Williams Parry, am mai 'llefaru' y byddai ef nid cyflwyno set o nodiadau. Fel y ddau gefnder, canai John yntau ryw bill yn y cyfnod hwnnw, ac anfonai ambell ddarn i eisteddfodau. Yn y man, daeth yn gystadleuydd peryglus (ys dywedir), ac yn gyhoeddwr ambell gerdd. Ym mis Medi 1932 cyhoeddodd Anthropos, y Parchedig R. D. Rowland, delyneg o'i eiddo yn *Nhrysorfa'r Plant*, ei delyneg gyntaf ar "Cloch y Bwi", ynghyd â llun o'r gloch wedi'i fframio'n bert. Dyma hi (y mae angen peth gwaith ar y rhythmau, yn yr ail bennill yn enwedig):

Clywais hi'n canu ganwaith
 Yng nghanol berw'r lli;
Chwareuwn innau ar fin y traeth
 Wrth sŵn ei miwsig hi.

Siglai'r môr hi o gwmpas
 Fel mam yn siglo crud;
Eto ni allai'r hael siglo wneud
 Ei thafod ffraeth yn fud.

Deil yr hen gloch i ganu
 Yng nghanol berw'r lli
Caniad o rybudd i longau'r bae
 A chân o groeso i mi.

Uwch ei phen y mae Anthropos yn cyfarch 'J.R.' fel hyn: 'Fel efrydydd ieuanc yn un o'r colegau, yr ydym yn gwerthfawrogi'r gyffes sydd yn eich llythyr, – "Dysgais ddarllen Cymraeg, i raddau helaeth, trwy gyfrwng y 'SORFA FACH."'

Ond yn y cyfnod hwn yr oedd llunio a thraddodi pregethau yn bwysicach o lawer na barddoni iddo. Fel ei gyd-fyfyrwyr am y weinidogaeth byddai'n pregethu bob Sul bron. Ni chadwodd restrau o'i gyhoeddiadau yn y cyfnod hwn, ond cadwodd nifer o gardiau post ynglŷn â'i gyhoeddiadau. Dyma un:

Trecastell
5. 1. 34

Anwyl Gyfaill,

Heddyw deallais mae chwi sydd i fod yn taith Aberffraw y Sabbath nesaf – mae yma *lety* i chwi dros y Sul – a carwn eich gweled.

Cofion atoch oll.
Yn gywir
R. D. Owen

Fe gofir mai yn Nhrecastell yr oedd Lizzie Williams yn gweini pan oedd yn disgwyl Gwladys. Er na wyddai John am fodolaeth Gwladys gwyddai mai hen feistr ei fam oedd R. D. Owen, ac am y rheswm hwnnw y cadwodd y cerdyn – gyda balchder un a oedd yn mynd fel pregethwr i letya ar yr aelwyd lle bu'i fam yn gweini gynt.

Pan raddiodd yn y Celfyddydau yr haf dilynol yr oedd yn un o bedwar ar ddeg yn y Dosbarth Terfynol. Yr oedd chwech arall yn y Dosbarth Anrhydedd, yn eu plith J. E. Caerwyn Williams, yr unig un a gafodd Ddosbarth Cyntaf yn y Gymraeg y flwyddyn honno. Gan mor ddyrchafedig oedd camp y mab, prin fod Elizabeth Roberts Glan-yr-afon yn bwrw ôl dim o'r *honours* 'ma. Gyda balchder naturiol mam, âi fel cynt i gymowta i Gaergybi ar brynhawniau Sadwrn a brolio'n fawr yr hyn a wnaethai John. Ar ei dyfodiad adref byddai William Roberts yn gofyn iddi, 'Gest ti *ddeud*, Lizzie?'

Rhagddo bellach at y *Baccalaureus in Divinitate*. A hynny nid yn Aberystwyth lle'r oedd gan y Methodistiaid eu

Coleg Diwinyddol eu hunain, eithr ym Mangor eto, lle sefydlwyd y flwyddyn honno yr unig Ysgol Ddiwinyddol a feddai Prifysgol Cymru, ysgol ar y cyd rhwng staff Coleg y Brifysgol a cholegau'r Annibynwyr a'r Bedyddwyr. Eto fyth, ni chanmolodd John Roberts ei gwrs i'r entrychion. Fel pobl y BD yn gyffredinol, ebe fe, barnai mai peth 'tramor ac amherthnasol' oedd y cwrs ar y cyfan. Yn y Rhan Gyntaf astudid Hebraeg yr Hen Destament, Groeg y Testament Newydd, Theistiaeth ac Athroniaeth Crefydd, Athrawiaeth Gristionogol a Hanes yr Eglwys. Yn yr Ail Ran ymhelaethid ar yr astudiaethau hynny, a chaniateid i fyfyrwyr ddilyn cyrsiau dethol megis Hanes Crefyddau. Y seiliau angenrheidiol, fe dybid, i unrhyw do o weinidogion y Gair.

Y mae R. Tudur Jones yn ei lyfr *Diwinyddiaeth ym Mangor 1922-1972* yn cytuno â pheth o'r farn hon am amherthnasedd rhannau o'r cwrs; neu'n hytrach y mae'n gweld y buasai'n rheitiach astudio rhai pethau eraill ynddo. Eto, ei ganmol y mae gan mwyaf. Gan mai diben pennaf addysg ddiwinyddol yng Nghymru oedd hyfforddi gweinidogion ac offeiriaid, 'mynnai Prifysgol Cymru a'r colegau diwinyddol ddiogelu'r cyswllt agos rhyngddynt a'r eglwysi (a gymerai ddiddordeb mawr yn addysg eu gweinidogion).' Gynt, ebe Dr Tudur Jones,

> prin fod cyrsiau'r BD yn cyffwrdd â bywyd a phroblemau eglwysi Cymru yn yr ugeinfed ganrif. Nac â'r traddodiad Cristionogol Cymraeg. ... Aeth llawer iawn o fyfyrwyr trwy arholiadau'r BD heb erioed gael darlith ar eu cefndir crefyddol arbennig eu hunain a heb weld perthnasedd eu llafur i'w sefyllfaoedd dirfodol hwy.

Ond barnai y gwnaethpwyd lle i 'ddatblygiadau cyfoes mewn diwinyddiaeth' erbyn y tridegau, ac yn gyffredinol fod y cyfnod hwnnw'n gyfnod arbennig o gyfoethog yn hanes diwinyddiaeth ym Mangor, am fod yno ysgolheigion rhagorol.

Newyddan i'r Gadair Hebraeg oedd H. H. Rowley, gŵr disgybledig llym yr oedd ei enw da fel ysgolhaig wedi cyrraedd o'i flaen. T. Hudson-Williams o Gaernarfon, a fuasai ym Mangor er 1904, oedd Athro Groeg Coleg y Brifysgol, llenor yn ogystal â ieithydd tra medrus. Ond i Goleg y Bedyddwyr wrth draed J. Gwili Jenkins, y bardd ac awdur yr *Arweiniad i'r Testament Newydd* (1928), y rhoddwyd John i dderbyn ei Roeg. 'Byddai Gwili yn dweud wrthym p'le i roi atal-nodau wrth inni gymryd ei ddarlithoedd i lawr mewn dosbarth!' Olynwyd ef yn 1936 gan John Williams Hughes, pregethwr y bu'n rhaid ei ddyfal-annog i fod yn athro coleg, ac a ddarlithiai, meddai John, o 'safbwynt pregethu'. Prifathro Coleg Bala-Bangor oedd J. Morgan Jones, athro penigamp ar Hanes yr Eglwys. Ei gyd-Athro gyda'r Annibynwyr oedd John Edward Daniel, ysgolhaig ifanc anghyffredin o ddisglair a draethai ar Athrawiaeth Gristionogol, y dyn 'mwyaf *brilliant* orau ei grebwyll meddyliol a'i rym ymresymu a wybûm erioed' ys dywedodd John Roberts amdano.

Ym Mangor, ie, J. E. Daniel a gafodd y dylanwad dyfnaf ar John Roberts. Ei dystiolaeth ef ei hun yw na wyddai 'odid ddim' am ddiwinyddiaeth 'cyn i Daniel agor fy llygaid.' Eu hagor i beth? Eu hagor i weld diffuantrwydd y ffydd a gwerth ei huniongrededd. Fel y nodwyd eisoes, yn herwydd Moderniaeth, o ganlyniad i farbareiddiwch y Rhyfel Mawr, ac oblegid anesmwythyd cymdeithasol a dirwasgiad economaidd yr oes oedd ohoni, wynebai'r Eglwys Gristionogol broblemau dyrys o ddechrau'r dauddegau ymlaen. Gofynnai sut y gallai gadw o'i mewn y llu pobl a amheuai'r hen athrawiaethau, gofynnai beth a nodweddai Gristionogaeth rhagor na chrefyddau eraill, gofynnai ba atebion oedd ganddi i dlodi materol. Yng

Nghymru fel mewn gwledydd eraill mabwysiadodd nifer o ddiwinyddion blaenllaw'r dydd yr hyn a elwid yn ddiwinyddiaeth ryddfrydol, a roddai'r pwys pennaf nid ar bersonau'r Drindod neu ar waredigaeth dragwyddol ond ar gyfiawnder cymdeithasol, ar addoliad fel ymarferiad ysbrydol, ac ar fabwysiadu yn y galon y gwerthoedd angenrheidiol i fyw'r bywyd moesol a oedd yn seiliedig ar gariad a gwasanaeth. Yn ôl Robert Pope yn ei gyfrol *Seeking God's Kingdom: the Nonconformist Social Gospel in Wales, 1906-1939*, yr oedd dysgeidiaeth Kant, Hegel a Schleiermacher wedi hen lwybreiddio'r ffordd i ddiwinyddiaeth a oedd yn gynyddol ddynganolog, diwinyddiaeth a bwysleisiai brofiad dynol a dyletswydd foesegol uwchlaw pob peth arall, a diwinyddiaeth a ystyriai fod Duw yn real i'r graddau y gellid Ei ganfod ym mhrofiadau dyn ac yn yr ymchwil gymdeithasol am y bywyd moesol. I leygwr rhyddfrydig yn edrych yn ôl, prin fod llawer o'i le ar y ddiwinyddiaeth ddyngar honno. Yr oedd yn ceisio tecach byd, a lles y lliaws oedd yn sail iddi, er ei bod yn mawrygu profiad yr unigolyn. Barn ei beirniaid oedd ei bod yn ddiwinyddiaeth a ddirmygai ddogma ar draul profiad ac a ddarluniai'r Crist nid fel un a ddaeth i waredu dyn eithr i gydymdeimlo ag ef. Dirmygent y pwyslais a roddid ar Gristionogaeth fel grym cymdeithasol yn hytrach nag fel gwaredigaeth i eneidiau unigol. I'r beirniaid, rhyw fath o ddyneiddiaeth sosialaidd ydoedd.

Prifathro Bala-Bangor oedd un o flaenoriaid y ddiwinyddiaeth hon yng Nghymru, a'i gyd-Athro oedd ei phrif feirniad. Gwelir ffieidd-dod J. E. Daniel at y ddiwinyddiaeth fodernistig hon yn nhudalennau'r *Efrydydd* (a olygid gan J. Morgan Jones), mewn adolygiad ar gyfrol o waith diwinydd rhyddfrydig arall o Gymro, *Bannau'r Ffydd* (1929) gan Miall Edwards. Polemic o adolygiad yw hwnnw, polemic sydd yn nodi sut yr arweiniodd Moderniaeth at 'fethdaliad diwinyddol a chrefyddol Protestaniaeth' drwy ddwyfoli'r unigolyn a dad-ddwyfoli popeth arall, polemic sydd hefyd yn nodi, gan eilio'r Galfiniaeth newydd a draethai Karl Barth yn yr Almaen, hanfodion yr Efengyl fel y'u ceid mewn Protestaniaeth.

Yn ei bortread ohono yn *Diwinyddiaeth ym Mangor 1922-1972* y mae R. Tudur Jones yn disgrifio Daniel fel un y 'dichon ei fod yn ei ddarlithoedd' yn gosod safon ry uchel 'oherwydd tueddai i dybio fod dyfynnu Origen mewn Groeg a Chalfin mewn Lladin yn cyfleu'r ystyr ar drawiad amrant i bawb yn y dosbarth.' O'r ochr arall, os traethodd Daniel yn y dosbarth ddarlithoedd nid annhebyg i gynnwys y llith ar gyfrol Miall Edwards, fel ei lith ddiweddarach ar "Pwyslais Diwinyddiaeth Heddiw", gellir dychmygu myfyrwyr y BD yn gyffro i gyd gan awchlymedd ei feddwl a min ei dafod. I fyfyrwyr a oedd hefyd yn bregethwyr mewn oes anodd, pa gwestiwn mwy llosg na 'Pa fodd ynteu y gallwn osgoi y sceptigiaeth hon?' A pha ateb mwy sicr na hwn? –

> Dim ond un ffordd a welaf i – ymwrthod, gyda thraddodiad yr Eglwys yn ei grynswth, â'r syniad o brofiad ac ymlochesu yn y syniad o ddatguddiad, a ddichon fod ar unwaith yn ffynhonnell a safon nid profiad aruchel, nid profiad moesol, ond y profiad *Cristnogol.*

Y pregethwr ifanc gwrth-Fodernaidd amlycaf yng Nghymru'r dwthwn hwnnw oedd Dr Martyn Lloyd-Jones, a adawsai ei bractis fel llawfeddyg yn Llundain i gymryd gofal o'i eglwys gyntaf yn Aberafan, Sir Forgannwg. Yn ystod 1935 aeth John Roberts i wrando arno ef yn pregethu bedair o weithiau, ddwywaith ym Mhen-dref Bangor, yn pregethu'r hyn a elwid yn "Students' Sermons", unwaith yn y Tabernacl yno, ac unwaith yn Hyfrydle Caergybi, pan gyflwynodd ei hun iddo. Yr oedd i bregethu Martyn Lloyd-Jones nerth diwygiadol a apeliai yn arw at ŵr ifanc o'i dueddfryd efengylaidd ef (ystyr y Testament Newydd a roddaf i'r ansoddair). Ond tybed sut yr ymatebai John Roberts i ffwndamentaliaeth ysgrythurol Lloyd-Jones ac i'w bwyslais mawr ar Ddydd y Farn? Er yn yr un cae, yr wyf yn amau mai mewn corneli gwahanol o'r cae hwnnw y safai Martyn Lloyd-Jones a J. E. Daniel.

Gymaint oedd meddwl John Roberts o J. E. Daniel fel y'i gwahoddodd i annerch y frawdoliaeth gyntaf o weinidogion yr ymunodd â hi, a chymaint oedd awydd J. E. Daniel i draethu iddynt (a phlesio'i gyn-fyfyriwr) fel yr aeth.

Er iddo sefyll rhai o'i arholiadau yn 1937 – 'Gwnaethoch yn *rhagorol* yn eich Groeg' ebe J. Williams Hughes wrtho ar gerdyn post a bostiwyd yn yr Amwythig: yno yr oedd y bwrdd arholi'n cwrdd – ni chyflawnodd amodau'r BD tan yr haf canlynol, pan ddaeth cerdyn arall o'r dref honno, y tro hwn oddi wrth yr Athro Rowley, ac arno '*Pass* Semitics A.' A 'Congrats.' Er mwyn i Lanfwrog oll ddeall yr arwyddocâd, cyfeiriwyd y cerdyn at Mr. John Roberts, B.A., B.D.

(iv) Coleg y Bala

Y mae'r ffaith iddo gofnodi gweld yr Athro David Williams y tu allan i un o gapeli Caergybi yn 1927 yn dweud llawer am fyd y llanc o Lanfwrog. Byd y capel a'i bethau ydoedd. Un o athrawon coleg diwinyddol y Bala oedd David Williams – bu farw'n fuan ar ôl i John ei weld – a benodwyd i fod yn gyd-Athro gyda David Phillips bum mlynedd ynghynt. Yr oedd y llanc o Lanfwrog hyd yn oed wedi trysori un o'i ddywediadau, sef fod ar yr Arglwydd 'eisiau dynion wedi hogi eu harfau ar greigiau tragwyddoldeb.' Y flwyddyn yr aeth John i'r Bala o Fangor oedd blwyddyn canmlwyddiant y Coleg. O 1837, pan sefydlodd yr hybarch Lewis Edwards ef, tan 1890, buasai'n athrofa glasurol a diwinyddol, hynny yw, yn ysgol ramadeg ac yn goleg i fechgyn â'u bryd yn bennaf ar bregethu. O 1890 tan 1922 athrofa ddiwinyddol yn unig ydoedd, math ar gystedlydd i'r ysgol ddiwinyddol *in embryo* a gaed yng Ngholeg y Brifysgol, Bangor. O ganlyniad i argymhelliad gan y Comisiwn Ad-drefnu y cyfeiriais ato gynt, penderfynwyd, ar ôl dadlau maith ar ei natur a'i leoliad, mai gwaith Coleg y Bala o 1922 ymlaen fyddai darparu hyfforddiant bugeiliol ac ymarferol i'r rheini a oedd wedi cyflawni eu gwaith academaidd mewn llefydd eraill, yn Aberystwyth a Bangor yn achos y mwyafrif.

Y weledigaeth newydd ynglŷn â'r Coleg, yng ngeiriau John Roberts Caerdydd, oedd ei wneud yn sefydliad lle gallai'r efrydwyr hyn 'fwrw golwg dros y pethau a ddysgwyd iddynt' yn eu cyrsiau diwinyddol, lle gallent 'siarad am bregethu ac am arwain eglwys', 'eu hofnau a'u pryderon a'u hanawsterau', a lle gallent hefyd 'yn hollol achlysurol' ollwng 'mesur o wynt hunan-hyder allan o gyfansoddiad ambell fyfyriwr.' Hynny oll, wrth gwrs, yng nghwmni'r ddeuddyn a'u harweiniai, sef yn 1937-38 David Phillips, a enwyd eisoes, ac olynydd David Williams, Gwilym Arthur Edwards, mab i gefnder i O. M. Edwards, un o fyfyrwyr Aberystwyth a Rhydychen fel ei ewythr. Yn 1939 penodwyd ef yn Brifathro'r Coleg Diwinyddol yn Aberystwyth.

Buasai David Phillips yn Athro yn y Bala er 1908. Athronydd a hanesydd crefydd oedd ef, 'gŵr siaradus' chwedl John Roberts Caerdydd eto, *dialectic* a oedd bellach yn ei drigeiniau ond mor bwerus ei feddwl ag erioed. Sonia

John Roberts Llanfwrog fwy nag unwaith am 'stamp annileadwy y Prifathro Phillips' arno. 'Yr ydych yma,' ebr ef wrth ei fyfyrwyr flwyddyn ar ôl blwyddyn, 'nid i gael gwersi mewn diwinyddiaeth, eithr i addasu'ch diwinyddiaeth i fywyd, i fyfyrio ynghylch pynciau mawr bywyd a marwolaeth fel yr affeithiant eich gweinidogaeth, ac i fagu eich barn eich hun.' Yn 1937-38 yr oedd naw ar hugain o fyfyrwyr o dano, cymdeithas o ddynion y mwynhaodd John Roberts ei myfyrdod a'i hwyl yn arw, yn y coleg ac yng nghyfarfodydd nosweithiau gwaith Capel Tegid.

Fel y nodais yn barod, ar ddiwedd y flwyddyn academaidd hon y cafodd ei radd BD. BD neu beidio, yr oedd eisoes wedi ennill enw da iddo'i hun fel pregethwr. Os cafodd John Williams Brynsiencyn a Thomas Charles Williams ddefnydd ceir modur ar eu hymweliadau pregethwrol hwy â Llundain, yn 1936 cafodd John Roberts fynd drwy Ddulyn i bregethu i Gymry'r ddinas mewn *saloon* (cerdyn gan yr Athro John Lloyd-Jones sy'n dweud hynny). Ar gerdyn arall, o'r flwyddyn 1937, y mae'r pregethwr a'r emynydd J. G. Moelwyn Hughes yn dweud wrtho fod y 'wlad yn disgwyl pethau mawr oddiwrthych, a diau na siomir mohoni ond ichwi gadw'n *agos* at Dduw. Ef sydd yn sancteiddio a grymuso dysg a dawn & yn llunio pregethwr.'

Nos Sul y 10fed o Hydref y flwyddyn honno dyma Jeremiah Jones o Fronyclydwr, Bethesda, Sir Gaernarfon yn ysgrifennu llythyr ato'n ei hysbysu bod pwyllgor bugeiliol eglwys y Carneddi wedi pasio'r Nos Wener gynt 'i roddi gwahoddiad' iddo ddod yn fugail arni 'ar ol gorffen eich cwrs yn y Bala.' 'Buom yn meddwl,' ebe'r llythyrwr ymhellach, 'anfon gair i chwi ar y "phone"' – bwysiced oedd y teleffon Cobdenaidd! – 'ond roeddym yn ofni y buasech wedi cychwyn am eich cyhoeddiad.' Eisiau trefnu cyfarfod â John yr oedd, ynghyd â T. Price Jones, un arall o flaenoriaid y Carneddi, ond gan eu bod hwy ill dau yn ysgolfeistri a chan fod John naill ai yn y Coleg neu yn Sir Fôn 'anhawdd ydyw trefnu'. 'Feallai y buasech chwi yn gallu awgrymu rhyw gynllun. ... Efallai y gallem drefnu i ddod i'ch gweld yn syth o'r ysgol ryw brynhawn.' Rhag ofn i neb feddwl mai pregethwyr enwog fel John Williams a Thomas Charles Williams, a chyw bregethwr yn Nulyn, yn unig a gâi fenthyg car modur, ebe Jeremiah Jones ymhellach: 'Rwy'n sicr y buasai Cadben Pritchard yn rhoi ei gerbyd at ein gwasanaeth.' Yn y man, penderfynu cyfarfod yn Llanfwrog a wnawd, ond trafodwyd yr alwad nid yn un o ystafelloedd Glan-yr-afon, eithr, yn symbolaidd iawn, yn rhywle rhwng Creigiau Clipera a Phorth Trwyn lle'r aethai John Roberts y prynhawn hwnnw ar ôl cinio i hel cimwch neu grancod.

Pennod 3

MYND I'R CARNEDDI

(i) 1938

Gŵr dibriod a dderbyniodd lythyr Jeremiah Jones yn Hydref 1937, ond pan aeth John Roberts yn weinidog i'r Carneddi flwyddyn yn ddiweddarach aeth â'r ferch a ddaethai'n wraig iddo ar y 23ain o Awst gydag ef. Jessie Martin dalsyth siriol deg oedd honno, nyrs bedair-ar-hugain oed y cyfarfu â hi y tro cyntaf yn Ysbyty Stanley Caergybi union dair blynedd ynghynt. Yr oedd John yn yr ysbyty yn haf 1935 am ei fod 'wedi cyfarfod a damwain,' chwedl William Owen a ysgrifennodd ato o Gaernarfon i ddweud wrtho ei fod wedi edrych ymlaen at ei gwmni 'dros y sassiwn'. Ysgrifennodd y Parchedig Caradog Rowlands, ysgrifennydd Cyfarfod Misol Môn, ato gan ddefnyddio'r un geiriau am ei anap: 'cyfeiriwyd at y ddamwain a'ch cyfarfu, a gosodwyd arnaf i ddanfon atoch ddatganiad o gydymdeimlad puraf y Cyfarfod â chwi yn eich aflwydd, ac o'i ddymuniad gwir am eich adferiad llwyr a buan.' Pe gwyddent mai syrthio wrth chwarae pêl-droed gyda rhai o blant yr ymwelwyr yng Nglan-yr-afon a wnaethai, nid hwyrach y buasai eu cydymdeimlad yn deneuach. Ta beth am hynny, yn ei 'aflwydd' Jessie Martin oedd un o'r nyrsus a fu'n gweini arno. Ys dywedodd hi wrthyf un tro, 'Yr oedd John wedi torri'i goes, ac mi dorrais i fy nghalon.' Er teced y dweud, *colli*'i chalon a ddarfu, ac ennill ei galon ef.

Yn wahanol i'r 'unig blentyn' John, yr oedd Jessie yn perthyn i deulu lluosog, teulu'r Martiniaid a drigai yn Dudley House, Kingsland, Caergybi. Merch o Gaergybi ei hun oedd Elizabeth Martin, y fam, ond Sgotyn a ddaethai yno i weithio ar y rheilffordd oedd Alex Martin, y tad. Cawsant wyth o blant. Collwyd un ohonynt, Margaret, Maggie fel y'i gelwid, yn bedair oed yn 1907, ac un arall, Bessie, yn ugain oed yn 1921. Y chwech arall oedd Robert, Alex, Glynne, Jane (a elwid yn Jinnie), ail Fargaret, a Jessie ei hun, cyw olaf y nyth. Bu farw'r tad ar y 30ain o Fai 1930 yn 56 oed. Fel yr awgryma'r enw, siop oedd Dudley House, siop a oedd yn y cefn yn siop *chips* ac yn y pen blaen yn siop bethau da a sigarennau a manion poblogaidd eraill. Yn Ebeneser gerllaw yr oedd y fam a'r plant yn aelodau – yn aelodau ffyddlon, pybyr. Ond nid oedd dim yn sychdduwiol yn neb ohonynt. Y mae'r albwm lluniau a gadwodd Jessie o'i hieuenctid yn tystio i fywyd teuluol difyrrus o folheulo, nofio, hwylio, a mynd ar bicnicau i Borthdafarn, yn ogystal â chanlyn oedfeuon, ac – yn ei hachos hi, ar ôl iddi ddechrau canlyn John, – o ymweld â phregethwyr pur enwog. Y mae'r albwm hefyd yn cynnwys llawer o luniau ohoni hi a John yn ymdrochi ac yn hwylio gyda'i gilydd, fel petaent yn ddau fôr-garwr a ddenwyd at ei gilydd. Y farn am Jessie oedd ei bod yn eithriadol o hwyliog, ac o ran ei phryd a'i gwedd mor osgeiddig hardd fel y cytunai pawb â'r teitl a roddodd y Parchedig D. Tecwyn Evans iddi pan welodd hi'r tro cyntaf yn y Carneddi, sef yr Etholedig Arglwyddes. Y cof yn Llanfwrog yw bod ymweliad gan fam yr Etholedig Arglwyddes â Glan-yr-afon yn cael ei ystyried gan Lizzie Roberts fel ymweliad hanner-brenhinol, a chan hynny yn achos taenu'r bwrdd te â lliain meinwe gwyn.

Y Parchedig Trevor Evans, gweinidog Ebeneser, a'u priododd, gyda chymorth y Parchedig T. H. Griffith

Llanfwrog. Gŵn sidan wen oedd am y briodferch, ac ar ei phen gwisgai gap Juliet secwinog. Mewn siwt barch yr oedd y mab; yn ei law cariai homburg olau a phâr o fenyg goleuach. Yr oeddynt yn bâr golygus i ryfeddu.

Ar ôl bwrw'u swildod yn Swydd Gaer, yn nechrau mis Medi 1938 teithiodd y ddeuddyn ifanc o ogledd-orllewin Môn ar hyd yr A5 a chroesi Pont y Borth i Sir Gaernarfon, i gartrefu yn y Fron, tŷ gweinidog y Carneddi. Genhedlaeth ynghynt, yn 1910, adroddodd y colofnydd "Betsan Jones" yn *Y Cloriannydd* fod gweinidog o Lannerch-y-medd gynt yn arfer dweud 'ma'r Nefoedd a Nerpwl oedd yn tlodi pwlpud yr Hen Gorff yn Sir Fôn'. Na, ebe hi, ni raid mynd 'cyn uched â'r Nefoedd na chyn belled â Nerpwl i weld i bwy ryda ni'n magu gethwrs. Drychwch faint sy yn Sir Gnarfon.' Ond yn 1938 John Roberts oedd yr unig Fonwys newydd i fynd i eglwys yn Sir Gaernarfon. Ordeiniwyd ef yn y Gymdeithasfa a gynhaliwyd, fel y mae'n digwydd yr haf hwyr hwnnw, ym mhentref Bethesda'i hun, ef ac wyth gweinidog arall, gan gynnwys ei gyfaill mawr J. R. Roberts, R. Gwilym Hughes (Pwllheli wedyn), Gwilym O. Roberts (y diwinydd seicdreiddiol), a Robert Owen, ei was priodas.

Yr wythfed ar hugain o Fedi cynhaliwyd cyfarfod croeso iddo ef a'i wraig yn y Carneddi. Yr oedd ambell Fonwys a garai fod yno yn methu â bod yno. Un oedd y Parchedig W. Llewelyn Lloyd, y nododd John ei absenoldeb o Salem Llanfwrog yn 1924, a oedd yn awr mewn cartref nyrsio yn Lerpwl, ei 'babell bridd' (chwedl E. P. Roberts yn *Y Goleuad*) ychydig yn well nag y bu, ond ei galon a'i feddwl yn gythryblus. Un arall oedd Dr Thomas Williams Gwalchmai, y dechreuodd John oedfa iddo yn 1927, a anfonodd lythyr i'w longyfarch ar ei eglwys gyntaf ac i longyfarch yr eglwys ar ei bugail newydd, 'un o wŷr ieuainc gorau Môn. Ysgolor gwych – pregethwr grymus – a chymeriad prydferth a chryf.' 'Yr wyf,' ebr ef, 'yn adnabod yr eglwys yn dda ers blynyddoedd ac yn synio'n uchel am ei hanes a'i thraddodiadau. Bu gwyr enwog yn bugeilio'r Carneddi ac nid peth dibwys i fugail ieuanc ydyw cerdded llwybrau Griffith Roberts a J. T. Job ac eraill.'

Yn Rachub y ffurfiwyd eglwys y Carneddi, yn 1793. Hi oedd mam eglwys holl eglwysi'r Trefnyddion Calfinaidd yn y cylch. Symudodd yn 1816 i'r Carneddi, a oedd erbyn hynny yn fwy canolog i'r boblogaeth a oedd wedi cynyddu'n ddirfawr o ganlyniad i ddatblygiad y chwareli llechi. Ddeuddeng mlynedd yn ddiweddarach adeiladodd yr eglwys gapel newydd iddi hi ei hun. Ond yn 1842, ys dywedodd William Hobley yn *Hanes Methodistiaeth Arfon*, yr oedd 'y Carneddi mewn cyfwng' – am i ddeugant namyn pump o'r aelodau ymadael i fynd yn aelodau i Jerusalem, y capel helaeth a godwyd ger y stryd fawr yng nghanol Bethesda, gan adael llai na chant ar ôl yn y fam eglwys. Er i'r Carneddi 'ddod drwy'r cyfwng hwn' yn weddol ddiogel, 'nid yw'r hanes o hynny allan yn dwyn arno'r fath arwyddion o lewyrch a llwyddiant.' I ailadrodd trosiad Hobley, 'Diogelwyd y llwyth, ond rhwygwyd nid ychydig ar yr hwyliau a'r rhaffau.'

(ii) Yr amgylchiadau'n anodd

Ddiwedd 1938 yr oedd llwyth John Roberts yn rhifo 183 o aelodau llawn, deugain namyn un o blant, ac un gwrandawr. A 'berw a therfysg' Hitleriaeth a gwrth-Hitleriaeth yn llenwi awyr Ewrop, beth a wnâi â nhw? Yn gyntaf, yn ei gyflwyniad i'w Adroddiad Blynyddol cyntaf, datgan ei lawenydd o fod yn eu plith ac apelio am eu cydweithrediad a'u ffyddlondeb i'r moddion. Yn ail, dod i'w hadnabod, drwy ymddiddan â'r rheini a ddeuai i wrando arno Suliau cynta'r mis ac i gymryd rhan gydag ef yng nghyfarfodydd yr wythnos waith, a thrwy ymweld â hwy oll ac un, gwaith yr ymgymerai ag ef weithiau ar ei ben ei hun, weithiau ar y cyd â Jessie. Yn drydydd, breuddwydio breuddwydion drostynt, a throsto ef ei hun. Yr oedd yn anochel fod gan ŵr ifanc graddedig a oedd eisoes yn cael ei ystyried yn bregethwr eneiniedig weledigaeth o'r hyn y dymunai ei gyflawni ymhlith ei bobl. Yr oedd yr un mor anochel y câi'r weledigaeth honno ei chleisio onid ei dryllio ar gallestr dihidrwydd a laodiceaeth, ac ar glogwyni dieflig yr Ail Ryfel Byd. 'Problem ddyrys i mi, fel i aml weinidog arall,' ebe fe'n fuan am y dihidrwydd a brofodd ymhlith ei braidd, 'ydyw esbonio paham y mae'r colofnau yn yr Adroddiad Blynyddol mor llawn, a'r seti yn y Capel mewn oedfeuon cyhoeddus mor wag? "Amgylchwch Seion," fy nghyfeillion, "Ystyriwch Seion."' Gyda golwg ar felltith y rhyfel, teimlodd i'r byw 'oddi wrth y cyfrifoldeb o fugeilio eglwys mewn cyfnod cythryblus fel yr un presennol.' Yr oedd cynifer o'i phobl ifanc dan arfau ymhell o gartref. At hynny, ac, mewn rhyw ffordd, yn ddyfnach na hynny, yr oedd gofid cyffredinol y byddai'r ymladdfa fyd-eang yn rhwym o esgor ymhen y rhawg ar enbydrwydd anysbrydol na wnâi ddim ond gwaethygu gofidiau pob cynulleidfa eglwysig drwy Gymru i gyd. Nid rhyfedd i John Roberts ludio wrth glawr mewnol ei Feibl gwaith yr emyn gan Elfed sy'n cynnwys y pennill hwn:

Nid yw'r Iesu'n well yn unman
  Nag yng ngwaetha'r storom gref;
Mae y gwynt, y nos, a'r tonnau
  Oll yn eiddo iddo ef;
Mae yn felys, felys meddwl,
  Wedi colli'r cyfan bron,
Gwelir ninnau yn ddihangol,
  Gyda'r Gŵr sydd ar y don.

O gwmpas ei draed y dechreuodd ar ei weinidogaeth, a hynny gyda'r plant. Dywedodd Mrs Jennie Rolant Jones, gweddw Rolant o Fôn, wrthyf ei bod hi'n eneth ddeg oed pan ddaeth John Roberts yn fyfyriwr ar ei feic i gadw Sul yng Ngad Bodffordd yn 1930. 'Mae'n dda gen i'ch gweld chi, blant,' ebe fe wrthynt, 'bydd Mam yn siŵr o holi faint o blant oedd yn yr oedfa.' Yn 1940 yn y Carneddi, am fod yn 'rhaid i ni, doed a ddelo, feithrin cydymdeimlad y plant at Gysegr Duw ac ordinhadau'r Tŷ', sefydlodd gyfresi o gyfarfodydd a alwodd yn Gorlan y Plant, yr enw a roes Nantlais Williams, olynydd Anthropos fel golygydd, ar un o rannau *Trysorfa'r Plant*. Cyfeiria John Roberts at y Gorlan eto ymhen dwy flynedd pan ddywed amdani ei bod 'yn dal ei thir' er bod 'cryn dipyn o waith gwella arni.' Cyfansoddai sgyrsiau a phenillion a storïau yn arbennig ar ei chyfer, a chodai eraill o gylchgronau. Fel enghraifft, fe gyfansoddodd neu fe gododd y penillion hyn o dan y teitl "Ymffrost un bach":

Mae gen i law – a dyma hi!
A bys, a bawd, a phen;
A chlust, a thrwyn – a llygaid bach
I edrych tua'r nen.

Mi fedra ddweud yr ABC
A chanu d: r: m:
A gwybod rwyf am Iesu Grist
Fu farw drosof fi.

Ymhlith y gwersi diddan eraill a gadwodd weddill ei ddyddiau, ac a ddefnyddiodd dros y blynyddoedd, heb os, y mae "Wyneb y cloc a wyneb y Beibl" – lle nodir gyferbyn ag I mai 'Un Duw sydd', gyferbyn â II fod Dau Destament, gyferbyn â III mai'r Tri Pherson yw'r Tad a'r Mab a'r Ysbryd Glân, &c., &c.

Ymhen dim daeth Nantlais ei hun i wybod am Gorlan y Carneddi – 'ni thâl *dim ymdrech yn well* na'r ymdrech gyda'r plant', ebe'r awdur swynol hwnnw wrth John – ac mewn llythyr ddiwedd Tachwedd 1941 gofynnodd iddo ysgrifennu "Gwasanaeth y Gorlan" ar gyfer *Trysorfa'r Plant*: '"Bugeilio, a chanu Salmau" yw'r teitl; adnod – I Samuel xvi. 16. Byr, byw, blasus – *please*.' Y 30ain o Ragfyr y mae Nantlais yn ysgrifennu ato eilwaith:

> Dyma ddydd fy mhen blwydd heddiw, ac ni allech roi gwell anrheg i mi na'r Gwasanaeth Plant a ddanfonasoch. ... Hoffaf eich trefn wasanaeth. Y mae'r gweddïau trwy gyfrwng emynau yn rhagorol; a'r weddi fer yn syml ac yn addas dros ben, a'r sylwadau i'r pwrpas.

Yn rhifyn Ebrill 1942 y cyhoeddwyd y gwasanaeth plant hwnnw. Ar y ddalen gyntaf printiwyd llun o fugail a gynrychiolai Ddafydd yn canu'r delyn. Cynhwysai'r sgript gydadrodd salm, gweddi gan un o'r plant hynaf, canu emyn, darlleniadau o rannau o Lyfr Samuel ac Eseciel ac Efengyl Ioan, y 'gweddïau trwy gyfrwng emynau' y cyfeiriodd Nantlais atynt yn ei neges, a phregeth. Pregeth yn cyfeirio at lun y bugail yw honno. Ynddi dywed John Roberts yn gyntaf fod Dafydd yn ddyn da 'er ei holl wendidau'. Yn ail, dywed mai bugeilio a chanu salmau yw gwaith crefydd, a bod Dafydd yma wedi llwyddo i wneud un darlun o'i waith a'i grefydd. Yn drydydd, gofyn y cwestiwn 'Pa wahaniaeth a wna crefydd i waith?' a'i ateb drwy ddweud ei bod yn ei gysegru, yn ei felysu (yn peri i bobl fynd iddo 'dan ganu'), ac yn ei ogoneddu.

Er mai dechrau wrth ei draed a ddarfu, wele, drwy sgript fel hon, lledodd llafur ysbrydol-lenyddol John Roberts gyda phlant y Carneddi i fod o fudd a chymorth i filoedd o blant a darllenwyr hŷn drwy Gymru. A dyna batrwm pethau wedyn weddill ei weinidogaeth. Cyhoeddwyd emyn cynnar ganddo yn rhifyn Ebrill 1946 o *Drysorfa'r Plant*, ac emyn carolaidd yn rhifyn Nadolig y flwyddyn honno, cân ar fesur 'newydd a phert', chwedl Nantlais, ar bwnc y canodd John Roberts arno'n ddyfal weddill ei oes:

> Am doriad gwawr ar nos trueni'r byd,
> Bendithiwn Dduw, –
> Duw Cariad yw;
> Am weled Ceidwad yn ei ryfedd grud,
> Cyfodwn lef
> I'w foli Ef,
> I frenin nef dyrchafwn glod ynghyd.

Os oedd y plant yn y Carneddi yn bwysig i'r gweinidog, yr oedd pobl ifanc yr eglwys o'r pwys mwyaf iddo hefyd. Yn ei gopi o'r *Llawlyfr i Gymunwyr Ieuainc* a gyhoeddwyd yn 1928 ceir enwau pawb a dderbyniwyd yn gyflawn aelodau ganddo o'r dechrau un yn y Carneddi (ni pheidiodd â'u henwi tan ei wasanaeth derbyn olaf oll, pan dderbyniodd aelodau ifainc i Salem Llanfwrog yn 1983). Yn nes ymlaen, rhoddai ddyddiad geni pawb wrth ymyl ei enw. A chyda'r blynyddoedd ychwanegodd at y cofrestri hyn "Emynau Derbyn" o waith Ben Davies Pant-teg, H. Parry Jones Llanrwst a Trebor E. Roberts Porthmadog. Wrth baratoi'r ifainc ar gyfer eu cymun cyntaf cynhaliai 'ryw hanner dwsin o gyfarfodydd cartrefol a chyfeillgar' gyda nhw, i drafod 'pethau o bwys' chwedl yntau – y 'peth mawr ydyw dyfod i *adnabod* Crist yn well, a derbyn ei ffordd EF o *fyw* ac o *feddwl*.'

Un o'r bobl ifanc iawn yn y Carneddi yn y cyfnod hwnnw oedd llanc a ddaeth ymhen blynyddoedd lawer wedyn, ymhlith pethau eraill, yn rheolwr Llyfrau'r Dryw ac yn gyd-olygydd *Y Genhinen*, sef Emlyn Evans. Yr hyn a gofia ef am ei weinidog a'i wraig yw nid yn unig bod John

Roberts eisoes 'yn un o fawrion y pulpud' ond eu bod ill dau 'mor gyson lawn o hiwmor'. 'Nid gormod dweud,' ebr ef, 'bod cwmni'r ddau annwyl yma yn donic' – yr union air a ddefnyddiodd Beti Williams i ddisgrifio cwmni Lizzie Roberts yn Llanfwrog tua'r un pryd. Gwelodd Emlyn Evans hwy yn eu hwyliau gartref ac oddi cartref. Oherwydd gwaeledd ei dad ni allai ei deulu ef ddim fforddio mynd ar wyliau, ond gyda John a Jessie Roberts cafodd fynd i Fôn ddau Awst yn olynol, i brofi o gwmnïaeth y siop yn Dudley House yn y Kingsland ac i brofi o ddiddanwch gwerinol y bwthyn yng Nglan-yr-afon.

Ond yr oedd enbydrwydd trech na'r hwyl. Fel y crybwyllwyd eisoes, yr oedd y ffaith fod y rhyfel yn tynnu cynifer o bobl ifanc o'r eglwys yn loes a boenai John Roberts, fel myrdd o weinidogion a lleygwyr eraill, i'r byw. 'Ni threuliasom erioed o'r blaen ... flynyddoedd mwy cynhyrfus na'r rhai yr ydym newydd gefnu arnynt,' ebe fe yn 1941. 'Y dynion ieuainc yn cael eu galw ymaith, a'r chwiorydd yn paratoi cysuron iddynt.' Un diwrnod y mae 'Glynne Jones yn galw mewn dillad milwrol.' Yn blaen fel yna y mae'r cofnod yn y dyddlyfr, ond y mae'r plaendra yn siarad cyfrolau am yr argraff a wnaeth yr iwnifform ar y gweinidog. Ymhen ychydig wythnosau yr oedd yng Nghaernarfon 'yn y Tribiwnlys gyda E. Lloyd Jones. Daeth yn rhydd ar yr amod ei fod yn aros yn y gwaith sydd ganddo.' Amdano'i hun y noson honno, ebe fe: 'mewn blinder a lludded.' Ond yr oedd yn ddiflin yn ysgrifennu at yr ieuenctid a oedd oddi cartref, ac yn eu cofio yn ei weddïau preifat a chyhoeddus. Gan ddyfynnu o'r Gair, ebe fe ymhellach yn 1944, 'Disgwyl yr oeddem mewn hedd-wch, eto ni ddaeth daioni; am feddyginiaeth, ac wele ddychryn.' Diargyhoedd braidd yw'r frawddeg ddilynol: 'Dylem ddiolch i'r Hwn "sy'n trefnu oll i gyd."'

Ar gyfer y bobl mewn oed (ynghyd, wrth gwrs, â'r plant

a ddeuai i'r gwasanaethau) paratoai John Roberts ei bregethau mor bwyllog ofalus ag y paratoai ei anerchiadau ar gyfer y seiat a'r cylch myfyr a'r gymdeithas lenyddol. Nid pregethau brys a gyfansoddai. Tyfent drwy astud fyfyrdod. Droeon y dywed yn ei ddyddlyfr ei fod yn 'myfyrio uwchben' rhyw adnod neu'i gilydd. Darllenai'r Ysgrythur yn rheolaidd, ac ni faliai am farcio'i Feibl. Yn ogystal â channoedd o bregethau ysgrifenedig a theipiedig, gadawodd ymlith ei bapurau rai nodiadau ar gyfer pregethau. Megis y nodiadau ar Marc 6:50b, 'Cymerwch gysur: myfi yw; nac ofnwch.' Dyry'r adnod yn yr iaith Roeg, ac mewn tri chyfieithiad Saesneg. Yna ysgrifenna'r tri phen a fydd i'r bregeth orffenedig: '(1) Ansicrwydd am ddiogelwch bywyd. (2) Anwybodaeth am nod bywyd. (3) Anniddigrwydd am gynhaliaeth bywyd.' Yn olaf noda'i chenadwri, sef mai 'Iesu Grist yw diogelwch a chynhaliaeth bywyd: "Ei nabod Ef yn iawn | Yw'n bywyd llawn o hedd."'

Weithiau câi oedfa bregethu wlithog. Ar ôl oedfa oddi cartref un noson waith yn nechrau Ionawr 1939 y mae'n hiraethu 'am awyrgylch y Carneddi Nos Sul.' Ddechrau Ionawr y flwyddyn ganlynol, 'Cyfarfod Gweddi rhagorol heno' ebe fe wrth ei ddyddlyfr. Ond gan anamled sylwadau fel y rhain y mae'n weddol sicr y gellir honni nad oedd cynnal oedfeuon yn y Carneddi yn rhoddi i'r seren hwn o bregethwr ifanc y boddhad a'r wefr a ddeisyfodd ac y breuddwydiodd amdanynt yn ystod blynyddoedd hirion ei astudiaethau academaidd a bugeiliol. Ac ni ellir beio'r rhyfel yn unig am hynny. A oedd bai arno ef am ddisgwyl gormod gan chwarelwyr cyffredin a'u gwragedd? Diau bod. A diau bod peth o'r bai ar y bobl. Dywedodd wrthynt heb flewyn ar ei dafod:

> Gorchwyl anodd imi yw esbonio paham y cefais i'n *bersonol* y fath garedigrwydd gan bawb yn ddi-wahaniaeth, ac eto i gynifer (yn ôl pob golwg) wrthod ymateb i'm gwaith fel gweinidog. Pe bawn wedi llwyddo i ennyn eich cefnogaeth fel bugail i'r graddau y llwyddais i ennill eich cyfeillgarwch fel cymydog, fe fuaswn yn ŵr hapus iawn heddiw.

Wrth sôn am ei waith fel gweinidog, nid am oedfeuon y Sul yn unig y soniai. Tenau ar y cyfan oedd cynulleidfaoedd noson waith, er iddo geisio rhoi arweiniad da a hulio ambell arlwy arbennig iddynt, megis darlith gan fab disgleiriaf yr eglwys, Idris Foster, a oedd yn ddarlithydd yn Lerpwl ac a benodwyd wedyn yn Athro Celteg yn Rhydychen. Cafwyd darlith arall, er enghraifft, gan D. Tecwyn Evans, golygydd *Yr Eurgrawn*, cafwyd dadleuon rhwng aelodau un eglwys a'r llall, a'r math o arlwy amrywiaethol a lenwai raglenni cyfarfodydd diwylliadol pob capel go boblog yn yr oes honno.

Wrth gwrs, yr oedd ymhlith ei aelodau bobl dda ffyddlon i bob moddion. Y pennaf un oedd oedd y Mr Jeremiah Jones y cyfarfuasom ag ef yn niwedd un y bennod ddiwethaf, ysgrifennydd yr eglwys, a weddïai mor rhagorol yn y seiat, ac a roddai flas amgen ar y pryd bwyd pan alwai yn y Fron i gael swper. Mr Richard Evans yntau, a fyddai'n cyflwyno'i weinidog 'i ofal y Mawr bob nos.' A Mr Griffith Williams Tanyfron – y mae'r dyddlyfrwr yn rhoi'r *Mr* bob gafael – blaenor na allai ddod i'r moddion am ei fod yn wael iawn ei iechyd ac a ddywedai beunydd beunos ei fod yn colli 'rhywbeth anesboniadwy trwy golli'r capel.'

Am hyn ac er hyn, ceir y gweinidog ifanc yn awr ac yn y man mewn dygn ofid, onid yn wir mewn digalondid. Y mae ar glawr lythyr dau dudalen a anfonodd y Parchedig William Morris Caernarfon, ato, llythyr sydd, y mae'n amlwg, yn ateb i lythyr a anfonasai John Roberts ato ef. William Morris oedd ysgrifennydd Cyfarfod Misol Môn pan dderbyniwyd John yn ymgeisydd am y weinidogaeth yn 1928, ac y mae'n rhaid bod John yn gallu arllwys ei galon iddo. Yr oedd yn Nyffryn Ogwen yr adeg honno frawdoliaeth o bymtheg o weinidogion, a gynhwysai enwogion megis y Parchedig Tom Nefyn Williams, gweinidog y Gerlan, a'r Parchedig Thomas Arthur Jones, gweinidog Jerusalem; ond am resymau personol a lleol dichon na theimlai John Roberts y gallai rannu'i ofidiau mor rhwydd gyda hwy (a sut bynnag ymddiswyddodd T. Arthur Jones yn 1940). Er bod John Roberts yn edmygydd mawr o'r Methodist rebelgar Tom Nefyn, yn mawrygu ei ysbryd annibynnol a'i nwyd genhadol ar ben hewl fel mewn pulpud, yr oedd o'r farn nad oedd yn gyd-weithiwr rhwydd bob amser.

Nid oes ddyddiad ar lythyr William Morris, ond yng nghanol y rhyfel y'i danfonwyd, pan oedd y 'bechgyn, amryw, i ffwrdd' a'r 'rhai sydd ar ôl mewn ofn a phryder. ... Nid oes flas ganddynt at na diwylliant na dim arall yn fynych, a bydd fy nghalon yn gwaedu trostynt, lawer ohonynt. ... Beth ddaw ohonynt, Duw â'i gŵyr. Gwae ni yn wynebu'r cynhaeaf sydd o'n blaenau!' 'Ond,' ebe'r gŵr hŷn wrth y gŵr ieuanc, 'na thorrwch eich calon, John. 'Does dim i'w wneud ond dygnu arni.' Y mae'n ei gynghori i baratoi sgyrsiau ar gyfer y cyfarfodydd diwylliadol yn y capel – hynny yw, i arlwyo gerbron ei bobl bethau a fyddai'n eu difyrru ac yn eu haddysgu yr un pryd. Nid hwyrach mai dyma'r anogaeth a barodd i John Roberts dros y blynyddoedd lunio sgyrsiau a darlithoedd ar amryw o bynciau llenyddol, ar Salmau Cân Edmwnd Prys, ar farddoniaeth Goronwy Owen, ar "Yr Ysgrif", ac, ymhlith eraill, ar emynau Morgan Rhys, darlithoedd a draddododd gyda graen.

Yn ogystal â'i galonogi fel hyn calonogodd William Morris ef mewn ffordd arall hefyd, drwy sôn am y canmol a glywodd iddo fel pregethwr. 'O bosib nad yw'r rheina yn canmol,' meddai, gan gyfeirio at ei aelodau yn y Carneddi, 'na dangos eu bod yn eich gwerthfawrogi. Ond cofiwch mai *types* felly ydynt, gwahanol iawn i Sir Fôn; eto'n eithaf triw, a gair da iawn ichwi yn eich cefn. ... Felly, codwch eich calon!' Wrth gloi, y mae William Morris yn dweud wrtho: 'Dan y ferywen yr oeddych yn sgrifennu eich llythyr. Ond dywedwch fel Elfyn: – Hyderaf y caf fel cynt | Weld yr haul wedi'r helynt.'

Telyneg yn mynegi'n drosiadol fuddugoliaeth yr haul dros helynt yw un o'r ychydig gerddi o'i waith ei hun a gadwodd John Roberts o'r cyfnod a dreuliodd yn y Carneddi. "Gobaith Gwanwyn" yw ei henw. Gellid awgrymu mai rhyfel difaol 1939-1945 a gynrychiolir gan y gaeaf du sy'n yr ail bennill ac mai arwyddion heddwch yw'r eirlysiau yn yr olaf, ond o wneud hynny dehongli'n amseryddol a wnaem gerdd seml y mae ynddi arwyddocâd oesol. Dyma hi:

Bu'r gaeaf ar ei orsedd
   Fel unben garw ei drem;
Pa bryd y deil i eistedd
   Yng ngrym ei ddrycin lem?

Daeth byddin yr eirlysiau
   Fel engyl oddi fry,
I gloddio o dan seiliau
   Llywodraeth gaeaf du.

Mae'r orsedd fu'n cyhoeddi
   Ei ddychryn ar y llawr
Yn cracio wrth osgo gweddi
   Y fintai wen yn awr.

(iii) '... dy waith sydd mor bleserus genyt'

Fel y gwelsom yn yr adran fer ar Goleg y Bala, yr *oedd* i John Roberts ganmol mawr fel pregethwr. Cynyddodd y bri a roed arno fel myfyriwr o bregethwr yn fuan iawn, a daeth ei braidd i ddeall hynny. Yn naturiol ac o raid, pregethai lawer yn ei Ddosbarth ei hun ac mewn Dosbarthiadau cymdogol, ym Mynydd Llandygái, ym Mhentir, yng Nghapel Curig ('galw i weld Mrs Cobden'), ym Maladeulyn a Phorthaethwy, ac yn y blaen. Ond deuai gwahoddiadau i bregethu mewn Cyrddau Pregethu o bob parth. O Widnes a Southport, o Lanelli a Bronnant. Yr oedd y jac-do ganddo wedi cadw ar hyd ei oes ddau boster mawr yn cyhoeddi'i gyrddau pregethau ym Mronnant ac ym Methany Rhydaman, eglwys Nantlais. Yn nyddlyfr 1940 sonia am bregethu dros ddeuddydd ym mis Ionawr yn Nefyn gyda'r Parchedig W. T. Ellis Porthmadog, ac yn niwedd Chwefror am bregethu yn Seilo Aberystwyth gyda'r Parchedig Philip Jones Porthcawl, yr hynafgwr o seraff poblogaidd:

> Phillip (*sic*) Jones y bore – "Maddau i ni ein dyledion." Minnau'r pnawn. "Gâd ef y flwyddyn hon hefyd." Gyda'r Prifathro Edwards i de, a gweld y Coleg. Siomedig am fy mhregeth heno – ond pwy all sôn am Ei ras Ef efo'r fath gur pen?

Fis Mehefin 1940, ar ôl bod yn cynnal cyfarfod pregethu yn Llanrwst i gynulleidfaoedd da iawn 'mewn poethder mawr', y mae'n teithio gyda'r Athro Daniel i Aberystwyth, ac yn mynd yn ei flaen i Bontrhydfendigaid, lle mae'n 'PREGETHU MEWN SASIWN AM Y TRO CYNTAF ERIOED.' Ef biau'r llythrennau bresion. Yr oedd cael pregethu yn uchel ŵyl y Methodistiaid yn y De yn cyfrif iddo. Ddeufis yn ddiweddarach derbyniodd wahoddiad i bregethu yn Sasiwn y Gogledd yn Rhosllannerchrugog.

Câi wahoddiadau i bregethu gartref ym Môn hefyd, wrth gwrs, ac nid gyda'i enwad ei hun yn unig. Anaml y byddai eglwys mewn ardal wledig yn cael pregethwr o enwad arall i bregethu yn ei chyfarfodydd pregethu yr adeg honno, ond digwyddodd hynny fwy nag unwaith yng nghapel Bedyddwyr Pont-yr-arw Llanfathraeth, pan dalai Richard Jones Bytheicws o'i boced ei hun am gael John Roberts yno, yntau'n *tynnu* cynulleidfa – a'r Parchedig Young Haydn yno gydag ef unwaith, – yn tynnu cynulleidfa o gylch eang ei hen gymdogaeth i Bont-yr-arw, fel ar droeon eraill i Abarim, capel ei enwad ei hun: y llefydd yn llawn a'r pregethu'n wefreiddiol.

Cadwodd ychydig o lythyron yn canmol ei bregethu. Er enghraifft, y llythyr oddi wrth y Parchedig D. S. Owen Llundain, y bu'n cyd-bregethu ag ef yng Nghaergybi ym mis Ebrill 1942, sy'n llawenychu'n ddirfawr 'fod yr Arglwydd wedi codi gwr ieuanc eto i gario'r faner ar ffrynt ei fyddin. ... Ewch ymlaen gyda dewrder mewn cyfnod anodd iawn.' Yng Ngorffennaf y flwyddyn honno pregethodd 'yn rymus a dylanwadol' yng Nghymanfa Gyffredinol Treforus. Dr Martyn Lloyd-Jones biau'r ansoddeiriau. Ni bu ef yno, ond clywodd adroddiadau gwych am y gennad. Un a fu yno oedd gweinidog Bethania Treforus, y Parchedig D. James Jones, a dyma'i ganmoliaeth ef:

> Feallai mai un o'r pethau rhyfeddaf yn y Gymanfa i mi oedd gweld y capel yn llawn i oedfa fore, – y pregethwr mor fendigedig felys, a gwlith ffres y nefoedd yn disgyn fel coronau ar y gynulleidfa. Fel y bu yn hanes y Parch John Williams Brynsiencyn yn 1891 (yntau'n ŵr ifanc, dieithr i'r de y pryd hwnnw) y mae yn hanes Gweinidog ieuanc Carneddi wedi'r Gymanfa hon, – y dyfodol i bulpud y wlad oll yn gwbl ddiogel.

Dichon y dywedai ambell un wrth ddarllen y geiriau hyn eu bod yn rhy siwgwraidd, a bod y gymhariaeth â John Williams Brynsiencyn yn ormodieithol – a gafodd William Roberts Glan-yr-afon ddarllen y llythyr hwn, tybed? – ond teg nodi bod ymhlith rhai pregethwyr, fel ymhlith rhai pobl ym mhob galwedigaeth a phroffesiwn, gryn eiddigedd at ei gilydd. Gan hynny, gellir bod yn sicr nad gwerthu lledod yr oedd y Meistri Owen, Lloyd-Jones a James Jones wrth ganmol John Roberts. Gweld ei werth mewn oes flin yr oeddynt, gweld ei neges a'i fodd yn dra dra buddiol i'w Hachos Mawr.

Goddefer dyfyniad o un llythyr arall, y tro hwn oddi wrth D. J. Davies, Maldwyn House, Llanfair Caereinion, gwrandawr a dorrodd ddalen allan o almanac neu lyfr cownt i anfon gair at John Roberts am ei bregethau ym Moriah yn y dref honno (nid oes ddyddiad wrtho):

> Ni chefais y fraint o'ch clywed ond y noson gyntaf yn unig fy hunan, a chydiodd y bregeth felus honno ynwyf nas gallaf ei hanghofio mwy. Bu fy mhriod a'r ferch yn oedfa y prydnawn ... ac nid oes pall ar eu canmoliaeth – 'roedd yr eneth wedi ei hoffi, 17eg oed ydyw, ac yn dweud y carai pe buasech yn weinidog yn Llanfair Caereinion.

'Wel,' ebe Mr Davies cyn diweddu'i lythyr, 'bendith y nef ar eich llwybrau, ac ar eich gwaith, gartref ac oddicartref. Mae eich wyneb tua'r wawr, a blodau yn deffro yn ol eich traed.' Aeth mabinogi'r weinidogaeth Anghydffurfiol heibio, on'd o? A'i llên o binnau ysgrifennu gwerinwyr.

Tra byddai John ar ei deithiau pregethu, âi Jessie'n aml adref i Gaergybi. Y nawfed o Ionawr 1939 dyma 'Jessie'n troi am Gaergybi a minnau'n troi am Borthmadog.' Ddeuddydd eto, y mae'r ddau'n dychwelyd i'r Fron. 'Conductor ar y bus i Gaernarfon [o'r Port] yn cofio fy sylw am y "Mystery Tour" mewn oedfa yn Beulah gynt. Eira ym Methesda – ond Jessie yn cyrraedd i gynhesu f'ysbryd.' Aent yn achlysurol i Fangor gyda'i gilydd, galw yn 'R. R.', sef Caffi Robert Roberts, a oedd mor boblogaidd gyda myfyrwyr Coleg y Gogledd tan ddechrau'r chwedegau, a mynd i'r pictiwrs yn y Plaza, un wythnos i weld 'darlun llafar o Gracie Fields' ac wythnos arall i weld *Jane Eyre*. Aent i swper i dŷ un o'r aelodau yn awr ac eilwaith – yr oedd Mrs Foster, mam Idris, yn un dda am ddiddanu, – a thalai eraill ymweliadau â nhw. Yr ymwelydd mwyaf cyson yn ystod y ddwy neu dair blynedd gyntaf oedd y cyfaill J. R. Roberts, a oedd yn awr yn astudio ar gyfer ei MA ym Mangor. Deuai William ac Elizabeth Roberts yno ar eu hald: 'Fy rhieni yma am dro. Mam yn gwrthod aros.' Am fod ganddi siop i'w chadw yr oedd yn anodd i fam Jessie fynd atynt i aros, ond deuai un o'i brodyr neu un o'i chwiorydd atynt yn aml, a'r amlaf oll o ymwelwyr Caergybi oedd Derek, mab Alex.

Yna ganed merch iddynt, 'fy nghyntafanedig' ys gelwir hi yn y dyddlyfr, 13 Ebrill 1940, a enwyd yn Elisabeth ar ôl y ddwy nain. Bwysiced oedd Môn i John Roberts fel y cofnododd 'y tro cyntaf' i'r fechan 'fynd i Fôn' – gyda Jessie i Gaergybi ar y pedwerydd o Fehefin, ddeuddydd ar ôl iddi gael ei bedyddio gan Tom Nefyn. Ar y pumed yr aeth ei thad i Lanrwst i'r oedfeuon yn y poethder mawr y cyfeiriais atynt gynnau. Bywyd o fynd a dod oedd eu bywydau yn awr, bywyd o fynd a dod rhyfeddol ac ystyried amgylchiadau'r dydd, y rhyfela a'r dogni, y prinder a'r caledi. Bywyd o fyfyrio ac ysgrifennu, ac o fagu hefyd. Ar yr 22ain o Dachwedd 1941 ganed ail ferch i'r gweinidog a'i wraig, merch a enwyd yn Judith. Yr oedd yn y Fron deulu bychan dedwydd di-lol. Ar wyneb-ddalen un o'i lyfrau nodiadau ysgrifennodd y gweinidog yn ei stydi y sgwrs fer hon a fu rhyngddo ac un o'i ferched a daeth i mewn ato:

'Beth wyt ti eisiau?'
'Eisiau eich gweld chi'n brysur, dad.'

Y prysurdeb mwyaf cyhoeddus yn ystod ei arhosiad yn y Carneddi oedd prysurdeb y Sul cyntaf o Fedi 1943 pan ddarlledwyd gwasanaeth y bore ar radio'r BBC – yn fyw, wrth gwrs. 'Sonnir llawer,' ebr ef yn yr Adroddiad Blynyddol dilynol, 'am y cynulleidfaoedd mawr yng nghapel y Carneddi mewn dyddiau a fu,' 'ond,' ychwanega, nid yn ddigoegni, 'prin y cafodd unrhyw wasanaeth yn yr Hen Gapel annwyl fwy o gynulleidfa nag a gafodd ar fore Sul y darlledu!' Pregethodd ar Eseia 27:13, lle sonnir am 'utgorn mawr' yn crynhoi ynghyd feibion alltud a chrwydr Israel. A dyna'r neges i'r ugeinfed ganrif hithau: er bod yr Eglwys wedi mynd yn llinell denau – rhyfedd fel y defnyddir cynifer o droell-ymadroddion rhyfelgar i ddisgrifio'r Eglwys – y mae iddi Gynullydd, Arglwydd a fydd yn casglu'r bobl ynghyd. 'Pan deyrnasa'r awr dywyllaf ar drueni'r byd mae yna ryw utgorn yn canu yn rhywle', a'r utgorn 'sy'n seinio i ni' yw hwnnw sy'n seinio '"gollyngdod llawn | Drwy'r Iawn ar Galfari."' Cofid am ddefnydd John Roberts o'r utgorn hwnnw ymhen blynyddoedd lawer.

Fel y mwyafrif o bregethwr, mwynhaodd y cyfle i ddarlledu i gynifer o wrandawyr, a gwnaeth yn fawr ohono. Cafodd gardiau a llythyron o bell ac agos yn ei longyfarch ar oedfa a roddodd i filoedd ar filoedd 'foddhad gwirioneddol' meddid, llythyron oddi wrth gyfeillion, anwyliaid a dieithriaid, Cymry yn eu cartrefi a milwyr Cymreig mewn gwersylloedd yn Lloegr. Y llythyr sy'n darlunio orau y cyffro cymdeithasol a'r diffygion technegol a oedd yn nodweddiadol o radio'r blynyddoedd hynny yw'r llythyr a anfonwyd ato gan ei gyfaill a'i was-priodas y Parchedig Robert Owen, a weinidogaethai yr adeg honno yn Llansannan. Digwyddai fod yn pregethu ar y 5ed o Fedi 1943 yng Nghapel Seion gerllaw Aberystwyth. Ar ddiwedd ei oedfa'i hun brysiodd allan o'r capel

> i'r Tŷ Capel i wrando'r Gwasanaeth o Garneddi. Nid oedd y wireless mewn hwyl dda yno, felly rhedais i'r Post Office yn ymyl. Salw oedd y peiriant hwnnw hefyd ar y cychwyn, neu efallai nad oedd y gŵr yno yn ei ddeall. Aneglur oedd y gwasanaeth dechreuol a'r weddi. Yna euthum at y wireless fy hun, a'i rhoi ar y northern. Dyna welliant mawr. O hyny ymlaen yr oedd y cwbl yn eglur o ddealladwy. ... Cefaist hwyl dda iawn heb or- o ddim.

Cafwyd llythyr gan Nain Martin o Dudley House, ac, wrth gwrs, cafwyd llythyr o Lan-yr-afon:

> Fy anwyl John,
>
> Ceisiaf yru gair gan i ni dy fwynhau mor fawr y Sul ar y diwifr a mawr hyderaf y bydd llwyddiant mawr ar dy waith sydd mor bleserus genyt
> Bendith ar y cwbl oll mae y cymydogion i gyd yn Llanfwrog yn ein Llongyfarch nina fel dy rieni maddau y nodyn bler
>
> Dy Dad ath Fam xx

Ie, 'r gwaith 'sydd mor bleserus genyt'. Yn bendifaddau, pregethu oedd hwnnw, a chael ymateb i bregethu, ymateb na châi bob amser yn y Carneddi, fel y gwelsom. Ond ychydig o weinidogion a gâi ymateb gan eu cynulleidfaoedd o wythnos i wythnos. Cymharol fychan oedd y niferoedd o Sul i Sul yn ei eglwys ef, yn enwedig o'u cyferbynu â'r niferoedd mawr a fynychai'r Cyfarfodydd Pregethu y pregethai ynddynt ledled y wlad. Gwyliau arbennig o gyfarfodydd oedd y rheini, wrth gwrs, achlysuron poblogaidd lle'r oedd yr awyrgylch bron bob amser yn drydanaidd-ddisgwylgar. Yr oedd cryn wahaniaeth rhwng pregeth waith a phregeth ŵyl, hyd yn oed pan rihyrsid y bregeth ŵyl fel pregeth waith gartref.

Ymhen y flwyddyn yr oedd John Roberts yn paratoi i ymadael â'r Carneddi. Cawsai alwad i fugeilio eglwys y Garth, Porthmadog. Ond wrth ymadael â'r eglwys yn y Carneddi, yr oedd yn gwybod i'r dim beth oedd ei ddyled iddi. Hyhi oedd yr eglwys a'i galwodd gyntaf 'ac a ddisgwyliodd amdanaf am gyhyd o amser'. Yn fuan ar ôl iddo gyrraedd torrodd storm Rhyfel 1939 arnynt – 'dyddiau du a welais i ym Methesda, y cyfnod tywyllaf er y Streic Fawr' – ac oblegid hynny ni chafodd wireddu'r bwriadau a oedd ganddo ar ddechrau ei weinidogaeth, bwriadau nas diffiniodd. Eto, o'r tywyllwch tywynnodd rhyw ddaioni, aeddfedodd rhyw ddawn. 'Onid chwi a'm derbyniodd yn nydd y pethau bychain, ac a'm dysgodd mewn llawer cyfeiriad? Onid chwi a wrandawodd yn ewyllysgar ar fy mhregethau, gan roddi i mi fesur helaeth o ryddid i'w pregethu drachefn ar hyd a lled y wlad?' Dyna fel y gwelai ei aelodau a'i gymdogion hi hefyd. Yr oedd y 'rhyfel a'i ddieflig amcanion', ys canodd T. D. Williams, wedi drysu'r cynllun a oedd ganddo i gynorthwyo'r to hwnnw o bobl oedd nesaf at ei oedran ef a Jessie. Eto, prifiodd ef ei hun, heb os. Sam Jones y Dob a ddywedodd:

> Daeth atom ni yn laslanc tal
> I fro'r "Carneddau mawr."
> Bu'r cynnydd ynddo'n amlwg iawn,
> Mae heddiw'n glamp o gawr.

A'r cof a fyddai amdano? – amdano ef a'r teulu?

Ond erys atgof yma'n hir
  Am deulu mwyn y "Fron,"
A'r weddi bêr, a'r cyngor dwys,
  I'r "Hogia" dros y don.
A'r bregeth honno, "Utgorn Cân,"
  Aeth drwy yr awyr glir,
A chlywodd "Hogia Pesda"'r floedd,
  Yn "Huts" yr anial dir.

Pennod 4

Y GARTH, PORTHMADOG

(i) Strydoedd llydain

Y mae ar gael ffotograff (ychydig bach yn theatrig) o John Roberts ym mhulpud hardd capel y Garth sy'n dweud llawer am y diwylliant a'r addoliad Anghydffurfiol mewn tref gymharol lewyrchus yng Nghymru tua chanol yr ugeinfed ganrif. Wrth edrych arno y peth cyntaf sy'n taro dyn – ar wahân i'r pregethwr glandeg ei hun – yw cyfoeth disglair y celfi pren sydd i'w weld ynddo. Pren y galeri helaeth sy'n cofleidio parwydydd y capel oll. Y panel pren uchel hirsgwar y tu ôl i'r pulpud, sydd ar un waith yn gyntedd i'r organ ac yn seinfwrdd i'r pregethwr. Y panel pren cerfiedig o dan hwnnw wedyn. Y grisiau pren gyda'u canllawiau tro sy'n codi i'r pulpud o'r sêt fawr lle y mae dwy gadair sydd fel dwy gadair eisteddfodol, ond sydd, y mae'n sicr, gan debyced ydynt, yn bâr o gadeiriau a brynwyd yn unig swydd i'w gosod yno. Ac yna'r *pièce de résistance*, mahogani caboledig y pulpud crwn blaenddwfn ei hun, pulpud a saif yn anghyffredin ar bedastal y mae ei sail yn wythonglog a'i ben yn grwn. Diwylliant o beidio ag edrych yn llygad y geiniog wrth addurno addoldy oedd hwnnw ym Mhorthmadog, o geisio'r defnyddiau gorau i Dŷ Dduw; diwylliant hefyd o'i gadw'n llathraidd-lân; ac, wrth gwrs, o gydnabod mai'r pulpud oedd canolbwynt yr addoli oll. O'r tu allan, y mae ffrynt y capel yn llydanwedd nobl, gyda grisiau yn codi o'r stryd at y drysau mawrion sy'n arwain i'w gynteddau. Ddeulawr uwchben y drysau y mae dau falconi cymesur. Ac o dan y capel y mae ystafelloedd helaeth a ddefnyddid fel y defnyddid festri mewn capeli eraill. Yr un oedd Duw'r Carneddi a Duw'r Garth, ond yr oedd byd o wahaniaeth rhwng Ei ddau Dŷ.

Yr oedd byd o wahaniaeth rhwng y ddau le hefyd, rhwng Pesda a Port. Y naill le'n gasgliad o bentrefi cwbl ddibynnol ar y chwareli llechi am waith a bywoliaeth, y llall yn fwy amrywiol ei economi ac yn amlwg yn dref. 'Gyda Jessie hyd y stryd,' ebe John Roberts y Sadwrn cyntaf ar ôl iddynt gyrraedd yno, Sadwrn cyntaf 1945: 'Onid ydynt yn llydain braf? Mae'r gwastadeddau hyn yn ein siwtio'n wych.' Er mai tŷ rhes yn Osmond Terrace, Clog y Berth, oedd Gwylfa, tŷ'r gweinidog, yr oedd hwnnw hefyd wrth eu bodd. Y Sul pregethodd am y tro cyntaf fel gweinidog yn ei ofalaeth newydd, ddwywaith yn y Garth, ar Joshua 3:45 ac I Corinthiaid 1:21, ac unwaith (Joshua eto) ym Morfa Bychan, 'lle bach hyfryd.' Yr oedd tri ar hugain o blant yn oedfa'r bore. Nos Lun yr oedd 'rhyw 57' yn bresennol yn y Cyfarfod Gweddi. Ym Mhorth-y-gest nos drannoeth yr oedd dros drigain yn y cwrdd gweddi. Wythnos gwas newydd oedd hi, yn llythrennol.*

Y peth cyntaf a feirniadodd John Roberts yn ei gynefin

*Aeth cyn-weinidog i mi, y Parchedig Huw Ethall, o Fethania Rhosaman yn weinidog i Salem Porthmadog ganol y pumdegau. 'Wedi bod yno ryw ddeufis,' ebe fe wrthyf mewn llythyr, 17 Tachwedd 2008, 'cyfarfod yn y dre Idris Williams (nad oedd yn aelod yn Salem). Yntau'n gofyn, "Sut dach chi'n setlo'n Port?" "Iawn," meddwn innau, "mae'n dre fach hardd iawn." "Ydi," meddai yntau, "ac mae'n dre fach *gynnes* iawn, dim ond i chi ddod â thipyn o lo ych hunan." Da, yntê?'

newydd oedd y frawdoliaeth o weinidogion y dref a'r cylch a ddeuai ynghyd unwaith y mis. Aeth iddi y 12fed o Ionawr ac ni chafodd flas arni. Y mae hynny'n beth od, achos fesul un ac un daeth i hoffi'i gyd-weinidogion (neu i'w hedmygu) yn fawr, a daeth yn gyfeillion mynwesol gyda dau ohonynt. Gweinidog Tabernacl, capel Methodist arall y dref, oedd y Parchedig J. P. Davies, cenedlaetholwr a heddychwr a wrthwynebasai'r Ail Ryfel Byd gyda phendantrwydd gofidus, un y daeth John i'w chyfrif yn fraint i fod 'ar yr un ochr ag ef mewn aml anghaffael yn y blynyddoedd digon diflas a ddilynodd derfyn y rhyfela agored yn Iwrob.' Yr oedd ei ragflaenydd yn y Garth, y Parchedig W. T. Ellis, wedi aros ym Mhorthmadog ar ôl ymddeol, a byddai yn mwynhau mynd ato a darllen iddo a thrafod llenyddiaeth gydag ef. Ef oedd yr englynwr buddugol yn Eisteddfod Genedlaethol Aberpennar 1946. Pan fu farw Mrs Ellis lluniodd John Roberts englyn o farwgraffiad iddi:

Llon ei gwên, llawen ei gair, – ni choeliai
Ei chalon hi ddrygair;
Wedi dewis megis Mair,
Hunodd heb ddwedyd anair.

Ar farwolaeth Mr Ellis nid englyn a luniodd ond coffâd rhyddiaith a thelyneg, y printiwyd y ddau yn rhifyn yr 17eg o Fawrth 1947 o'r *Goleuad*. Yn Nhremadog trigai gŵr llengar ordeiniedig arall, hwn eto o dras Fethodistaidd o ochr ei fam, William Jones y bardd, clasurydd ac ieithydd dysgedig a oedd wedi rhoi'r gorau i ofalu am eglwysi er 1937. Fel y cawn weld eto, byddai ef a John yn treulio cryn dipyn o amser yng nghwmni'i gilydd.

O 1946 ymlaen yr oedd gweinidog arall y byddai'n ei weld bob dydd pan fyddai gartref, yn syml am eu bod yn byw drws nesaf i'w gilydd, sef oedd hwnnw y Parchedig

Trebor E. Roberts, gweinidog Capel Coffa Emrys yn y dref. Rhannai'r ddau lawer yn gyffredin. Heblaw cariad at bregethu, yr oedd y ddau'n barddoni ac wedi dechrau troi eu llaw at ysgrifennu emynau. Yr oedd gan y ddau hefyd synnwyr digrifwch tebyg i'w gilydd. 'Tynnwr coes di-ail, y cyfan yn ddiddichell, a gwên siriol ar ei wyneb,' meddai *Blwyddiadur* 1986 yr Annibynwyr am Trebor E. Roberts.Yr oedd John Roberts â'i chwerthin heintus wrth ei fodd yn ei gwmni – yn gymaint felly fel y torrodd fwlch yn y clawdd a wahanai'r ddwy ardd fel y gallent droedio o'r naill dŷ i'r llall heb fynd drwy'r ffrynt neu rowndio talcennau'r teras.

At y rhain, yr oedd yn yr eglwys ac yn y dref ddynion darllengar yr oedd eu cwmni'n hwb i'r galon a'r meddwl. Pobl fel J. T. Jones, cyfieithydd Shakespeare i'r Gymraeg ac un o golofnau Clwb y Garreg Wen, cymdeithas ddiwylliadol ddylanwadol y dref a'r cylch, dyn dysgedig, pendant ei farn, diofn ei lafar. Yn *Y Goleuad* yn 1948 fe'i rhoes hi'n ofnadwy i Nantlais am fod y pregethwr-emynydd o Gadair y Gymanfa Gyffredinol wedi condemnio'r 'feirniadaeth fodern' ar y Gair a'i Ffydd gan bleidio'n hytrach 'ffwndamentaliaeth gibddall ac anoddefgar'. (Dri mis ynghynt yr oedd *Trysorfa'r Plant* Nantlais wedi anrhydeddu John Roberts drwy roi llun a phortread ohono [gan ei gyfaill J. R. Roberts] yn rhifyn Ebrill.) Un arall hoff gan y gweinidog oedd O. M. Roberts, un o flaenoriaid y Garth, pregethwr lleyg 'gafaelgar', a oedd yn ymylu ar oed yr addewid pan ddaeth John Roberts i'w adnabod:

> Ceisiai wneud englyn ambell dro. "Dod" a wnai'r rheini fel arfer tra cerddai'r Cob. Cafodd fy nghyfaill Trebor Roberts a minnau lawer o hwyl yn ei gwmni, wrth geisio'i ddarbwyllo na ellid ymddiried rheolau'r gynghanedd i'r *ysbryd* sy'n cyniwair o gwmpas y Cob.

A dyna John O. John, yr ysgrifennodd ei weinidog yn 1953 ragair i'w gyfrol o ysgrifau a chaneuon ysgafn, *Darnau Diddan*. Yr oedd y rhain oll yn bobl y Pethe yn ogystal â phobl y Ffydd. Yr un gŵr o'r Carneddi y gwelai John Roberts ei eisiau'n ofnadwy oedd Jeremiah Jones, a oedd wedi 'rhagori arno ef ei hun' wrth ei gyflwyno i'w gynulleidfa newydd yn y Cyfarfod Sefydlu ddechrau Ionawr 1945.

Fel yn y Carneddi chwe blynedd ynghynt dechreuodd ymweld â'i aelodau bron yn syth, aelodau a rifai ychydig dros dri chant o oedolion ac ychydig dros gant o blant. Dechreuodd ymweld â hwy *bron yn syth*, meddaf. Cyn gadael Dyffryn Ogwen yr oedd wedi prynu car – *Austin Seven de luxe model with bumpers*, JC 2794 – gydag arian benthyg, medd Judith. Ar ôl ceisio, a chael, garej i'r car y dechreuodd fugeilio'i braidd newydd.

Yn ystod misoedd cyntaf ei weinidogaeth yn y Carneddi, nododd John Roberts yn ei ddyddlyfr ei fod ef a J. R. Roberts yn anghytuno ar 'swyddogaeth "dweud y drefn" o'r pulpud.' Erbyn hyn nid oes modd gwybod ai dweud y drefn am absenoldeb pobl o'r moddion a feddylid ynteu am ymddygiad pobl. Nid oes modd gwybod chwaith pa John a gredai mewn ceryddu a pha John na chredai ynddo. Os sôn yr oeddynt am foesoldeb, tybiaf mai Llanfwrog fyddai fwyaf cydymdeimladol â'r syrthiedig – os syrthiedig.

Cyfeiriaf at hyn am mai un o'r rhai cyntaf yr ymwelodd y gweinidog newydd â hwy ym Mhorthmadog oedd merch ifanc ddeunaw oed a oedd newydd roi genedigaeth i blentyn, plentyn a genhedlwyd y tu allan i rwymau priodas. Yn 2010 y mae hyd yn oed crybwyll hyn yn y termau yma, ac ensynio'i fod yn bechadurus, yn swnio'n annymunol o farnol. Yr adeg honno, yng nghapeli Cymru, gwae neb rhyw ferch a feichiogai. Ychydig fisoedd cyn i John Roberts gyrraedd y Garth yr oedd y ferch ifanc hon, a defnyddio hen ymadrodd, wedi cael ei thorri allan o'r seiat, wedi'i diarddel o'r eglwys. Yn y cyfamser priododd. Yr oedd ei gŵr yn un ar hugain oed. Caiff hi ddweud ei stori:

> Dyma gnoc ar y drws, a phwy oedd yno, â geneth bach yn ei law o, ond y gweinidog newydd. Mi wyddwn i pwy oedd o. Daeth i mewn.
>
> "Dyma 'mhechod i," meddaf i wrtho, gan bwyntio at y babi.
>
> "Peidiwch chi byth â dweud hynna eto," medda fo. "Rhag cwilydd iddyn nhw." *Nhw* oedd blaenoriaid y Garth. "Dw-i am i chi ddod yn ôl i'r seiat, a dw-i am fedyddio —."

A'r plentyn hwnnw oedd y plentyn cyntaf iddo'i fedyddio ym Mhorthmadog. Y mae hanes y wreigdda hon wedyn yn gymysg o wae mawr a gwên. Cydiodd canser yn ei gŵr, a bu farw'n dair ar hugain:

> Yr oedd Mr Roberts acw bob dydd, ac yn cynnig aros ar ei draed nos. Ac fe ddaeth yn ôl o ryw gyhoeddiad yn y De i'w gladdu.

'Dw-i'n cofio byth am ei garedigrwydd mawr o,' ydyw'r dystiolaeth drigain a rhagor o flynyddoedd yn ddiweddarach, ac yn cofio 'pa mor hwyliog fydda-fo ar ddyddia da.'

Cofir bod Jessie ar ddechrau'i weinidogaeth weithiau'n mynd gyda John Roberts i rowndio'i braidd yn y Carneddi. Nid oes gyfrif iddi wneud hynny yn y Port, ond yn awr yr oedd ganddi ddwy ferch i'w magu. Yna, ar ben-blwydd ei gŵr yn ddeugain oed yn 1950, ganed iddi drydedd merch, Gwen. Yr oedd wedyn yn brysurach fyth gartref.

Ond yn ôl i 1945. Sylwer i'r wraig ifanc yn y Garth ddweud i'r gweinidog, pan alwodd arni'r tro cyntaf hwnnw, fynd ag un o'i ferched gydag ef, megis ag i bwysleisio nad oedd dim gwahaniaeth rhwng ei phlentyn hi a'i blentyn ef. Dyna'r argraff a gafodd hi, argraff gywir hollol heb os. Ond tybed nad un o'r rhesymau y tu ôl i'r ymweliad ac agwedd y gweinidog at ferched a feichiogai cyn priodi oedd ei fod yn gwybod ymhell cyn hynny mai'r tu allan i rwymau priodas y cenhedlwyd ef yntau? Rheswm arall oedd ei fod yn deall beth oedd grym serch.

Clywais rai'n dweud am John Robets ei fod yn 'bell'. Nid dyna farn y rhai a'i hadwaenai'n dda, na'r rhai a gysurwyd ganddo yn ystod ei weinidogaeth. Yn y Port yr oedd y rheini'n cynnwys pobl ifanc yr eglwys a oedd o hyd oddi cartref naill ai gyda'u gwaith, neu, yn achos y mwyafrif, oblegid y rhyfel. Cyn diwedd ei fis cyntaf yn y Garth yr oedd wedi llunio llythyr i'w anfon atynt oll ar ffurf taflen seiclosteiledig (nid yn ofer y bu'n cael hyfforddiant teipio &c. yn Owens College, fel y gwelir tan ddiwedd ei oes). *Y Gadwyn* oedd enw'r daflen honno, a rhwng Mawrth 1945 a Thachwedd 1946 cynhyrchwyd rhifynnau misol ohoni. Ei neges seriog i'r aelodau ifainc ar led oedd ar iddynt 'benderfynu *heddiw* y deuwch adref gyda'r bwriad o ymdaflu'n ddi-ymdroi i holl gyfarfodydd yr Eglwys. Nid wyf ond ieuanc fy hun, ac y mae gennyf gydymdeimlad mawr â phobl ieuanc heddiw gyda'u problemau o bob math.' Gohebai'n unigol â nifer ohonynt, a chadwodd rai o'r llythyron da a gafodd oddi wrthynt hwy, o Balestina fel o Awstria. Pan ddychwelodd y rhai a fu yn y lluoedd arfog i'r Garth, hanner cant ohonynt, trefnwyd cyfarfod croeso mawreddog iddynt, gwledd o ddanteithion teilwng o'r achlysur, a chyngerdd o adrodd a chanu a gynhwysai ganu emyn coffa i'r rhai na chawsant ddychwelyd. Yna, gyda'r gynulleidfa 'yn sefyll mewn distawrwydd dwfn', rhannwyd Beibl hardd i bob un ohonynt, 'Siarter Fawr y bywyd ucha,' chwedl y gweinidog, llywydd y noson.

Un o'r aelodau a weithiai mewn gwlad dramor oedd Bob

Evans, a gyflogid yn Sevilla yn Sbaen gan gwmni o'r enw Mac Andrews & Co. Limited, cwmni, ymysg pethau eraill, a allforiai orennau. Er mai 'go anffyddlon' y bu yng nghapel y Garth pan fu gartref ar ei wyliau yn ystod haf 1945, y mae'n diolch i'w weinidog 'am gofio am danom, ac am y newyddion yn y llythyr misol.' Hawdd iawn dychmygu'r gweinidog yn darllen o lythyr Bob i'r plant yn y Cyfarfod Plant: 'Prysur iawn ydym yma yn awr, yn anfon "oranges" i chwi, ac yn cael cryn dipyn o drwbwl hefo nhw hefyd, gan fod y tywydd wedi bod yn anffafriol iawn, a llawer wedi mynd yn ddrwg, ond yr wyf yn gobeithio y cewch chwi a'r plant afael mewn rhai o'r goreu'. A hawdd ei ddychmygu'n darllen o ran arall o lythyr Bob yn y Cyfarfod Diwylliadol:

> Wn i ddim a ddywedais wrthych fy mod yn ffond iawn o hen benillion Cymreig. ... Yr oeddwn yn arfer cadw llyfr ohonynt, ond ar goll yr aeth. Hen donau y Band of Hope, ac hen emynau etc. hefyd. "Yn y Glyn", "Pa le yr aeth yr Amen", "Dagrau'r Iesu", [&c.]. Tybed a fuasai yn bosible cael rhyw fath o gystadleuaeth yn eich Cyfarfodydd yn ystod y Gaeaf i weld pwy all roddi "collection" goreu o'r "hen bethau". Buasen yn falch iawn o roddi gwobr neu ddwy i'r rhai goreu, ond i chwi ddweud y gair.

Dyna ymateb gwerth ei gael i'r *Gadwyn*.

Yng nghanol y mudo a'r ymsefydlu a'r bugeilio a'r ysgrifennu a'r golygu a'r trefnu hyn i gyd yr oedd John Roberts yn rheolaidd oddi cartref yn pregethu, nid ar y Suliau'n unig ond ar nosweithiau gwaith hefyd, nid yn ei gynefin yn unig ond drwy Gymru a thros Glawdd Offa. 'VE Day' – yr 8fed o Fai 1945 – yr oedd yn pregethu ym Morfa Bychan. Dridiau ynghynt buasai yn Nhreforus eto: 'Oedfa burion. Croeso mawr.' Ddeuddydd yn ddiweddarach y mae'n teithio i Lundain – 'ni chefais fy nghroesawu â chymaint o fflagiau erioed o'r blaen!' – ac yn pregethu yn Charing Cross yng Nghymanfa Bregethu Undebol eglwysi Cymreig y brifddinas. Yn y Gymanfa Gyffredinol ym mis Mehefin gwrandawodd ar ei gymydog gynt, Tom Nefyn Williams, yn pregethu ar 'Ba lesâd i ddyn ... ?', a'i chael yn bregeth 'ry "ddynol" gennyf a rhy negyddol.' Buasai J. E. Daniel yn amenio. Un Sadwrn ym Medi 1945 aeth mewn 'storm greulon o wynt' i Lanfwrog. Fel yn y dyddiau gynt aeth allan yn y prynhawn a dal 'cimwch go dda'. A'r Sul dringodd i bulpud un o'r capeli a fynychai'n fachgen ysgol, Hyfrydle Caergybi: 'arogl y môr wrth fy modd.'

Gellid meddwl bod hwnnw'n fôr gwahanol i fôr Porthmadog! Ond, wrth gwrs, môr ei Gaergybi hoff ydoedd. Llongwyr a theuluoedd llongwyr oedd llawer o boblogaeth y ddwy dref. Yn y bedwaredd ganrif ar bymtheg, fel capel y morwyr y synid am gapel y Garth am fod cynifer o'i aelodau yn morio. Cofier nad oedd dim byd ond 'anial tywodlyd' lle saif Porthmadog yn awr cyn i W. A. Maddocks rydio'r Traeth Mawr. Gan hynny, ni ddatblygodd fel porthladd, fel iard adeiladu llongau ac fel tref, tan ddauddegau a thridegau'r ganrif honno. Yn 1838 y dechreuodd yr achos Methodistaidd ynddi. Pregethid yn y dyddiau cynnar hynny 'mewn *warehouse*, ... yn fynych hefyd yr yr awyr agored, ac oddiar fyrddau'r llongau', golygfa a fyddai wedi apelio'n fawr at fab perchennog *Gwladys*. Yn 1845 y codwyd capel cyntaf eglwys y Garth, a'r capel presennol (y disgrifiwyd ei ogoniant ar ddechrau'r bennod hon) rhwng 1896 a 1898 ar gost o £5178. Nid syndod, felly, bod trefniadau i ddathlu canmlwyddiant y capel eisoes ar y gweill pan gyrhaeddodd y gweinidog newydd Ddydd Calan 1945. Ceid dathliadau pellach i nodi hanner canmlwyddiant yr adeilad newydd yn 1948.

Hanes dathlu'r canmlwyddiant a leinw naw rhan o ddeg

o rifyn Hydref 1945 *Y Gadwyn*, adroddiadau o'r gwasanaethau a gafwyd dros ddeuddydd ganol y mis, y cwrdd plant, y cyfarfod dathlu ei hun, yr oedfa bregethu ddilynol, ac, wrth gwrs, y te, 'te tan gamp hefyd'. Y gweinidog yn canmol a chanmol. Ym Mehefin 1948 y cynhaliwyd cyfarfodydd dathlu hanner canmlwyddiant yr adeilad. Diau bod y gweinidog yn ei elfen yno yn traddodi anerchiad i'r plant ar bwysigrwydd ei godi, yn adrodd am osod y cerrig sylfaen ac yn ail-fyw'r cyfarfod agoriadol yn 1898 pan bregethai Cynddylan Jones, D. Lloyd Jones Llandinam a'i arwr bore oes John Williams Brynsiencyn (ond John Williams Princes Road Lerpwl y pryd hwnnw). Ychydig wythnosau cyn y dathliadau yr oedd wedi derbyn llythyr gan un o'r cyn-aelodau, Evan Hughes, a gofiai ddigwyddiadau 1898 yn dda, ond a drigiasai ers blynyddoedd yn Tintagel yng Nghernyw. Evan Hughes biau'r disgrifiad o'r capel fel capel y morwyr, a'r darlun o'r capteiniaid 'yn cyrchu i'r seiat gynted y cyrhaeddent gartre', 'pobl wedi bod mewn peryglon yn aml yn ymladd natur ac yn teimlo fod y seiat yn hafan iddynt ar ôl brwydro' – darlun arall a fyddai wedi apelio at grwydryn y glannau yn Llanfwrog gynt, ac a gyflwynwyd gydag afiaith, y mae'n siŵr gennyf i, i aelodau presennol y Garth.

Gwelsom fod llewyrch ar yr adeilad presennol. Beth am ysbryd y lle? Dyna gwestiwn John Roberts ei hun yn y llith a ysgrifennodd ar ddechrau adroddiad y capel am 1946. Ar ôl nodi bod safle ariannol yr eglwys yn gadarnach nag y bu 'ond odid, erioed o'r blaen' – cliriwyd ei holl ddyled gyda chasgliad arbennig yn 1945 – dywed ei fod yn teimlo'n anesmwyth wrth feddwl am 'ystâd fewnol eglwysi ein gwlad.' Fel hyn yr â rhagddo:

> Tybed a ydym yn sylweddoli *tuedd* pethau o'n cwmpas? ... Er llwyddo ohonom i drechu gelynion

> allanol mewn rhyfel, mae gelynion peryglus eraill i fywyd gorau ein pobl yn rymus ar y maes, gan fygwth ein hysbeilio o'n treftadaeth.

Y mae'n dychwelyd at yr un cwestiwn yn 1949. Gofyn eto: 'Beth yw ein ffyniant ysbrydol fel eglwys?' Wrth ateb, y mae'n dweud beth a ddymuna'i gael gan y rhai hynny o had yr eglwys sy'n cael eu derbyn ganddo yn gyflawn aelodau bob blwyddyn. Gofynnaf iddynt, meddai, dyngu'r llwon hyn:

> Derbyniaf Iesu Grist yn Arweinydd i'r gwirionedd, yn Waredwr oddi wrth bechod, ac yn Arglwydd ar fy mywyd.
> Addawaf ddarllen y Beibl yn gyson, gweddïo ar Dduw fel Tad, bod yn ffyddlon i'r Eglwys, ac yn garedig wrth bawb.

Beth a awgryma, wrth gwrs, yw yr hoffai petai'r aelodau aeddfetach yn aildyngu'r llwon hyn, yn ymgadw rhag gwagedd a materoliaeth, ac yn cofleidio'r bywyd yng Nghrist. Gan fabwysiadu rhethreg ei bregethu, ebe fe: 'Nid yw betio mwy na bomio yn mynd i achub y byd. Os ydym am ymaflyd yng Nghrist, bydd gofyn i ni lacio ein gafael yn y pethau sy'n ei wawdio.'

Yn lle anerchiad, emyn a geir ar flaen yr Adroddiad am 1951. Dichon na welai werth llithio'r hen lith flynyddol o hyd ac o hyd, ac os oedd rhywbeth yn ei daro'n wirion neu'n ddiwerth câi fod. Nid oedd yn ddyn i gerdded y rhigolau, na'r rhigolau enwadol na rhigolau confensiwn. Dyma un o'r emynau cyntaf iddo'i gyfansoddi ar gyfer oedolion. Y mae, fel emyn, yn un gwir dda: y mae'n ddatganiad grymus o drueni dyn a daear, y mae ynddo erfyniad a ailadroddir yn grefftus; ac heb os byddai neb pwy bynnag a agorai Adroddiad y capel gan ddisgwyl y llith feirniadol arferol gan y gweinidog yn cael ei daro yn ei dalcen ganddo. Ond a oedd yn emyn cwbl newydd? Y mae'r sôn am ryfel sydd ynddo, y disgrifiad 'nos ein dyddiau ni' yn y pennill cyntaf a'r cyfeiriad uniongyrchol at 'arswyd rhyfel' yn yr ail, yn peri i ddyn feddwl iddo gael ei ddrafftio nid yn 1951 ond yn hytrach yn ystod yr Ail Ryfel Byd, i'r awdur ei gaboli dros y blynyddoedd, a'i fod yn barod i'w gyhoeddi yn nechrau 1952. Go brin mai cyfeirio at Ryfel Corea y mae. Ar y llaw arall, gellir dadlau mai Rhyfel yr Oen yw'r rhyfel ac mai caethiwed pechod sy'n ein caethiwo. Ond go brin eto. Dyma'r emyn sy'n agor Adroddiad Capel y Garth am 1951:

Ti a wyddost, Iesu mawr,
Am nos ein dyddiau ni;
Hiraethwn am yr hyfryd wawr
A dardd o'th gariad Di:
O, tyrd, goleua dywyll stad
Y byd a roes it bob sarhad.

Er disgwyl am dangnefedd gwir
I lywodraethu'r byd,
Dan arswyd rhyfel mae ein tir
A ninnau'n gaeth o hyd:
O, tyrd i'n plith â gair dy hedd
Ac atal erchyll hynt y cledd.

Ein pechod, megis dirgel bla,
Sy'n difa'n dawn i fyw,
Ond gelli Di, y Meddyg da,
Iachau eneidiau gwyw:
Er mwyn dy ing a'th waedlyd chwys,
O, tyrd i'n hachub, tyrd ar frys.

Ddwy flynedd yn ddiweddarach, ar ddalen flaen yr Adroddiad am 1953, nid llith nac emyn ond pregeth a geir gan John Roberts, pregeth ar Phil. 1:29-30. A chlamp o gwestiwn plaen i'w hagor: 'Beth yw nod crefydd?' Y bregeth fer Brotestannaidd ei hun sy'n rhoi'r ateb. 'Nid eglwysyddiaeth, na chapelyddiaeth, ac yn sicr nid sectyddiaeth.' Paraffernalia a ymgasglodd o gwmpas crefydd yn nhreigl y blynyddoedd yw'r pethau hyn, meddai. Arall yw crefydd. *'Duw yn cymryd achubiaeth dyn mewn llaw yn ei Fab Iesu Grist*, dyna yw hanfod y grefydd Gristionogol.' 'Yn nhermau *rhodd* y mae inni ystyried ffaith fawr ein crefydd. ... Nid yn unig rhodd yw'r iachawdwriaeth ei hun, ond rhodd hefyd yw'r ddawn a roir inni i'w sylweddoli a'i derbyn (gw. Eseia 9:6; Ioan 3:16, Eff. 2:8).' At hynny, dywed fod yn rhaid i'r credadun gymryd Crist o ddifrif 'fel y cymerwn gariad mam neu briod o ddifrif.' A bod yn rhaid iddo ddioddef. 'Y prawf terfynol ar unrhyw gred ydyw – i ba raddau y mae ei pherchen yn barod i ddioddef drosti?' Drwy garu a dioddef 'deuwn i sylweddoli mai rhyfel yw bywyd,' ebe'r gweinidog, a chyfeiria'i ddarllenwyr at y chweched bennod o Epistol Paul at yr Effesiaid, adnodau 11 hyd 18, lle sonia'r Apostol am ryfel ysbrydol y saint. Ein cysur yn y rhyfel ysbrydol hwnnw, ebe John Roberts ymhellach, yw 'cofio bod cewri o'n plaid', 'gwroniaid y ffydd, ardderchog lu'r merthyri, a'r holl saint.' A beth yw pwrpas y rhyfel hwn? Sicrhau'r fuddugoliaeth derfynol – sicrhau, ys proffwydir yn Llyfr y Datguddiad 11:15, fod 'teyrnasoedd y byd yn eiddo ein Harglwydd ni, a'i Grist ef; ac efe a deyrnasa yn oes oesoedd.'

Cyfansoddiad yw'r bregeth hon gan bregethwr o fugail sy'n gwybod bod ei braidd, fel pob praidd bron, wedi colli ei hamcan, ac, i gryn raddau, wedi colli ei hargyhoeddiad hefyd. Y mae'n amlwg fod John Roberts eisiau gwasgu i mewn i ymwybod ei bobl bwysiced y grefydd Gristionogol i bawb ohonynt, nad peth i stwna'n ei chylch fel rhyw hobi neu ddiléit mohoni.

Mewn anerchiad cynt yr oedd wedi dweud wrth ei eglwys mai gwaith anodd yn aml oedd penderfynu 'pwy sy'n aelod a phwy sydd heb fod'. Y mae 'gennym yn y Garth,' ebr ef, 'nifer o'r rhai y gellir eu galw yn "led-aelodau"; sef rhai heb fod i mewn yn llwyr a hollol, ond sydd ar yr un pryd yn teimlo nad ydynt "yn y byd".' Am ei fod yn barnu bod yn rhaid ennill y rhain yn ôl y mae'n apelio am sgowtiaid ysbrydol. 'A wyddoch chwi am rywun llesg yn grefyddol, neu rywun sy wedi dechrau cloffi gyda'r Achos, neu rywun na fu erioed yn gyflawn aelod mewn unrhyw eglwys? Os gwyddoch, yna eich dyletswydd yw cymell y cyfryw rai i ffordd Seion.' Yr oedd John Roberts â'i holl feddwl ac â'i holl galon yn credu bod y grefydd Gristionogol yn wirionedd gwrthrychol y dibynnai bywyd pawb arni.

Gan hynny, yr oedd sicrhau gweinidogaeth ei bobl yn hollbwysig iddo. Aeth un o'i gyd-efrydwyr ym Mangor i'r maes cenhadol yn yr India, a chadwodd lythyr oddi wrtho sy'n ei annog ef yntau i fynd yn genhadwr. Nid ystyriodd hynny o gwbl. Ond o ganol y pedwardegau ymlaen bu'n gohebu'n rheolaidd gydag un arall a aeth i'r India, sef yr enwog Helen Rowlands a wasanaethai yn Annedd Goleuni yn Karimganj yn Assam. Merch o Borthaethwy ym Môn oedd Helen Rowlands, un o blant anarferol ddisglair yr eglwys y gofalai Thomas Charles Williams (ef eto) amdani, a'i cyflwynodd ei hun i'r genhadaeth dramor yn 1915: athrawes athrylithgar, ieithydd gwych, un a enillodd y radd DLitt yn y Sorbonne ym Mharis, ond a gysegrodd ei blynyddoedd aeddfed i gyd i gynorthwyo trueiniaid yn yr India. Yr oedd câr iddi, Evelyn Roberts, yn byw ym Mhorthmadog, a thrwyddi hi y daeth John Roberts i'w hadnabod.

Y mae'n amlwg iddo ef a'r teulu ddwlu ar berson a chwmni Helen Rowlands. Ar ôl ymweld â Gwynfa yn 1947, lle mwynhaodd 'flas Cymreig' stydi'r gweinidog a chroeso a charedigrwydd Jessie a'r merched, ar ei ffordd yn ôl i Assam postiodd gerdyn post iddynt ill pedwar o Bort Saïd – oddi wrth 'Helen o Fôn.' Fe'i hystyrid o hynny ymlaen nid yn unig yn ffrind i'r teulu, eithr hefyd yn gyswllt daionus rhwng plant y Garth a phlant ei Hannedd hi. Casglai bechgyn a merched y Garth arian i'w anfon i'r Annedd adeg y Nadolig, ac yn galennig hwyr caent hanes yr ŵyl yn y wlad bell:

> Daeth y plant yn gynnar gynnar i ganu carolau ac emynau Nadolig. ... Trwy gymorth rhai hŷn, gosodwyd dwy goeden banana (wedi gorffen ffrwytho) wrth ddrws y capel a dwy wrth y giat, a *streamers* yn hongian o'r naill i'r llall o bapur lliw. Yr oedd y gwasanaeth yn y capel am 10 y bore yn un hyfryd iawn.

Yn y man daeth plant y Garth i anfon 'rhodd flynyddol' i fachgen 'annwyl dros ben' o'r enw Gareth yr oedd nam ar ei barabl am fod eisiau torri llinyn ei dafod. Ffordd y gweinidog oedd hon o estyn adenydd ei blant, bywhau eu syniad o genhadaeth, rhoi cnawd i frawdgarwch, a'u dysgu i weld nad oedd i deyrnas eu Crist ddim terfyn daearol.

Cysylltodd hefyd yn y cyfnod hwn gyda gwraig arall a'i swynodd, gwraig ifanc ddieithr o raid iddo ef, a ddaeth yn enwog iawn yn 1951 am ennill pencampwriaeth y byd am sglefrio ar iâ, a'r flwyddyn ganlynol am ennill medal aur yng Ngemau Olympaidd Oslo, sef Jeanette Altwegg.* Ar ôl ei buddugoliaeth yn Norwy rhoes Jeanette Altwegg y gorau

*Pan oeddwn wrthi'n ysgrifennu'r bennod hon, gwelais yn rhifyn yr 8fed o Fedi 2009 o'r *Times* ei bod hi'n ben-blwydd ar Miss Altwegg: yr oedd hi'n 79 y diwrnod hwnnw.

i sglefrio ac ymrwymo i wneud yr hyn a allai dros blant amddifad. Hyn, y mae'n debyg, a ddenodd sylw John Roberts ati, ei harwriaeth yn gadael y *skating rink* gyda'i fonllefain moliannus i geisio tecach byd i blant. Ei harwriaeth, ie, a'i harddwch hefyd: dywedai Jessie'n awr ac yn y man ei fod yn hoffi meddwl amdano'i hun fel *ladies' man*. Yn ogystal â chyfansoddi gwers am Jeanette Altwegg ar gyfer cwrdd plant cyfansoddodd John Roberts soned iddi, soned o'r enw "Rhew", a'i chyfaddasu i'r iaith fain. Gan fod ymysg ei bapurau gerdyn printiedig at y 'Dear Rev Roberts' oddi wrth Miss Altwegg yn cydnabod ei gyfarchion, y mae'n sicr iddo anfon nodyn at ei arwres newydd, a chan hynny siawns nad anfonodd y sonedau iddi hefyd, y soned Saesneg ta beth. Y mae'r soned Gymraeg mor gaboledig fel y dylai gael ei chyhoeddi, ac y mae'r soned Saesneg, yn herwydd hyfdra a hyfrydwch ei delweddaeth a'i geirfa, mor deilwng o'r edmygydd hwn o John Keats fel y dylid ei chyhoeddi hi yn ogystal. Dyma'r soned wreiddiol:

I fab Mehefin sydd â'r hafddydd hir
O hyd yn hedd di-drai, ni bu ond braw
Erioed pan glywn y rhew yn brathu'r tir,
A chloi y llyn gan yrru'r hwyaid draw
O fysg yr hesg i foelni traeth y môr.
Fel bysedd angau yw yr eiddo ef,
Yn creu distawrwydd lle bu llawer côr
O adar yn rhoi cân dan gynnes nef.
Neithiwr o donnau'r awyr taflwyd llain
Ohono'n ddarlun im, a theimlais wefr
Ymladdfa pan ddaeth merch fel cledd o'r wain
I'w wanu ef â'i hangerddolaf sglefr,
A gwelais goncro gelyn hen fy myd
Gan un â champ olympaidd yn ei phryd.

Yn yr iaith fain newidiwyd rhai o'r troadau-ymadrodd, fel y gwelir:

> To one born in June, 'tis the lengthened day
> That brings tranquility. No joy I find
> When Winter's freezing feet doth tramp my way
> Locking the lake with his shivering wind,
> And driving wild ducks from their homely reeds
> To the bleak shores. Just like the fangs of death
> His chill fingers are, silencing the meads
> Where songs abound 'neath Summer's scented breath.
> Last night a picture of a patch of ice
> I saw, and then appeared a maiden fair
> Tearing its face, as lightning tears the skies,
> Spinning and skating with a skill so rare,
> Till my old foe seemed as one worn in fight
> And conquered by olympic grace and might.

(ii) Barddoni a byd beirdd

Er bod John Roberts wedi dechrau barddoni yn y coleg ac wedi llunio rhai cerddi pan oedd yn weinidog yn y Carneddi, ym Mhorthmadog yr aeth ati o ddifrif i ganu ac i gystadlu. I ganu ambell delyneg ac englyn ar ben y gweddïau a'r gwasanaethau a anfonai'n achlysurol i *Drysorfa'r Plant* a'r *Eurgrawn* (nid oedd ffiniau enwad yn cyfrif fawr ddim iddo ef); ac i gystadlu mewn eisteddfodau lleol, rhanbarthol, ac yn yr Eisteddfod Genedlaethol. Yn Eisteddfod ei sir enedigol enillodd yn gyson drwy'r pedwardegau a'r pumdegau, ar sonedau a thelynegion (ddwywaith, fel y mae'n digwydd, ar y cyd â W. St. John Williams, tad Eirwen Gwynn), ac ar bryddestau ac awdl. "Mwg y pentrefi" oedd teitl telyneg Eisteddfod Môn 1947 yn Amlwch. Er y gellid gwella ar 'y cysglyd barth' yn nhrydydd pennill y gerdd, barn y beirniaid oedd bod y darlun a geir ynddi'n 'brydferth a chyfan.' Golygfa o'r Carneddi sydd yma, nid golygfa o Borthmadog:

O lechwedd Eryri
  Dan awyr glir,
Gwelaf Fôn a'r heli
  Yn cylchu'i thir.

Edafedd ei chloddiau
  A'i throellog ffyrdd
A weodd ei herwau
  Yn glytwaith gwydd.

Uwchben ei phentrefydd
  Dring arogldarth
Addolwyr aelwydydd
  Y cysglyd barth.

Ac fel y colofnau
  Byrhoedlog hyn,
Cwyd hiraeth am oriau
  Fy more gwyn.

Dyma gerdd gan un oedd yn ei medru hi, a chan un, nid hwyrach, a oedd bellach yn *astudio* barddoniaeth, yn sylwi ar y ffordd yr oedd beirdd eraill yn cyfansoddi'u gweithiau. Telynegwyr oedd y beirdd eraill hyn: yn 1948 ac 1949, gyda marw T. Rowland Hughes ac I. D. Hooson, y mae John Roberts yn cadw ysgrifau beirniadol ar eu cynnyrch, ysgrifau beirniadol y myfyriodd arnynt.

Yn Eisteddfod Môn Llangefni 1948 enillodd gadair am awdl lân seml i Landdwyn. Ynddi, adrodd stori garu Dwynwen a Maelon a ddarfu, o enau Maelon, ond y mae mwy nag ychydig o Lanfwrog yn y disgrifiadau:

Cofiaf y môr, ac oriau
Ei wynfyd i ddiwyd ddau,
Ac uwch ei sŵn gwych, y sêr
Yn dihuno yn dyner.

Ceisiodd am gadair y Genedlaethol yn Nolgellau y flwyddyn ganlynol. "Y Graig" oedd y testun. Ni chadwodd gopi o'i gerdd, ond â barnu wrth feirniadaethau dau o'r tri beirniad ni chafodd lawer o hwyl ar lunio awdl i'r Crist fel craig yr Oesoedd. 'I Grist y Gwaredwr y canodd,' chwedl Dewi Emrys, un o'r beirniaid, 'a cholli golwg ar y "graig." Yn chwithig iawn y ceisiodd achub y ffigur yn ei englyn olaf:

"Tyred, Waredwr tirion, — tyrd yn Graig,
Troedia'n gryf i'm calon."

Gofyn i graig droedio, a throedio i'w galon. Wel! wel!' 'Nid oes yma ymenyddwaith praff na gweledigaeth glir,' ebe Gwyndaf Evans, un arall o'r beirniaid. Yr oedd y trydydd beirniad, T. H. Parry-Williams, ychydig bach yn garedicach. O leiaf gosododd ef *Glan yr Afon* gyda'r 'amgenach saernïwyr' a oedd yn y gystadleuaeth. Un o'r ddau a roes gadair Llangefni 1948 i John Roberts a enillodd ar "Y Graig" yn Nolgellau, sef Rowland Jones Porth Amlwch, Rolant o Fôn.

Yn 1954 enillodd goron Môn yng Nghemaes am gerdd ar y "Sgerries". Ynysoedd y Moelrhoniaid oddi ar Borth-y-dyfn gerllaw Llanrhwydrys reit ar frig gogleddol Môn yw'r rhain, ynysoedd enwog yn yr hen ddyddiau am eu perygl ac am eu hysmyglwyr –

ysmyglwyr
Yn llusgo'u hysbail yn stôr
I'w guddio dan glo'r selerydd
Rhwng y Mynachdy a'r môr.

Plasty bychan uwchben y môr heb fod nepell o Lanfair-yng-nghornwy oedd ac yw Mynachdy. I'r tŷ hwnnw ym 1745 y cymerwyd bachgen dengmlwydd a ddarganfuwyd ar ysgraff ar ôl i'r llong yr hwyliai arni falu ar greigiau'r Sgerries. Gan na siaradai neb ei iaith a chan na wyddai neb ei enw, fe'i bedyddiwyd o'r newydd a rhoddwyd arno gyfenw'r teulu a'i hymgeleddodd ac a'i magodd. Yr Evan Thomas hwn, 1735-1814, oedd y cyntaf o deulu meddygon esgyrn enwog y rhan hon o Sir Fôn.

Dyma bynciau a ddiddorodd John Roberts drwy'i oes, rhamant peryglus yr ynysoedd, y storïau am finteioedd rheibus o ysmyglwyr a'u defnyddiai, a llinach Evan Thomas. Y mae rhannau o'i bryddest ar y "Sgerries" yn canu'n faledol rwydd. Er enghraifft:

Wrth gerdded dros Drwyn y Gadair,
 A thremio ar wylltir gwlad,
Ystyriais ai gwir y stori
 Gyffrous a adroddai fy nhad? ...

Cerddais nes cyrraedd Trwyn Sidan,
 A môr o'r glasaf a gaed,
A gwylan fel rhuban claerwyn
 Yn chwarae o gylch ei draed.

Tybed ai 'nacw yw'r ogof
 Heb iddi gymeriad gwiw,
A droediodd y fintai reibus
 Na 'styrient na llong na'i chriw?

Ond y mae darn clo'r bryddest yn ddarn mewn mesur cwbl wahanol ac mewn cywair cwbl wahanol. Yn y darn *vers libre* cynganeddol hwn nid hanes cyffrous yr ynysoedd a geir, ond myfyrdod trist arnynt:

A than y Garn a'i heithin gwyllt,
myfyriais ar a glywais ger arogleuon
y cewyll a'r cychod gan bysgodwyr
am wael rwn Ynysoedd y Moelrhoniaid.
'Nid ŷnt ond talar o ddaear ddiwerth,'
meddent hwy, 'heb na chae na gobaith cynhaeaf.
Hen greigle llwyd di-fwyd.' Ond nid di-fedi:
mae'r cerrig hyn yn cyhoeddi'r Medi mawr.

Er bod y caniad hwn yn waith da ddigon, y mae fel petai'r pregethwr wedi cymryd pwnc y baledwr drosodd.

Mwy arwyddocaol nag ennill y gadair yn Llangefni yn Eisteddfod Môn 1948 oedd ennill ar yr emyn, a hynny mewn cystadleuaeth 'wirioneddol dda' gyda thri ar hugain yn cystadlu. Yr hyder a'r nerth a welsant yn ei emyn a barodd i Rolant o Fôn a Gwilym R. Jones wobrwyo John Roberts. Y mae iddo rinweddau eraill yn ogystal, eglurder mynegiant, cyfeiriadau ysgrythurol, ailadrodd crefftus cyflythrennol ac ystyrlon, ac esgyniad amseryddol – o'r gorffennol yn y pennill cyntaf, i'r presennol yn yr ail, i'r gobaith am lanhad eto i ddod sydd yn y trydydd. Dyma'r emyn buddugol hwnnw:

Am dy gysgod dros dy Eglwys
Drwy'r canrifoedd, molwn Di,
Dy gadernid hael a roddaist
Yn gynhaliaeth iddi hi;
Cynnal eto
Briodasferch hardd yr Oen.

Am dy gwmni yn dy Eglwys,
Rhoddwn glod i'th Enw glân;
Buost ynddi yn hyfrydwch,
Ac o'i chylch yn fur o dân:
Dyro brofiad
O'th gymdeithas i'w bywhau.

Am dy gariad at dy Eglwys,
Clyw ein moliant, dirion dad;
Grym dy gariad pur yn unig
Ydyw gobaith ei glanhad;
Boed gorfoledd
Dy drugaredd yn ein cân.

Os oedd ennill ar yr emyn yn Llangefni yn 1948 yn arwyddocaol, felly hefyd y fuddugoliaeth a gafodd John Roberts ym Methesda yng ngwanwyn 1946, bymtheng mis ar ôl iddo ymadael â Dyffryn Ogwen. Yn y papurau a adawodd ar ei ôl ni thystia iddo gael cwmni R. Williams Parry pan oedd yn weinidog yno: tan i T. Arthur Jones ymddiswyddo, yn Jerusalem yr oedd Williams Parry'n aelod. Yr unig beth a ddywed John Roberts am ei berthynas â Bardd yr Haf yn y cyfnod rhwng 1938 a 1945 yw bod eu llwybrau wedi croesi weithiau. Beth bynnag am hynny, oni bu cyfathrach rhyngddynt y pryd hwnnw, drwy'r cwta ddeng mlynedd rhwng gwanwyn 1946 a marw Williams Parry yn Ionawr 1956 bu cyfathrach glòs rhyngddynt, drwy'r post, ar delegram, ac wyneb yn wyneb, sef oedd hynny, y rhan amlaf, pan alwai John Roberts yng nghartref Williams Parry ar ei ymweliadau ag Ysbyty Môn ac Arfon neu ar ei deithiau pregethu i gylch ei weinidogaeth gyntaf. Ond cwrddent ar achlysuron mwy awenus ac anturus hefyd, fel y cawn weld yn y man.

Yr hyn a daniodd y berthynas gynnes glòs hon oedd i Williams Parry roddi cadair Eisteddfod Dyffryn Ogwen i John Roberts yn y gystadleuaeth gyntaf y cynigiodd arni, a hynny am gasgliad o delynegion na welsai'r beirniaid 'mewn eisteddfodau mawr na mân mo'u gwell' – a dyna'r 'gwir noeth.' Gan fod y bardd buddugol yn pregethu yn rhywle Nos Sadwrn y cadeirio a chan hynny'n methu â bod yn bresennol yn yr eisteddfod, – cadeiriwyd Robert

Hughes, ei olynydd yn y Carneddi, fel dirprwy iddo, – rhaid bod Williams Parry wedi teimlo'r angen i ysgrifennu llythyr ato i ddatgan ei werthfawrogiad o'i waith. Y mae'r llythyr dyddiedig 2 Ebrill 1946 yn cyfeirio'n nodweddiadol ddoniol at ymweliad Williams Parry y Sadwrn cynt â Pharc yr Arfau yng Nghaerdydd lle'r oedd Cymru'n chwarae rygbi yn erbyn yr Alban, pan fu'n rhaid i'r Cymry 'ail-siyfflo'r tîm ar ôl colli'r *full back* i anaf' a rhoi Bleddyn Williams mewn safle newydd. Dywedodd critig y *Daily Post* yn ei adroddiad o'r gêm, ebe Williams Parry, 'y bydd Cymru yn gwybod ymh'le i roi Bleddyn y flwyddyn nesaf.' Yna cymhwysa'r sylw: 'Wel, byddwch chwithau yn gwybod o hyn ymlaen ymh'le y mae cuddiad eich cryfder: yn y Delyneg, bid siŵr hynny.' Aeth y beirniad canmoliaethus mor bell â dweud pa rai o'r telynegion a hoffai orau, gan eu trefnu'n gyntaf, ail a thrydydd. Yr orau ganddo oedd "Y Felin Wynt":

Mae melin wynt ar ben y rhiw,
  A'i breichiau briw yn llonydd,
Fe saif fel darn o'r oes o'r blaen
  Dan gur a staen y tywydd.

Yr eiddew mwy a draidd i'w mur
  Yn brysur i'w ddadfeilio,
A daw'r dylluan gyda'r gwyll
  I'w hesgyll hi i gwyno.

A chwyno'n ddwysach a wna'r gwynt
  Pan ddaw i'w ffyn toredig,
Fel llaw yn chwilio telyn fud
  Am hud annychwel fiwsig.

Gan mor syml a synhwyrus ydyw, nid ryfedd i'r beirniad ganmol y delyneg. Enillodd ei hawdur ail gadair ym Methesda y flwyddyn ganlynol, y tro hwn o dan feirniadaeth Thomas Parry, yntau hefyd yn uchel ei ganmoliaeth iddo. Gyda'i blaendra nodweddiadol dywedodd wrth John Roberts mewn llythyr nad oedd 'wedi amau o gwbl mai [ef] oedd yr awdur. A dweud y gwir, meddwl am T. Parry-Jones yr oeddwn i.' Gallasai John fod wedi cymryd hynny fel anghlod ac fel clod. Fel anghlod am y gallai feddwl na thybiai Thomas Parry fod ganddo'r ddawn i gyfansoddi cystal – 'gwnaethoch waith da ar y penillion a mwynheais eu darllen fwy nag unwaith' – ac fel clod am ei fod yn ei gymharu gyda'r bardd o Falltraeth a enillasai gadair Eisteddfod Genedlaethol Rhosllannerchrugog ddwy flynedd ynghynt. Ond yr *oedd* Thomas Parry'n gwybod am ei farddoniaeth. 'Bu sôn mawr,' meddai, 'am eich cynnyrch ym Methesda y llynedd. A oes gennych ddigon o ddefnydd i wneud cyfrol fechan o'ch gwaith bellach?'

Ymhen peth amser yr oedd Williams Parry'n ysgrifennu ato unwaith yn rhagor, y tro hwn i ddweud y drefn wrth ei *brotégé* o delynegwr am ymhél gyda'r mesurau caeth. Yr oedd wedi darllen cerdd ar gynghanedd ganddo yn rhywle. 'Pam y mynnwch eich rhaffu eich hunan fel Houdini gynt?' ebe fe. Ond, bum diwrnod yn ddiweddarach, ac yntau wedi darllen 'gem' o englyn John Roberts i Mrs W. T. Ellis (a ddyfynnwyd uchod), y mae'n anfon gair ato eto i ddweud bod yr englyn wedi'i argyhoeddi bod yn 'rhaid eich ystyried o ddifrif calon fel bardd y mesurau caeth' yn ogystal â'r delyneg.

Un o ffrindiau pennaf Williams Parry, ac un o'i edmygwyr pennaf, oedd Wil Jôs Trefriw, chwedl yntau, *alias* 'Y Parchedig William Jones, B.A., Tremadog, ar y Sul', a ddisgrifir gan Thomas Parry yn *Barddoniaeth Bangor* fel bardd gorau ei genhedlaeth golegol – 'a'i het ar frig ei gorun, Gramadeg mawr Syr John Morris-Jones o dan ei gesail, yn llusgo ei ŵn fel cyw iâr a'i adain wedi ei thorri, ac yn cael ei arwain gerfydd ei ddannedd blaen gan getyn hirgoes.' O Goleg Bangor aethai'r myfyriwr swil hwnnw na hoffai'r bywyd cyhoeddus yn weinidog ar eglwysi Cynulleidfaol Saesneg ar oror Sir Amwythig, cyn symud ymhen y rhawg i Lanfair Caereinion, lle cafodd ddamwain ddifrifol gyda char. Bu ei anffodion, ar ben ei natur, yn ddigon o reswm iddo roi'r gorau i'r weinidogaeth wedyn, symud i dŷ yn Nhremadog a fuasai'n eiddo i'w daid, William Jones Trawsfynydd, 'a throi'n Fethodist Calfin-aidd', ys dywedodd John Roberts mewn sgwrs arno – ond 'nid CALFIN ydoedd o ran ei ddiwinyddiaeth o bell ffordd!' Pregethwr da, meddai eto, pregethwr godidog yn Saesneg, 'ond yr oedd ei swildod o flaen pobl yn ei rwystro i ymryddhau oddi wrtho ef ei hun fel y mae'n rhaid i siaradwr cyhoeddus llwyddiannus wneud.' Dod i'w adnabod ar ôl cyrraedd Porthmadog a ddarfu John Roberts, a 'buan y daeth yr adnabod yn glymiad o gyfeillgarwch nas torrwyd ond gan angau'.*

Fel yr hoffai William Jones R. Williams Parry, hoffai R. Williams Parry yntau. Ys dywedodd John Roberts, 'Gwelai'r ddau ei gilydd yn ei gilydd.' Yn haf 1948, penderfynodd y tri ohonynt fynd gyda'i gilydd ar hyd y Lôn Goed, y canodd Williams Parry mor ardderchog amdani yn y gerdd "Eifionydd" yn 1924. Y pedwerydd o

*Yr oedd gan John Roberts stôr o straeon am ei gyfaill anghyffredin. Yn *Y Cymro*, 26 Ionawr 1961, dywedir fod y ddau ohonynt yn sgwrsio y tu allan i Gwynfa yng Nghlog y Berth 'pan ddaeth rhyw ddynion swyddogol yr olwg arnynt i fyny'r llwybr. Nodiasant – ac yn eu blaenau â hwy heb ddweud gair. "Pwy oedd y ddau 'na?" gofynnodd William Jones. "Dynion darllen y 'meters'," atebodd John Roberts. "O," meddai William Jones, "mae'n dda gweld bod y to ifanc yn ymdrechu i ddarllen rhywbeth." Gweler ymhellach yr ysgrif gan John Roberts ar ei gyfaill a gyhoeddwyd yn *Taliesin*, 1987.

Awst oedd y diwrnod penodedig. Yr ail o Awst ysgrifennodd Williams Parry at John i ofyn a allai ef a William Jones, a gyd-deithient at yno yng nghar John, ei gyfarfod 'ger stesion yr Ynys a'r Gaerwen ar y Lôn Goed am 3 o'r gloch, a chyda ni bob o fflasg ac ychydig frechdanau.' A dyna a fu. Fel y cerddent tuag at y Lôn Goed o gyfeiriad y stesion, dyma wartheg godro Ffarm y Gaerwen yn dod heibio i gornel gerllaw iddynt, ac yn eu canol darw anferth. Yr oedd William Jones yn ddiarhebol o ofnus, ebe John: ofn annwyd, ofn gwenwyn, ofn beirniadaeth. Ac nid oedd Williams Parry, er yn gyn-filwr, y dewraf yn y byd chwaith. Pan welsant y tarw rhedodd William Jones a Williams Parry oddi yno i gyfeiriad y car ac i mewn iddo, gan adael John Roberts ar ei ben ei hun. Ar ôl i'r gwartheg a'r tarw ddiflannu daeth y ddau fardd allan o'r modur ac at John 'heb wneud unrhyw sylw o'r hyn a ddigwyddodd.' Yn y car ar y ffordd tua thref, ebe William Jones wrth y gyrrwr, 'Ddaru chi sylwi fel yr oedd Parry ofn y tarw 'na?' Wythnos yn ddiweddarach galwodd John yng nghartref Williams Parry. Ebe Bardd yr Haf, 'Doedd hi'n ddoniol gweld William Jones ofn y tarw hwnnw!'

Ar y 14eg o Orffennaf yr aethant i'r Lôn Goed yn 1949: 'pnawn bythgofiadwy.' Yn 1950 yr oedd y trip ymlaen eto. Erbyn hyn, yr oedd Gwen wedi'i geni. Nid oedd gan Mr a Mrs Parry na Mr a Mrs Jones ddim plant. Ond ebe R. Williams Parry wrth John Roberts yn ei lythyr trefnu: 'Dowch â Gwen efo chi imi ei gweld. Fe edrycha William Jones ar ei hôl pan foch chi'n gyrru, a Mrs. Roberts yn y ffrynt efo chi rhag i chi *or*-yrru. Mae ganddo ef, fel finnau, brofiad helaeth efo babis bach!' Cafwyd tro arall i'r Lôn Goed yn 1951, ym Mai y tro hwn er nad oedd y tywydd wedi setlo. Ar ôl sawl llythyr yn petruso rhwng mynd a pheidio, wele delegram o Fethesda i Glog y Berth:

'Cychwyn yn awr = Parry.' Cawsant brynhawn arall i'w gofio:

> Dyma, ynteu, *sine qua non* prynhawnddydd ar y Lôn Goed: awel feddal, diwrnod sych, miwsig adar, su gwenyn, Capel y Beirdd, cynulleidfa o dri.

Gwnaethpwyd trefniadau cychwynnol trip 1949 mewn ôl-nodyn a roesai Williams Parry wrth gynffon llythyr a ysgrifennodd at John Roberts ym mis Mawrth y flwyddyn honno. Treuliasai gweinidog y Garth beth o'r gaeaf cynt yn cyfansoddi'r awdl ar "Y Graig" a anfonodd i Eisteddfod Genedlaethol Dolgellau (soniwyd gair amdani gynnau), ac ar ôl iddo'i chwblhau anfonodd gopi at y meistr, efallai i gael ei farn arni (er na ofynnodd amdani). Ta beth, ymateb Williams Parry oedd nad ymyrrai fyth â gwaith a anfonid i gystadleuaeth. Gofynnodd wedyn 'A oes heddwch?' Y mae'n amlwg wrth y tair beirniadaeth a gafodd *Glan yr Afon* yn Eisteddfod Dolgellau na chafodd John fawr o hwyl ar gystadlu am y gadair, ond diau bod un frawddeg yn llythyr Williams Parry ato wedi codi'i galon yn arw. Dyma hi: 'os byth y daw arnoch awydd i gyhoeddi cyfrol o'ch telynegion gallaf eich sicrhau y bydd yn bleser mawr gennyf "ddweud yn dda" amdani yn y wasg.' Eisoes gofynasai Thomas Parry iddo a oedd ganddo 'ddigon o ddefnydd i wneud cyfrol fechan': 'y mae mawr angen gloywi tipyn ar orwel y byd barddol yng Nghymru y dyddiau hyn.' Ymhen ychydig fisoedd yr oedd Williams Parry a John Roberts yn paratoi i 'fynd uwchben *Cloch y Bwi*' gyda'i gilydd. Dyna fyddai enw'r gyfrol.

Ond proses hir oedd paratoi at y wasg yn hanes John Roberts – ni chyhoeddwyd *Cloch y Bwi* tan 1958, ac yr oedd Williams Parry yn ei fedd erbyn hynny. O bosib mai dyma'r lle i gyhoeddi'r darlun olaf a luniodd John o

Williams Parry'n fyw. Brynhawn Sul yr 22ain o Awst 1954 yr oedd yn pregethu yn ei hen bulpud yn y Carneddi. Er bod iechyd Williams Parry wedi dirywio ers tro gwahoddodd Mrs Parry ef atynt i de. Wrth ddynesu at yno, gwelai'r pregethwr y bardd yn eistedd 'wrth ddrws y tŷ, a golwg hen ŵr arno' er nad oedd ond deg a thrigain, 'ymhell o fod yn iawn'. Ond yr oedd yn gallu dyfynnu barddoniaeth a'i thrafod. Ebe John Roberts:

> Buom yn eistedd allan drachefn ar ôl te, ac yna daeth yn amser i mi gychwyn am y Carneddi. Dywedodd Mrs. Parry ei bod wedi meddwl dod gyda mi ond ni allai am nad oedd Gwilym Evans yn dyfod, yn ôl ei arfer, i warchod y nos Sul hwnnw, ac meddai'r bardd â dwyster mawr yn ei lygaid a'i lais, "Mi fuaswn innau'n hoffi dyfod hefyd. Efallai mai heno y cawn f'achub."

Yn y blynyddoedd Eifionaidd hynny daeth R. Williams Parry nid yn unig yn gyfaill i John Roberts ond hefyd yn bwnc astudiaeth go fawr iddo. Ar y ddalen wag gyferbyn â "Dwy Gymraes", y gerdd gyntaf yn *Yr Haf a Cherddi Eraill* (1924), torrodd 'R. W. Parry' ei lofnod fel yna – dim o'r 'Williams Parry' – gan roi'r dyddiad o dano, '9fed o Fehefin, 1953.' Y mae'n anodd meddwl nad oedd gan John Roberts o bawb gopi o'r *Haf* cyn hyn, a chan iddo ddod yn bur glòs at yr awdur er o leiaf 1946 y mae'n anodd meddwl na ofynasai iddo am ei lofnod cyn hynny pe mynasai (ac *yr oedd* ar un adeg yn ei fywyd yn gasglwr llofnodion brwd). Efallai iddo gael copi newydd o'r llyfr; efallai ddim. Beth bynnag, y mae'r copi a lofnodwyd gan R. W. Parry o hyd yn ddiogel – ac yn drysor.

Y tu fewn i'r clawr, gwnïodd John Roberts y tudalennau teipiedig a gopïodd o "Y Bannau Gwynion", sef y darn allan o awdl anfuddugol Williams Parry, "Gwlad y Bryniau" 1909, a gyhoeddwyd yn y *Geninen* yn rhifyn yr

Hydref hwnnw. Copïodd i'r llyfr hefyd gerddi eraill o'i waith a gyhoeddwyd ar ôl 1924, rhai cerddi a gasglwyd i gorlan *Cerddi'r Gaeaf* (1952), a rhai nas casglwyd. Er enghraifft, y mae yma nifer da o'r englynion mawl a marwnad a geir yn y *Gaeaf*, ac, mewn llawysgrif o dan y teitl "Ba Ffyliaid", fersiwn o dri phennill y "Gwrthodedigion" a geir yn y *Gaeaf*. Ymhlith y cerddi anghorlanedig y mae'r soned "Pa le y mae'r hen Gymry?" sy'n hiraethu am yr arwyr ar y cae rygbi a gurodd y Crysau Duon yn 1905 (soned a gyhoeddwyd yn y *Western Mail* ganol tymor rygbi 1925-26), a'r soned "Diddordeb" gan 'R. Williams Parodi', parodi ar "Diddanwch", a gyhoeddwyd yn *Y Ford Gron* yn 1931. Fel hyn yr egyr honno:

> Nid oes i mi ddiddordeb yn y League
> Fel yn y Senedd. Yn y Senedd chwaith
> Fel yn y Parish Council ger fy nhrig.

Ac fel hyn y terfyna:

> O am gyfleu i'r byd â'm pen neu 'mhensil
> Fy hen ddiddordeb yn y Parish Council.

O dan "Diddanwch" ar dudalen 35 yr *Haf* ysgrifennodd John Roberts: 'Nid yw'r bardd yn siŵr pwy a wnaeth y parodi – pa un ai rhywun arall ynteu ef ei hun!'

Nid hwyrach mai gan yr awdur ei hun y cafodd rai o'r cyfansoddiadau hyn. Eithr ychwanegodd at y copi hwn o'r *Haf* lawer o bethau a gyweiniodd ef ei hun. Er enghraifft, y miwisig a gyfansoddodd E. T. Davies i "Gorffwys" ('Arglwydd, O gwêl ein meirw drud'); enwau'r meddyg a'r milwr a'r morwr y canwyd "In Memoriam" iddynt; nodyn ar y lle lle cyfansoddwyd "Hedd Wyn" ('mewn capel Annibynwyr yn Winchester'); cyfieithiad gan Wil Ifan o "Gadael Tir"; y bywgraffiad byr o'r bardd a geir yn *Gwŷr Llên*, 1948; cyfeiriadau at erthyglau arno yn *Y Llenor*, *Yr*

Efrydydd a *Llenyddiaeth Gymraeg 1900-1945* Thomas Parry; ac yn y blaen. O dan "Mae hiraeth yn y môr" gyda'i llinell 'Gan ddeffro adlais adlais yn y brwyn' ysgrifennodd John Roberts y llinell 'The dreary melody of bedded reeds' o "Endymion" Keats, a chyferbyn â hi ar bapur main a roddodd yn rhyngddalen rhwng tudalennau 36 a 37 ysgrifennodd "Silence" Thomas Hood, nad yw ei thema na'i hadeiladwaith yn gwbl wahanol i'r gerdd Gymraeg.

Beth a ddengys hyn i gyd yw bod gan John Roberts ddiddordeb dwys ac ysgolheigaidd ym marddoniaeth R. Williams Parry, awydd i'w chasglu a'i mwynhau ac i ddeall ei chrefft a'i chynodiadau. Gwnaeth waith tebyg ar ambell fardd arall, W. J. Gruffydd a rhai o'r rhamantwyr Saesneg, eithr nid i'r un graddau.

(iii) Enillydd Cenedlaethol

Y mae'n anodd dweud ai awydd mewnol a'i gyrrodd y blynyddoedd hyn i farddoni ai'r cyffro awenus a gâi yng nghwmni'r brodyr diwylliedig y daethai i'w hadnabod ym Mhorthmadog. Neu gyfuniad o'r ddau. Ar ôl ennill o dan Williams Parry yn 1946 ac o dan Thomas Parry yn 1947, dyma gael yr *hat-trick* yn 1948 pan enillodd o dan y trydydd o'r cefnderwydd, T. H. Parry-Williams, nid mewn eisteddfod leol na thaleithiol eithr yn yr Eisteddfod Genedlaethol ym Mhenybont-ar-Ogwr. Gwobr Goffa Ieuan Lleyn oedd hon, gwobr am chwech o delynegion y gosodwyd testun i bob un ohonynt. Mewn cystadleuaeth a elwir gan y beirniad 'yn gyffredin a diafael' canmolir *Porth Delysg* – un o faeau ei henfro yw hwnnw – am fynd o'i ffordd 'i chwilio am newydd-deb pynciau' ac am osod *settings* gwreiddiol i'w ganu. Ond nid yw Parry-Williams yn brin o feirniadu'i feiau chwaith, ac y mae'n arwyddocaol na chynhwyswyd yr un o'r telynegion hyn yn *Cloch y Bwi*.

Cafodd John Roberts wobr arall ym Mhen-y-bont, gwobr am gyfansoddi tair salm, o dan feirniadaeth yr hanesydd Robert Beynon, gweinidog gyda'r Hen Gorff yn Aber-craf. Da y dywed ef yn ei ragymadrodd mai 'ffurf gyntefig ar y peth a elwir heddiw yn emyn yw salm; cyfrwng addoliad ydyw. Felly, fe ddylai'r iaith fod yn syml heb fod yn gyffredin, a'r arddull yn goeth ac urddasol heb fod yn rhy lenyddol.' O'r tri chystadleuydd ar ddeg yn y maes, John, gyda'i 'ddwyster hiraeth a grym dyhead', a'i plesiodd fwyaf. Y mae'r gofid a'i gofidiai yn y Carneddi ac a'i tristâi o hyd ym mlynyddoedd cyntaf Porthmadog i'w glywed yn glir yn ail hanner ei salm gyntaf:

> Ysglyfaethwyd ein bechgyn gan fwystfil rhyfel,
> A dibrisdod sy'n meddiannu calonnau ein merched.
>
> Dychryn a ddaeth arnom, oherwydd ein gelynion,
> Cancr diofalwch a fwyty ein nerth.
>
> Ni falia'r rhai a'n treisiodd am ein treftadaeth,
> Bonllefau gwatwarwyr a rhyfelwyr
> Sy'n boddi caniadau ar ddydd y Gymanfa.
>
> Clyw ein cwynfan, O Dduw ein Creawdwr,
> Tyrd yn fuan, a gwared ni o'n caethiwed.

Noder mai dyma'r tro cyntaf i John Roberts yr emynydd ddefnyddio'r ymadrodd 'Tyrd ... a gwared ni'. A noder bod yr emynydd a ganodd yn nes ymlaen mor dyner ac ingol 'am law fy Ngheidwad' yn canu i'r pwnc hwnnw yn ail salm Pen-y-bont. Fel hyn y mae honno'n agor:

> Daioni Duw yw nerth fy mywyd,
> A'i drugaredd yw fy hyfrydwch.

Â'i law fe'm cadwodd rhag cwymp,
Hi a'm harwain dros fy holl ddyddiau.

Pan nas gwelaf, y mae ei gafael ynof,
A'i chysgod drosof yw fy niogelwch.

Er na chafodd John Roberts ddim hwyl ar yr awdl yn 1949, ni ddaeth o Eisteddfod Genedlaethol Dolgellau'n waglaw – na William Jones Tremadog chwaith. Rhoes Cynan y wobr i William Jones am lyfryn o ganu telynegol a'r wobr i John Roberts am ddetholiad o '25 o ddarnau cymwys i'w hadrodd, ar gyfer plant ac ieuenctid, gyda nodiadau o safbwynt adrodd ar bob darn.' Gallai'r ddau gyfaill ymhyfrydu yn y ganmoliaeth uchel a gawsant, y naill am ei ddewiniaeth (y farddoniaeth hon oedd hanner y gyfrol *Sonedau a Thelynegion* a gyhoeddwyd yn 1950) a'r llall am ei chwaeth gatholig wrth ddethol ei ddarnau adrodd, am ddoethineb deallus ei ragair, ac am ei nodiadau hwyliog a helaeth, 'heb fod yn or-helaeth.' Mewn llythyr wythnos wedi'r Brifwyl y mae Cynan yn dweud wrth John Roberts fod 'stamp William Jones yn amlwg ar bob cân o'i lyfryn ef', ond nad oedd ganddo ddim syniad pwy oedd detholwr y detholiad arobryn. O leiaf, ni chrybwyllodd 'T. Parry-Jones'! Meddwl am fwrw iddi i gyhoeddi'r detholiad yr oeddynt, naill ai o dan nawdd Pwyllgor Cyhoeddi Cyngor yr Eisteddfod neu o dan imprint gwasg annibynnol. Ond, fel llwyth o gynhyrchion y Brifwyl, nis cyhoeddwyd.

Yn Eisteddfod Genedlaethol Caerffili yn 1950 enillodd John Roberts y wobr am baratoi casgliad o emynau cyfaddas ar gyfer plant mewn ysgolion uwchradd, o dan feirniadaeth W. J. Gruffydd, a ddywedodd iddo wrth feirniadu chwilio am ddetholwr a chanddo wybodaeth eang o'r 'maes y gwnaeth ei ddetholiad ohono,' un a chanddo hefyd 'amgyffrediad o chwaeth a datblygiad meddyliol y rhai y gwnaed y detholiad ar eu cyfer.' Gan *Ffrwd y Gwin* y cafodd y beirniad y 'casgliad mwyaf cymesur' o ran y dewis o emynau ac o ran y nodiadau arnynt. Ond pryd o dafod a roes Gruffydd iddo am ei nodiadau 'anghynnil iawn' ar yr awduron ac am ei 'ystrydebau cofiannol'. 'Nid mewn llyfr ysgol y dylid cael brawddeg fel hon: "Anwylir ef drwy'r wlad ... gwrandewir arno'n astud ar lwyfan yr Eisteddfod, a phan y (*sic*) sieryd drwy'r radio, mor felys ei lais."' Ni chyhoeddwyd y detholiad hwn chwaith.

Enillodd droeon eto yn y Genedlaethol fel mewn eisteddfodau llai. Er enghraifft, ef ym Mhwllheli yn 1955 a luniodd y faled orau i Forgan Griffith, y gogrwr-delynor a ddaeth yn un o gynghorwyr dewraf y Methodistiaid Cynnar yng ngwlad Llŷn. Ond siawns nad gwaith anfuddugol o'i eiddo a ddyfynnwyd yn *Cyfansoddiadau a Beirniadaethau* Eisteddfod Genedlaethol Llanrwst 1951 a roes iddo'r wefr fwyaf y blynyddoedd hynny. Yn ei feirniadaeth ar "Ugain o Benillion Gwreiddiol ar ddull yr Hen Benillion" dyfynnodd Geraint Bowen bedwar o benillion telyn *Gwynfa* – enw tŷ'r gweinidog ym Mhorthmadog, fel y cofir, – ac ymhen ychydig flynydd-oedd, ar ôl i John Roberts eu cyhoeddi yn *Cloch y Bwi*, dyma lythyr oddi wrth Parry-Williams, y prif awdurdod academaidd ar yr Hen Benillion, yn dweud ei fod wedi'u 'dyfynnu droeon mewn darlith ar ôl i mi eu sbotio yng nghyfrol Cyfansoddiadau Llanrwst.' Mor ardderchog *syrpreisus* y Post Brenhinol!

(iv) 'Sul a dyddiau gwaith'; ac ambell ŵyl

Heb os, yr oedd cael tant arall ar ei delyn, a hwnnw'n dant swynol, yn gymorth ac yn foddhad i John Roberts. Rhoddai'r gwaith o ysgrifennu cerddi a chyfansoddiadau eraill hamdden iddo oddi wrth drymwaith beunyddiol y weinidogaeth (y mae newid gwaith cystal â gorffwys, meddir); rhoddai iddo bleser esthetig yn ogystal; ac at hynny hyder cyhoeddus, peth nad oedd yn brin ohono cynt, y mae'n wir – ond yr hyn a feddyliaf yw'r hyder ychwanegol hwnnw a ddaw o ennill cydnabyddiaeth ddiamwys ar y llwyfan cenedlaethol. Cofier, yr oedd rhai yn yr eglwysi a fyddai'n dannod i weinidogion eu llawryfon lleyg. Ac yr oedd ambell un, hyd yn oed yn Llanfwrog a'r cylch, a farnai na phregethai John cystal pan oedd y dwymyn gystadlu arno. Barn ddi-sail, heb os. Ond barn y mynnai rhai o'r saint ei siantio.

Ar un o'r teithiau yn ôl o Eifionydd y Lôn Goed i'r Eifionydd honno y mae Porthmadog yn gorwedd yn ei hystlys ddwyreiniol, dywedodd Williams Parry wrth John Roberts nad oedd yn eiddigeddu wrtho ei waith. Cydymdeimlai â phob gweinidog am y gwyddai ba mor anodd oedd ei waith, a pha mor anodd amodau ei waith. Ni allasai ef ddod ymlaen gyda'i bennaeth adran hyd yn oed, heb sôn am lond sêt fawr o flaenoriaid. Yn wir, canodd yn chwyrn am flaenoriaid mewn cerdd o'r enw "Democratiaeth", a egyr gyda'r pennill miniog hwn:

Duw gadwo'i weinidogion
Nad ydynt gyfoethogion,
Ond sy'n gorfod profi hyd fedd
Drugaredd Cristionogion.

'Cof am yr hyn a oedd gan fy nain a'm modryb a'm chwaer i'w ddweud' – y tair yn wragedd y mans – 'a bair i mi eu rhegi hwy,' meddai Williams Parry. 'Duw a'ch helpo chwi weinidogion y Gair! Nid *pose* yw fy nhosturi tuag atynt.'

Geiriau olaf Williams Parry wrth ffarwelio ag ef dro arall oedd 'hwyl fawr ichwi ar bregethu ar y Sul ac ar brydyddu ar ddyddiau gwaith am weddill eich oes.' Ond, fel y gwyddai'r bardd yn dda, golygai pregethu ar y Sul, a phregethu ar nosweithiau gwaith, fel y gwnai John Roberts a'i debyg yn aml iawn, baratoi ar ddyddiau gwaith. Fel y cyfeddyf yn ei ddyddlyfr yn 1953, '*maes y fflam* yw hi o hyd, a'm helpo.' Gweithio ar ddwy bregeth yr oedd y diwrnod hwnnw, pregethau ar I Tim. 4:7,8 ac ar Diar. 3:6, ac eisiau gweu i un ohonynt gondemniad y Beibl o'r ddau *atitiwd* – defnyddia'r Seisnigiad hwnnw'n aml – 'a gymer dynion gyda golwg ar y dyfodol': 1) ymffrostio ynddo, a 2) pryderu amdano. Ebe fe: 'Anwybyddu Duw a wna'r ymffrostiwr, – ei amau a wna'r sawl sy'n pryderu. Pa beth sydd gennym i ymffrostio ynddo, druan ohonom? Pa fudd sydd o bryderu? Dim byd oll.' Nos Fawrth yr wythnos ganlynol pregethodd ym Morfa Bychan ar Eseia 66:13, yr unig adnod 'hyd y gwn-i' (meddai) lle cyffelybir Duw i fam, mam y mae ei diddanwch a diddanwch ei theulu yn sylfaenedig ar 1) drylwyredd ei gofal, 2) angerdd ei chariad, 3) cadernid ei pherthynas. Wrth iddo bregethu'r noson honno 'agorodd y ffenestri i'r byd ysbrydol', ebe fe, 'a theimlwn yn sicr ... fy mod yn cael fy arddel fel na chefais ers llawer iawn o amser.' Teithiodd i Rydyclafdy ymhen deuddydd a phregethu ar Eseia 66:13 eto. 'Dim llawn cymaint o'r "awelon" â Nos Fawrth, ond y mae'n amlwg mai hon yw'r bregeth ar hyn o bryd.' Fe'i traddododd am y drydedd waith ym Mhencaenewydd y Nos Iau ganlynol. Wythnos bregethu'r Calan oedd hi.

Nid oedd ball ar ei baratoi. Ond, fel yn y Carneddi, yn fyfyrgar, gan bwyll, y paratoai ei bregethau, ac nid ysgrifennai hwynt, neu'n hytrach nis teipiai, tan y byddent yn aeddfed, a hyd yn oed wedyn ychwanegai atynt o dro i dro, rhoi dyfynaid newydd fan hyn, pennill gwahanol o emyn fan acw. Darllenai'n eang, er nad yn ddwfn iawn. Porai yn y papurau y disgwylid i weinidog bori ynddynt yn y dyddiau hynny, yn *Y Goleuad* a'r *British Weekly*, ac astudiai lyfrau ar grefydd, a gwnâi nodiadau arnynt. Yr oedd ganddo o leiaf ddau lyfr gwyddorol, sef llyfrau y codai nodiadau iddynt a'u gosod yn nhrefn y wyddor: *A* yn sefyll dros ddisgrifiadau o angel neu agwedd neu aberth, *M* yn dwyn i mewn friwison gwybodaeth am fynyddoedd, Mozart a miwsig. 'The finest music will not appeal if it is played badly,' dyfynna, ac mewn cromfachau dyry'r geiriau hyn: 'Felly pregethu.' Y mae *M* hefyd yn sefyll dros *masterpiece*. Cododd y stori hon:

> Dr. Owen Thomas yn pregethu yn Prince's Road, Lerpwl. "Dyn," eb ef, "yw *masterpiece* y greadigaeth." Owen Jones, hen lanc o Sir Fôn, yn dweud, "Fel y dywedai Dr. Thomas, 'Dyn yw *mantlepiece* y greadigaeth."

Yr oedd John Roberts wrth ei fodd gyda geiriau mwys a chameirio fel yna. Cynaeafai'r straeon a'r dywediadau hyn er mwyn eu rhoi yn ddifyrion cofiadwy yn ei bregethau. Yn yr un modd codai ddyfyniad lle bynnag y gwelai ddoethair neu wireb, yn Saesneg yn amlach na heb er nad dyna briod iaith yr awdur bob tro. Pethau fel:

> If you were arrested for being a Christian, would there be enough evidence to convict you?
>
> DAVID OTIS FULLER

> What the world requires of Christians is that they should continue to be Christians.
>
> ALBERT CAMUS

Yn awr ac eilwaith cyfieithai wirebau i'r Gymraeg, yn barod ar gyfer eu defnyddio, megis pan gyfieitha Pascal a ddywedodd mai 'dynion yw gogoniant a gwehilion y bydysawd', ond nid yw'n cyfieithu'r hyn a ddywedodd Hamlet am ddyn: *quintessence of dust.* Weithiau, copïa bennill neu englyn, fel hwn gan Gutyn Peris, 1802:

Gair Duw byth yw y gwir di-ball – iach rad;
Ni chredaf i arall:
Gair Duw egyr y deall;
Gair Duw rydd olwg i'r dall.

Ar dro crea ddiarhebion newydd: 'Ni wna'r haul enfys heb ddagrau.' Bryd arall, y mae fel dyn yn dwdlio'i syniadau, yn braslunio pregeth mewn llaw-fer:

1 Yr ydym wedi pechu

2 Y mae Crist wedi dioddef

3 Y mae Duw yn maddau.

'Pa fath weddïwr oedd Iesu Grist?' yw'r cwestiwn mewn un set o nodiadau, 'Pa fath weddïau a draddodai?' A'r ateb? 'O ran geiriau = BYRION, o ran cynnwys = MAWRION, o ran dylanwad = EFFEITHIOL.' Ar yr un dalennau ysgrifennir: 'Nid ein camp ni yw credu bod Duw; ein camp ni yw YMDDIRIED YNDDO.' Lluosoger yr enghreiffiau hyn gyda thrichant, a dyna fesur o fosiwn ei feddwl – a'i bin ysgrifennu – aflonydd.

Yn yr un modd, byddai'n chwilio o hyd am ddeunydd i'w bregethau arbennig ar gyfer y plant, deunydd darluniadol y gallai'r plant ei gofio. Un o'i hoff bregethau i'r plant oedd honno – ni wn a yw'n wreiddiol neu'n ail-law – am ddau ddyn yn trafeilio mewn car i weld capel newydd yr oedd un ohonynt yn gyfrifol am ei godi, ac yn cario dau declyn gyda hwy, *spirit level* a *plumb line*. Wrth sôn (1) am y *plumb line*, y mae'r pregethwr yn cyfeirio at Amos 7:8 lle mae'r Arglwydd yn gofyn i'r proffwyd, 'Beth a weli di?' Yntau'n ateb, 'Llinyn.' Yng nghyfieithiad Moffatt, *plumb line*. Y llinell hon sy'n profi bod pethau'n *vertical*, yn unionsyth. Ystyr hynny, ebe John Roberts, yw'n bod ni 'yn iawn yn ein perthynas â Duw', ein bod yn caru Duw. Yn ail, (2) y mae'n disgrifio'r *spirit level* fel 'darn o bren a rhyw fath o botel fechan â swigen yn ei chanol' sy'n profi bod pethau'n llorweddol, yn *horizontal*. Ystyr hynny, ebe'r pregethwr, yw ein bod ni caru'n cymydog fel ni ein hunain, yn caru'n gilydd. Yna, yn glo ar y bregeth, ebe fe: 'Rhowch y *spirit level* ar draws y blymen, a chewch groes.' Croes yr Arglwydd Iesu Grist, wrth gwrs.

I ddifyrru'r plant y mabwysiadodd Deulu'r Esgyrn hefyd – 'y *funny bone*, y lleiaf o'r esgyrn, un doniol yw; y *jaw bone*, un siaradus ydyw; y *wish bone*, breuddwydiwr ydyw'; ond y pwysicaf un yw'r *back bone*. Gyda'i heulogrwydd serchus a'i frwdfrydedd adroddai John Roberts y darnau hyn wrth blant ledled y siroedd, fel y diolchai'n driphlyg iddynt am eu cyfraniadau i'r oedfeuon: 'Diolch am ddysgu, diolch am ddod, diolch am ddweud.'

Fel y rhan fwyaf o weinidogion, hyfforddai blant ei eglwys ym mhen eu ffyrdd nid yn unig drwy draethu'n ddifyr ger eu bron, ond hefyd drwy eu cymell a'u hyfforddi i gymryd rhan yn y moddion. Os paratôdd sgriptiau ar gyfer plant y Carneddi gynt, felly y paratôdd sgriptiau ar gyfer plant y Garth. Cadwodd R. Gwynfor Jones hyd y dydd heddiw gopi o weddi gyhoeddus a luniodd ei weinidog drosto ar gyfer un o gyfarfodydd Wythnos Weddïau'r Calan hanner cant a phump o flynyddoedd yn ôl. Llaw'r gweinidog fel *copper-plate*, y sgript wedi'i marcio'n gyfarwyddiadol-gysáct, yr ymadroddi'n rheth-regol goeth, ac wrth gwrs yn cynnwys dyfyniadau o emynau.

Weithiau, o ganlyniad i'w baratoadau darllengar a myfyrdodus, gwelai John Roberts fod mwy nag un bregeth i oedolion yn aeddfedu'r un pryd. Y 24ain o Fai 1953 ''sgrifennais y bregeth ar Salm 42:5', sy'n gofyn y cwestiwn 'Paham, fy enaid, y'th ddarostyngir, ac yr ymderfysgi ynof?' ac sy'n datgan yr ateb 'moliannaf ef eto, am iachawdwriaeth ei wynebpryd.' 'Gwneuthum dipyn mwy nag a feddyliais o'r gair *eto*,' ebe'r pregethwr. Yr un diwrnod dywed ei fod wedi cael ei ysbrydoli i weithio ar y 'bregeth ar Jwdas. Ysgrifennais honno hefyd, Math 27:3-5. Cwymp Jwdas yw'r pwnc – y dyn a geisiodd adeiladu byd yr hunan, ac a fethodd yn druenus.' Pregethodd hi yn Llanystumdwy nos drannoeth – ond 'siomedig' ydoedd. Cafodd hoe ar y 27ain: 'Teulu Llanfwrog a Nain Martin yma "ffor the day."' Ond bu'n myfyrio eto ar yr 28ain: 'Pendronni. Darllen "St Paul" yn *Outspoken Essays* Inge.'

Yn y blynyddoedd hyn yr oedd yn bregethwr yr oedd galw mawr amdano i wasanaethu mewn Cyfarfodydd Pregethu. Cofia'r W. J. Edwards ifanc ef yn traethu yn oedfa'r nos yn Seilo Aberystwyth fis Tachwedd 1954, 'y llawr yn llawn a thri chwarter yr oriel' a oedd yn cynnwys 'tua chant o fyfyrwyr': wrth draethu ar Ioan 14:6, 'Myfi yw y ffordd,' soniai am lanc o Fôn 'yn mynnu mynd ar ffordd wledig a'i harweiniodd i gors'. Ys dywedodd W. J. wrthyf mewn llythyr, 'Gelli ddychmygu'r defnydd a wnaeth o'r tro trwstan.' Y mis Awst canlynol, a John Roberts yn Seilo Aberystwyth yn ei ôl, ymwelwyr, yn hytrach na myfyrwyr, a lenwai'r oriel. Fis Medi 1955, yn Sasiwn y De, yr oedd y capel yn Llan-non yn rhy fychan i ddal y rhai a ddymunai wrando arno: yntau'n ei bregeth yn gwneud defnydd dramatig o emyn Dafydd William, 'Hosanna, Haleluwia, | Fe anwyd Brawd i ni,' ac yn llafarganu'r pedair llinell olaf:

Brawd cadarn yn y frwydr,
Fe geidw'i frodyr gwan;
Yn dirion dan Ei aden
Fe ddaw â'r llesg i'r lan.

Y mae'r ychydig atgofion hyn yn dangos bod John Roberts yn feistr ar rethreg y pulpud – ar y gelfyddyd o gywrain ymadrodd, ar gyfansoddi'n gelfyddydgar, ar gymhwyso hanesion, ar iawn ddefnyddio troell-ymadroddion, ac ar eu traethu'n raenus. Gwyddai pa le a pha fodd i ailadrodd geiriau a chymalau, sut i arwain cynulleidfa i gyd-adrodd llinellau o emynau ac adnodau gydag ef, ac ar brydiau sut i beri bod y gynulleidfa'n ddistaw. Y mae rhethregu'n dda yn golygu rheolaeth ar lais ac ystum yn ogystal ag ar lafaredigaeth, ac yr oedd y ddawn honno ganddo hefyd: pwy na chofia fel y penliniai bob amser wrth fwrdd y cymun ac fel y creai ar ei liniau yno awyrgylch o ddefosiwn gyda'i ddyfyniadau cymwys helaeth o'r Beibl a'r Llyfr Emynau?

Y bregeth ym Mhorthmadog a glywyd gan y gynulleidfa fwyaf niferus oedd y bregeth a ddarlledodd y BBC o gapel y Garth fore Sul y 5ed o Fehefin 1955, pregeth ar Math. 11:28-30, yr adnodau gwahoddus sy'n dechrau 'Deuwch ataf fi bawb a'r y sydd yn flinderog ac yn llwythog'. Y mae John Roberts yn agor y bregeth hon drwy ddatgan mai dyma'r graslonaf o bob gwahoddiad, 'y melysaf ei fiwsig, a'r mwyaf cysurlon ei nodau.' Eisoes, y mae'r gwrandawr wedi'i ennill gan hyfrydwch y dweud deublyg. Â'r pregethwr rhagddo i rannu'r gwahoddiad yn bump o rannau, pob un yn cyflythrennu, hen gast gan bregethwyr, ond un defnyddiol serch hynny. Dyma'r pum rhan: 1. *CYFOETH y gwahoddiad,* cyfoeth ei dras, cyfoeth ei gefndir. Beth a wna'r pregethwr yma yw olrhain tras y gwahoddiad yn yr Hen Destament, drwy nodi'r modd yr oedd y proffwydi Eseia a Jeremeia, er enghraifft, yn cynnig cysur a gorffwystra i'w pobl. 2. *CYFEIRIAD y gwahoddiad.* Sef pawb a'r sydd yn flinderog. 'Dewch, bechaduriaid tlodion,' ebe'r emyngarwr yn John Roberts:

> Mae'r cyfeiriad yn ddigon clir. Nid oes amau'r "address." Y rhai newynog a lanwodd Efe â phethau da, ac Efe a anfonodd ymaith y rhai goludog yn weigion. Yr unig gymhwyster yw ymdeimlad o angen, ac yna dyfod ato a derbyn, a'r cysur mawr yw bod
>
> Duw yn rhoddi eto'n hael
> Drugaredd i droseddwyr gwael.

3. *CYNNWYS y gwahoddiad.* 'Cymerwch fy iau arnoch a dysgwch gennyf.' Do, ebe'r pregethwr, lluniodd Iesu Grist y saer ieuau lawer, ieuau â'u cydbwysedd yn iawn. Ystyr yr ymadrodd, ebe fe ymhellach, yw bod y Meistr yn dweud wrthym, 'Dysgwch fyw dan deyrnasiad fy ffordd *i* o weithio ac o wasanaethu.' Ni chollir cydbwysedd o dan ei iau Ef. 4. *Y CYMHELLION sydd yn y gwahoddiad.* Sef esmwythder yr iau, ysgafnder y baich. Yn olaf, 5. *CANLYNIAD derbyn y gwahoddiad.* Ar ôl manylu ychydig ar esmwythyd maddeuant am bechod, ar esmwythyd cymod â Duw, ar esmwythyd cydwybod wedi ei glanhau a'i chlirio yng nghwaed yr Oen, ac ar y gorffwystra tragwyddol 'sydd eto'n ôl' i bobl Dduw, y mae John Roberts, fel y gwna'n aml aml, yn gadael i bennill o emyn grynhoi'r neges sydd ganddo:

> *Mi* ddeuthum at yr Iesu cu,
> Yn llwythog, dan fy 'nghlwyf;
> GORFFWYSFA gefais ynddo EF,
> A dedwydd, dedwydd wyf.

Yr unig gerdyn yn canmol yr oedfa hon a gadwodd oedd

cerdyn oddi wrth ei gyfaill iau, y Parchedig D. Terry Thomas, gweinidog Disgwylfa Deiniolen, un o arwyr y meysydd chwarae i fyfyrwyr Bangor yn nechrau'r pedwar-degau, mewnwr blaen a chwaraeai i dîm 'cenedlaethol' Prifysgol Cymru. Am mai dyna'r arfer rhyngddynt, ar fydr ac odl, mydr ac odl symol ddigon, y ceisiodd Terry Thomas ei gyfarch:

> Munud ar ôl eich oedfa fawr,
> Anfonaf atoch, frawd;
> Diolchaf wir am wrando'r gair
> A lonnai enaid tlawd.

Wedyn, brawddeg ryddiaith: 'Gwrandawsom fel teulu arnoch, ac unwn yn ein diolch. *Marvellous*!! Am y canu? – wel, bron cystal â Disgwylfa!!'

Disgwylid i bregeth radio fod yn gaboledig. Ond nid pregethau radio John Roberts yn unig sy'n gaboledig. Dyma natur y rhan fwyaf o ddigon o'i bregethau. Gan na ellir ar bapur atgynhyrchu angerdd atyniadol y gennad, na sain ei leferydd na gwedd ei wyneb, rhaid *dychmygu*'r modd y datganai'r hyn oedd ganddo i'w ddweud, dychmygu er enghraifft donyddiaeth y llais wrth iddo fynegi'r rhes hon o fendithion a gatalogir mewn pregeth ar Phil. 4:4, 'Llawenhewch yn yr Arglwydd yn wastadol; a thrachefn meddaf, Llawenhewch.' Mewn Cymraeg gloyw dyry inni bum nodwedd ar hapusrwydd dyn, ac yna, megis i'n cael i weld pa mor ymarferol ydynt, mewn Cymraeg llafar y mae'n eu rhoi hwy'n swm gyda'i gilydd:

> Y pleser mwyaf mewn bywyd – CARIAD
> Y trysor pennaf – BODLONRWYDD
> Y meddiant gorau – IECHYD
> Yr esmwythyd hyfrytaf – CWSG
> Y ffisigwriaeth fwyaf llesol – CYFAILL
> Yr ydym wedyn yn adio'r sym i fyny = LLAWENYDD!

Bron na chlywir yn arddull y pregethau hyn osgeiddrwydd a gwefr, eiddgarwch a chysur y math o lên a oleuodd feddwl ac a gynhesodd galonnau rhai Cymry yn hanner cynta'r ail ganrif ar bymtheg, y math o lên a geir yn *Perl mewn Adfyd* er enghraifft, sydd, fel pregethau John Roberts, ar un waith yn angerddol o ddefosiynol ac yn drefnus-gyffrous.

Ond nid pregethwr y pulpud pren a'r weiarles bellgyrhaeddol yn unig oedd John Roberts. Yn awr ac eilwaith âi i bregethu yn yr awyr agored. Un hwyrnos o haf yn 1952 aeth i bregethu yng nghwmni Tom Nefyn Williams ar Groes y Diffwys ym Mlaenau Ffestiniog, profiad ysgytwol y soniai amdano am flynyddoedd: 'Nid wyf yn disgwyl y clywaf ddim mwy gwefreiddiol "yr ochr yma",' ebe fe, 'na Tom Nefyn ... yn canu "Ti gei'r mawl pan danio'r ddaear" ar ddiwedd yr oedfa honno.' Tua'r un adeg aeth gyda'r un gŵr i gadw cyfarfod pregethu yn Nyfed. Rhywle rhwng Synod Inn a Llandysul gwelsant un o ddynion y ffordd yn gweithio ar ei ben ei hun ar ochr y lôn. 'Dyna hoffwn i gael ei wneud,' ebe Tom Nefyn, er dychryn i'w gyd-deithiwr. 'Pam ac i beth?' gofynnodd John Roberts. 'I gymdeithasu â'm meddwl fy hun,' ebe'i gyfaill.

Yr oedd galw ar y pregethwr i ddarlithio yn ogystal. Ni fydd yn syn gan neb ddeall bod gan weinidog y Garth, ac yntau'n ysgrifennu emynau ei hun, ddiddordeb beirniadol dwfn yn emynau pobl eraill, ac iddo draethu'n helaeth arnynt. Yn Seion Cricieth ar y 10fed o Orffennaf 1950 traethodd ar Robert ap Gwilym Ddu. Yr oedd hi'n ganmlwyddiant ei farw, canmlwyddiant a nodwyd gan Saunders Lewis, D. Gwenallt Jones ac R. Geraint Gruffydd, ymysg eraill, mewn erthyglau arno, erthyglau a gadwodd John mewn *scrap-book*. Ddwy flynedd ynghynt cyhoeddasai Stephen J. Williams ddetholiad o'i weithiau ynghyd â rhagymadrodd gwerthfawr. Ni chadwodd y darlithydd gopi o'r ddarlith, ond fe gadwodd gopi o lythyr a anfonodd i'r *Goleuad* yn holi paham y gadawyd pumed pennill yr emyn 'Mae'r gwaed a redodd ar y groes' allan o *Gardd Eifion* (1841), allan o'r *Detholiad* gan Stephen J. Williams, ac allan o lyfrau emynau'r Bedyddwyr a'r Annibynwyr. Da ganddo ddweud fod y pennill hwnnw ('Ni thraethir maint anfeidrol werth | Ei aberth yn dragywydd') yn *Llyfr Hymnau*'r Methodistiaid Calfinaidd ac yn llyfr emynau'r Eglwys.

Yn y blynyddoedd ar ôl 1950 ychwanegodd at y ddarlith ar Robert ap Gwilym Ddu astudiaethau ar dri bardd arall o Eifionydd, Eben Fardd, Dewi Wyn a Phedr Fardd, i greu Traethawd Beirniadol y cafodd amdano ddwy ran o dair o'r wobr gyntaf yn Eisteddfod Genedlaethol y Bala, 1967. Ffrwyth ei gyfnod yn y Port oedd y Traethawd hwnnw. Yn wir, daeth yn arferiad gan John Roberts ar ôl hyn i lunio darlith ar emynwyr y dref y gweinidogaethai ynddi. Byddwn yn gwneud cam ag ef pe dywedwn mai rhagoriaeth Traethawd 1967 yw'r map a luniodd yn dangos trigfannau'r beirdd, ond y *mae*'n fap da. Nid cystal y Traethawd ar ei hyd. Cwyn deg y beirniad yn y Bala, John Roberts Williams, oedd bod yr awdur yn gwybod pa gwestiynau y dylid eu gofyn am y beirdd ond ei fod yn rhy aml 'wedi gadael i eraill gynnig yr atebion.' Sef oedd y rheini yr ysgolheigion W. J. Gruffydd, Saunders Lewis a Gwenallt, a ddyfynnir hyd at syrffed, fel pe nad ymddiriedai John Roberts yn ei farn bersonol, er ei fod wedi'i hen drwytho'i hun mewn barddoniaeth grefyddol o waith John Donne hyd at waith Waldo Williams.

Y peth gorau yn y Traethawd yw'r drafodaeth ar emynau Pedr Fardd. Ar ôl dyfynnu Thomas Parry, yr hwn a ddywed yn *Hanes Llenyddiaeth Gymraeg hyd 1900* nad oes i gerddi caeth Pedr 'ddim pwysigrwydd', y mae John Roberts yn gofyn y cwestiwn 'Pa fodd y gall bardd cyffredin fod yn emynydd da?' ac yn ateb drwy awgrymu bod gan Bedr Fardd yr emynydd, yn wahanol i Bedr Fardd yr awdlwr a'r cywyddwr, ddoniau y gellir eu galw'n 'ddoniau gwylaidd':

> Peth peryglus ydyw i emyn fod yn rhy 'farddonol', heb sôn am farddonllyd. Ond rhaid wrth ddychymyg, a hwnnw yn ddychymyg gwresog, eithr heb unrhyw addurn er mwyn addurn, na dim chwarae â geiriau. Y mae moliant yn hanfodol i emyn, ac y mae'n rhaid iddo fod yn ganadwy. ... Y mae mewn emyn yn aml fyfyrdod, athrawiaeth, neu anogaeth, ond yn flaenaf oll rhaid fod ynddo fawl.

Y mae'n canmol yn arbennig yr emyn o waith Pedr sy'n agor gyda'r pennill

> Mae'r iachawdwriaeth rad
> Yn ddigon i bob rhai;
> Agorwyd ffynnon er glanhâd
> Pob pechod cas a bai

am fod 'popeth emyn da' ynddo, iaith gadarn seml, brawddegu llyfn, apêl gyffredinol, awyrgylch gobeithiol, 'ac i goroni'r cwbl', ebr ef, 'y mae'n Gristionogol ei naws.' Er na wn yn union beth a feddylia wrth ddweud hynny – tybiaf mai cyfeirio at y cysuron Cristionogol sydd ynddo y mae, y balm o Gilead, &c. – mi ddywedaf hyn: petasai John Roberts wedi ysgrifennu ar y pedwar bardd o Eifionydd gyda'r hyder mewnweledol sy'n nodweddu'i adran ar Bedr, cawsai'r wobr Eisteddfodol o £30 yn llawn, swm a oedd yn fwy na chyflog wythnos i weinidog y dwthwn hwnnw.

Yr oedd wedi dangos bod ganddo ddealltwriaeth werthfawrogol o emynau ac emynwyr cyn 1950, pan enillodd yng Nghaerffili ar ddetholiad ohonynt. Yr oedd llyfrau hymnau Cymraeg yr holl enwadau ganddo yn ei stydi, a rhai llyfrau emynau Saesneg. Yn 1948, ar ddau-canmlwyddiant marw Isaac Watts, tad yr emyn modern, ysgrifennodd amdano yn *Y Goleuad*, gan ddyfynnu Adam Fox, yr hwn yn ei gyfrol *English Hymns and Hymnwriters* (1947) a haerai mai Watts oedd y pwysicaf o'r tri emynydd Saesneg mawr a berthyn i'r ddeunawfed ganrif, 'er bod Charles Wesley yn fwy llwyddiannus' nag ef, 'a Cowper yn enwocach.'

Un noson waith yn y pumdegau darlithiodd John Roberts yn y Garth ar *Cerddi'r Gaeaf*, a gyhoeddwyd yn 1952. Y mae ei gopi o'r gyfrol, fel ei gopi o'r *Haf a Cherddi Eraill*, yn rhyfeddod o beth. Y tu fewn i'r clawr blaen rhoddodd lun o'r Lôn Goed ei hun, a llun a dynnodd ar drip y flwyddyn 1949 o'i ddau gydymaith ar ei chwr, Williams Parry yn ei het a'i wasgod a William Jones, fel erioed, yn ei ddillad clerigol. Ychwanegodd at gynnwys y gyfrol gerddi gan y bardd nas cynhwyswyd gan y bardd ei hun, copi teipiedig o "Siffrwd y Deilios" o rifyn Hydref 1909 o *Cymru* (cerdd a adawyd allan o'r *Haf a Cherddi Eraill* hefyd), a chopi llawysgrif o "Democratiaeth" a gyhoedd-wyd yn *Y Llenor* xx.4 yn 1941 o dan y ffugenw Brynfardd, ac y dyfynnwyd ohoni uchod. A ddarllenodd o hon yn y Garth, tybed? Uwchben y gerdd "Pagan" copïodd ddyf-yniad o erthygl gan Aneirin Talfan Davies, a ddywedodd yn *Y Llenor* xxvii.4 fod 'anwybyddu'r baganiaeth a geir yn ei waith yn gwneud nonsens o yrfa [R.W.P.] fel bardd.' Ac odani dyry'r penillion o emynau gan David Jones Treborth a Williams Pantycelyn lle digwydd dau gyfeiriad atynt ym mhennill cyntaf ac olaf y gerdd.

Yr Arglwydd sydd yr un
Er mawr derfysga'r byd;
Er anwadalwch dyn
Yr un yw Ef o hyd,

ebe David Jones. Ac ebe R. W. Parry:

> Darfydded pob rhyw sôn
> Am anwadalwch dyn!
> Hyd byth fe ddewis dduwiau
> O'i waith a'i wedd ei hun,
> Ei ddinod wedd ei hun.

Gan Bantycelyn yr hyn a gafwyd (yn ddiatalnod gan John) oedd

> 'Rwyf yn terfynu 'nghred
> 'Nôl pwyso oll ynghyd
> Mai cyfnewidiol ydyw dyn
> Ond Duw sy'r un o hyd.

Gan Williams Parry:

> Tragywydd ydyw dyn,
> Sefydlog yn ei fryd.
> Mae heddiw a ddoe i'r duwiau
> Ond erys dyn o hyd;
> A dyn sy'r un o hyd.

Gellid erthygl gyfoethog o'r pethau tra pherthnasol eraill sydd gan John Roberts yn ei gopi o *Cerddi'r Gaeaf*. Er enghraifft, ar ryngddalen a ludiodd gyferbyn â thudalen 45 gosododd ffotograff o'r gantores Edith Wynne y cyfeirir ati yn "Y Steddfod Ddoe a Heddiw". Bron nad oes ganddo draethawd ymyl-y-ddalen ar y gerdd "Eifionydd", ac ar y rhyngddalen a ludiodd gyferbyn â hi copïodd o'r *Genhinen* delyneg gan Wil Ifan sy'n gwneud cyfeiriadau bwriadus helaeth at farddoniaeth Williams Parry. O dani ysgrifennodd 'Mae gan bob bardd le i ffoi iddo yn "y dydd blin"', ac o dan y frawddeg honno wedyn y pennill gan W. H. Davies sy'n agor 'I also love a quiet place ...'. Y mae defnydd traethawd arall yn yr hyn a geir yn y gofod o gwmpas "Clychau'r Gog", ac – eto – yn y rhyngddalen gyferbyn â hi, lle cyfeiria at rai pethau a ddywedodd Saunders Lewis am Williams Parry, a lle cymhara'r 'hen lesmeiriol baent' gyda'r metaffor o'r gerdd gan Shakespeare tua diwedd *Love's Labour Lost* sy'n dweud 'And cuckoo-buds of yellow hue | Do paint the meadows with delight.' Ar dudalen 29 dyry John Roberts y fersiwn cyntaf o "Yr Hen Ddoctor" fel y'i printiwyd o dan y teitl "Ap Gwyddon" yn *Y Goleuad* yn 1925, ynghyd â cherdd ateb Awen Mona, gweddw'r Dr Rees, "I 'Fardd yr Haf'". Da gwybod nad y cwpled cyntaf yn y fersiwn yn *Cerddi'r Gaeaf* sy'n sôn am y bardd yn curo 'Wrth hen gynefin ddrws' oedd yn y gwreiddiol, eithr 'Mi fûm yn curo neithiwr | Wrth dderw prydferth ddrws,' achos y mae Awen Mona'n agor ei cherdd hi drwy ddweud "Rwy'n cofio'r curo, Llion, | Ar "dderw'r prydferth ddrws"'. Heb y wybodaeth a ddyry John Roberts inni, collid y gyfeiriadaeth. Fel ysgolhaig Williams-Parryaidd y mae'n codi dyfyniadau o erthyglau beirniadol ysgolheigion a beirniaid eraill arno. A chyda'i ddiddordeb bywgraffiadol yn Williams Parry y mae'n nodi sylwadau a wnaeth Williams Parry'i hun ar bethau – megis ar gynffon "A. E. Housman" lle dywed:

> Sylw'r bardd mewn sgwrs – "Maent yn condemnio Housman, ond camp iddyn nhw wneud pethau cystal ag ef!"

Y diweddglo gwreiddiol i'r soned "Eifionydd" (golygydd cyntaf *Y Geninen*) , meddai'r bardd wrth John, oedd

> Echreiddig ŵr bonheddig o'r hen ddull:
> Ba fardd a faliai p'run ai hardd ai hyll?

A sylw Williams Parry ar y rheswm dros ei newid? 'Yr *echreiddig* echryslon oedd y drwg, a chlois yn llai tebyg i Bobi Jones.'

Bellach dyna ddigon o ddyfynnu o ymylon dalennau copi John Roberts o *Cerddi'r Gaeaf.* A dyna ddigon i brofi pa mor llwyr oedd ei edmygedd o farddoniaeth ei arwr, pa mor gyfewin oedd ei astudiaeth ohoni, a pha mor gyfoethog yn ddiau oedd ei ddarlith arno yn 1957 yn y Garth.

Nos drannoeth ei thraddodi hi yr oedd yn darlithio ym Mhentrefelin, y tro hwn ar "Maes Llawenydd", yr hen enw a roes ar yr hyfrydwch a gâi mewn barddoniaeth. Ac yntau'n llafurio ac yn teithio ac yn traddodi cymaint, a yw'n rhyfedd iddo wegian uwchben ei draed a mynd yn syth i'w wely ar ôl dod adre'r noson honno? Dolur gwddw enbyd oedd arno. Daeth y 'Dr Griffith ifanc' ato i'w ymgeleddu, a dyna'r tro cyntaf iddo gwrdd â'r meddyg teulu newydd a ddaethai'n ddiweddar i feddygfa Penrhyndeudraeth. Ni chysgodd ddim o werth y noson honno na Nos Iau. Nos Wener cysgodd 'drwy gynhorthwy pilsen hir-werdd' a gafodd gan Dr Gwennie Williams, ond ar ei orwedd yr oedd dros y Sul. 'Rhyfedd yw Sul mewn gwely i bregethwr!' Er hyn, ni bu'n ddi-waith. Gweithiodd englyn i'r Dr Gwennie:

Trwy annwyd mewn trueni y galwaf
O'r gwely amdani –
O gudd fan y gwaeddaf i
Yn gynnar iawn am Gwennie.

Pan alwodd Dr Griffith i roi 'triniaeth fechan' iddo'r wythnos ganlynol dywedodd hwnnw wrtho fod 'Dr Gwennie am i chwi wneud englyn i minnau.' Ac fe wnaeth:

Â'i hoff air a'i gyffuriau, a gallu
Ei gyllell a'i arfau,
Ei rodd im oedd rhyddhau
O wast dan un o'm clustiau!

Dôs arall o foddion oedd fod William Jones Tremadog wedi galw i'w weld ac wedi darllen telyneg newydd iddo cyn sgwrsio 'am dipyn o bopeth.'

Weithiau byddai'n ymlacio drwy wrando ar gerddoriaeth. Yr oedd yn hoff sobor o Beethoven. Y mae yn ei lyfrau torion erthyglau ar Beethoven gan Artur Rubinstein a Marion M. Scott a dorrwyd o'r *Radio Times* ddiwedd 1949, llun ohono yn ei ddyddiau olaf a godwyd o'r *Oxford Companion to Music*, a chopi o'r ddogfen "Beethoven's Testament" (1802) y soniodd y cerddor mawr ynddi am ei fyddardod. Dywed ei ddyddlyfr mai ei ddifyrrwch noson gynta'r flwyddyn 1953 oedd recordiad newydd o Opus 26. Yn ystod ei flynyddoedd cyntaf ym Mhorthmadog deuai Elspeth Wheldon Jones, a fuasai'n chwarae'r organ yn y Garth er pan oedd yn un ar bymtheg oed, i gyd-wrando cerddoriaeth gydag ef, neu, ambell waith, i warchod y genethod tra'i fod ef a Jessie'n mynd i'r sinema. Priododd Elspeth Wheldon gyda'r Parchedig Glynne Evans, gweinidog gyda'r Presbyteriaid ym Mhrenteg a Borth-y-gest a symudodd wedyn i Lanfair Caereinion. Pan bregethai John Roberts ym Maldwyn gyda hwy y byddai'n aros. Chwaraeai gicio pêl gyda Gwynne y mab, a llenwi'r tŷ â chwerthin. Elspeth yn gofyn, 'Be dach-chi isio i frecwast, Yncl John?' 'O, dim byd ond *Force*, Elspeth bach.' (Math o rawnfwyd oedd hwnnw gynt.) Ha-ha fawr wedyn.

Y mae ambell un (bellach ar ei phensiwn) yn cofio bwyta yng Ngwynfa hefyd, yn cofio, fel Emlyn Evans Bethesda, cael mynd i Lan-yr-afon gyda theulu Gwynfa, ac yn cofio 'Holyhead yn dod ar eu gwyliau' i'r Port a llwyth y Robertsiaid a'r Martiniaid yn mynd i chwarae ar y traeth ym Morfa Bychan. Yr *oedd* John yn hoffi plant. Nid gormodieithu yr oedd J. R. Roberts pan ddywedodd hynny amdano yn *Trysorfa'r Plant*. Byddai criw o blant yn dod i'r tŷ yn gyson, naill ai i chwarae gydag Elisabeth a Judith a

Gwen neu i bracteisio adrodd ar gyfer cyngherddau ac eisteddfodau. Yr oedd un o gyfeillesau Judith, Eluned Williams, Eluned Bridger ar ôl priodi, a gâi ei dysgu i adrodd gan ewyrth iddi, wedi bod yn ymweld â pherthnasau iddi yn y De ychydig ddyddiau cyn rhyw eisteddfod. Pan ddaeth i Wynfa ar ôl dychwelyd, dyma John Roberts yn dweud, 'Ylwch-chi, mae Dai Dower bach wedi dod i fan'ma i ypsetio fi a 'ngenod!' Paffiwr o Abercynon, paffiwr pwysau-plu gyda'r gorau, oedd Dai Dower.

I Eluned Bridger, ei dynnu coes oedd un o nodweddion amlycaf y gweinidog fel tad gartref. Y mae hefyd yn ei gofio'n cerdded y stryd fawr yn ei gôt fawr a'i het, yn ei phasio hi a Judith a oedd ar eu ffordd adref o'r ysgol, ac yn eu cyfarch gyda'i 'Bnawn da, sut dach-chi heddiw?' fel pe na bai'n eu hadnabod o bobl y byd am fod ei feddwl ymhell. Aeth fwy nag untro, y mae'n siŵr, i weld Porthmadog yn chwarae pêl-droed – yr oedd yno dîm da iawn yn y cyfnod hwnnw – ond y tro a gofia Mrs Bridger yw pan aeth yno i weld Terry Thomas, gweinidog Deiniolen, yn chwarae i'r gwrthwynebwyr. John Roberts ar y lein 'yn barchus' yn ei siwt, 'yn barchus tan iddo gynhyrfu. "Te*rr*y, Te*rr*y, come on Te*rr*y," gwaeddai, a'r *-r* yn rowlio.' Y cof sydd gan Mrs Bridger o Mrs Roberts yw o 'ddynes dal, gref, *down-to-earth*, groesawus, heb ddim yn sychdduwiol ynddi,' yn ei ffedog yn erfyn ar i bawb ddod at y bwrdd er nad oedd yno ddim danteithion, ond 'digon o *cream crackers*.'

Cofia hefyd am dripiau Ysgol Sul capel y Garth – y tripiau i'r Marine Lake, hen gynefin y cyn-fyfyriwr o Goleg Clwyd; i Lerpwl unwaith hyd yn oed, pan gawsant weld Marty Wilde a Joe Brown *and the Brothers* mewn theatr yno, ond trip ei dosbarth oedd hwnnw nid trip yr Ysgol Sul i gyd. Yr unig drip o'r Garth yr ysgrifennodd y gweinidog amdano oedd hwnnw pan aeth â bysaid o aelodau a phlant i'w fam ynys yn 1949. Y mae'i adroddiad amdano yn y *Leader*, un o bapurau lleol Eifionydd, yn fanwl fesul awr, ac y mae'n amlwg mai math ar bererindod oedd y daith honno iddo ef, nid trip Ysgol Sul cyffredin. Ar ôl cychwyn o'r Port am naw, am 10.30 y maent yn gadael Eglwys Llanidan, lle buont 'yn synfyfyrio uwchben bedd Syr Ellis Jones-Griffiths', ac yn teithio ymlaen heibio capel Brynsiencyn gan feddwl 'am y gŵr a'i llanwai gynt â'i bregethu grymus. Tremio dro ar dywod Niwbwrch a meddwl am orymdaith y cariadau i Landdwyn lawer blwyddyn yn ôl i chwilio am fendith Dwynwen ar lw eu serch.' Wrth dremio dro, a ddyfynnodd o'i awdl tybed? Aberffraw wedyn, yna Rhosneigr, y Fali, a Chaergybi. Oddi yno ar hyd y ffordd, ie, i Lanfwrog. Cyrraedd am 3.45. 'Troi i fewn i Gapel Llanfwrog a chanu emyn ynddo. Meddyliau'n hel fel gwenyn o gwmpas cwch.' Yn ôl at Bont y Borth, ei chroesi, a chyrraedd Porthmadog am naw y nos. 'Wedi bod rownd y cloc a bron iawn rownd Sir Fôn, a phawb' – wrth reswm – 'yn canmol.'

Yn 1950 cafodd gais a'i synnodd braidd, pan ofynnodd Llewelyn Jones iddo fod yn was priodas iddo. Un o fechgyn disglair y Port oedd ef, un o blant Tabernacl J. P. Davies a oedd eisoes wedi graddio mewn athroniaeth ac mewn diwinyddiaeth ym Mhrifysgol Cymru ac a oedd yn awr yn astudio ar gyfer Traethawd PhD ym Mhrifysgol Manceinion. Ymhen rhai blynyddoedd, ar ôl gweinidogaethu yn Wallasey a Bowydd, byddai'r Dr Llewelyn Jones yn mynd yn weinidog ar dair eglwys yng Nghaergybi a'r cylch, gan gynnwys Hyfrydle, lle buasai John Roberts yn addoli droeon tra oedd yn ddisgybl yn Owens College. Rhaid bod rhywfaint o gyfeillgarwch rhwng Llewelyn Jones a gweinidog y Garth: onid e, ni fyddai wedi gofyn iddo fod yn was iddo. Yr hyn a synnodd John Roberts ar y pryd oedd fod y priodfab gymaint yn iau nag ef ac na ofynasai i neb arall. Ond y mae'r llun o John Roberts yn traethu yn y wledd briodas yn ei lawn hwyliau yn brawf fod y priodfab yn gwybod pa mor ardderchog y cyflawnai ei waith. Ac y mae'n rhaid ei fod ef wedi mwynhau'r dasg. Prawf o hynny yw iddo gadw'r cerdyn post o Genefa a anfonodd Llewelyn ac Eirwen Jones ato ef a Jessie pan ymwelsant â 'dinas yr hen Galfin' yn ystod eu mis mêl.

Aeth i Lanfwrog droeon garw yn 1951 am fod ei fam wedi cael misoedd o gystudd, ac unwaith i gladdu T. H. Griffith, a ymddeolasai y flwyddyn gynt. Yr oedd Elisabeth a Judith yn mynd yno bob gwyliau, eu tad yn eu dreifio at Bont y Borth a William Roberts eu taid yn dod at y Bont i'w cyrchu. Bob tro y cyfarfyddai â'i dad a'i fam yr oedd ganddo stori i'w dweud wrthynt, – am y llythyr a gawsai oddi wrth Kate Roberts ('Pa bryd y dowch i'r Capel Mawr [Dinbych] eto? Ni buoch yno ar ôl yr ail Sul o Ionawr 1946, Sul nad anghofiaf i byth'); am lythyron am lenyddiaeth a llyfrau a gawsai oddi wrth David Thomas *Lleufer* a Bob Owen Croesor; amdano'n rhannu pulpudau gydag M. P. Morgan ac Emyr Roberts; am yr hwyl a gawsai neu na chawsai wrth bregethu ('Nid oedd Dat. 8:7 yn behafio'n rhy dda' yn neuadd y Foel); am y capeli yr ymwelai â nhw ('Capel gwag ym Methania Glanaman. Nid ei fod yn wag o bobl, ond sŵn gwagle yno'); am y nodyn a gawsai gan Ifor Williams yn cydnabod ei gyfarchion iddo pan wnawd ef yn farchog yn 1947 ('Balch wyf o'r cyfryw, ar ôl bod yn parablu wrth y wal, a'r wal yn dweud dim wrth Wil!'); am lythyr Thomas Parry ato pan benodwyd ef i olynu Syr Ifor ym Mangor ('dychryn at yr olyniaeth'); am ymweld â bedd Gwili yn Sir Gaerfyrddin; am yr erthyglau a gyfansoddai ar gyfer *Y Goleuad* a'r *Leader* (coffâd unwaith i dad Herbert Thomas, golygydd y papur); ac am ddyrchafiad R. Dewi Williams i Lywyddiaeth y Gymdeithasfa yn y Gogledd

('Efallai y bydd gwell blas ar yr anrhydedd oherwydd nad oeddwn yn disgwyl am dano'). Yr oedd ei fywyd yn afieithus-lawn, ei ddiddordebau'n gyfoethog, ei deulu'n iach.

Torrodd y blynyddoedd 1956 a 1957 fylchau yn y bywyd hwnnw. Er nad oedd marw Robert Williams Parry ar y 4ydd o Ionawr 1956 yn annisgwyl, collwyd 'trysor anchwiliadwy' chwedl T. H. Parry-Williams. Canodd John Roberts gyfres o delynegion er cof amdano, telynegion y mae ynddynt gyfrodedd pert o gyfeiriadau at farddoniaeth yr ymadawedig, telynegion a enillodd iddo, am y trydydd tro, gadair Eisteddfod Dyffryn Ogwen. Dyma rai penillion o'r caniad cyntaf:

Mae'r llwynog ar y mynydd
Ar drywydd megis cynt,
Anniffodd fflam ei lygaid,
A'i rodiad fel y gwynt;
Mae Bardd y Soned mewn oer gell,
Heb ddawn i ddringo'r creigiau pell.

Clywir y tylluanod
Dan gysgod llaes yr hwyr
Yn hwtio eu hanobaith
Mewn iaith nad oes a'i gŵyr;
Mae'r hwn a roes eu sŵn yn gân
Heno yn 'enaid ar wahân.'

Yn y caniad olaf y mynega John Roberts ei hiraeth personol amdano:

Nis gwelir yn Eifionydd
A hithau'n hirddydd haf
Yn oedi fel anwylyd
Mewn serch yn hyfryd-glaf,
A'i weld ar lôn ei hoffter,
Heb bryder, mwy nis caf.

Ym mis Hydref 1956, bwlch ym mywyd y genethod yn bennaf a adawodd marwolaeth Glenys Jones, merch o Fôn a oedd yn athrawes Ladin yn yr ysgol uwchradd ym Mhorthmadog. Englynion a luniodd John Roberts y tro hwn, englynion a ganwyd gan gôr Ysgol Eifionydd er cof amdani.

Marw'i fam oedd yr ergyd enbytaf. Bu hi farw ar yr 22ain o Ebrill 1957, ac ar ei hôl canodd y mab gadwyn o ddwsin o englynion y mae eu heglurder yn farwnad deilwng iddi. Dyma'r pum englyn cyntaf:

Euroes yr un hawddgaraf ei haelwyd
Yn wylaidd a folaf,
A dyddiau o'r dedwyddaf
Ddaw i go' a'u hedd a gaf.

A pha hedd fel hedd yr hon a'm henwai
Yn ei mynwes dirion?
Di-frad fu hefyd y fron
Na chiliais i o'i chalon.

Ac yn y galon honno y gwelais,
Er galar, a threulio
Hen oriau trist lawer tro,
Y cariad sy'n concwerio.

Concwerio dyddiau tlodi; wynebu
Mewn gobaith bob cyni;
A thyner iawn wrth weini
I'w rhai hoff ei geiriau hi.

Ei geiriau a'i gwên a garaf, ei chur
A'i cherydd a gofiaf;
Deued yr oriau duaf,
Yn glir o hyd gwelai'r haf.

O'r holl lythyron cydymdeimlad a gafodd John Roberts,

i mi llythyr Beryl Cobden, a oedd erbyn hynny yn weddw ac yn trigo gyda'i chwaer yn Llundain, yw'r mwyaf personol, yn rhannol am ei fod yn mynd â ni yn ôl i Lanfwrog ei lencyndod, ac yn rhannol am ei bod yn mynegi rhywbeth na allasai Mrs Roberts fyth mo'i fynegi wrth y mab heb wrido:

> I somehow associated her with the happiest years of my life. I *loved* Wales, especially Anglesey, I loved the Welsh people and I loved your mother. She thought *I* was kind to *her*, but it was she who was kind to me. How I loved to arrive at Gwylanfa (the name you suggested) to see the welcoming smoke from the chimneys and your dear mother to greet me so affectionately. ... I think you have been a wonderful son. Anyway you brought your mother great happiness. That can be a lasting consolation all your life.

Pennod 5

MECA'R METHODISTIAID

Bum mis ar ôl claddu'i fam symudodd John Roberts o'r Garth i fynd yn weinidog ar eglwys enwog Capel Tegid yn nhre'r Bala, hen Feca'r Methodistiaid Calfinaidd, neu, yn nisgrifiad yr haneswyr na hoffant y trosiad Moslemaidd, ein 'Jerusalem mewn hynafiaeth.'

Thomas Charles oedd yn bennaf cyfrifol am wneud y Bala yn Feca'r Methodistiaid – neu, a bod yn gwbl fanwl gywir, *Mrs* Thomas Charles. Am na fynnai Sally Jones ar unrhyw gyfrif adael ei thylwyth a'i thref, hyd yn oed fel gwraig i ysgolhaig ordeiniedig a oedd yn ddwfn mewn cariad â hi, bu'n rhaid iddo ef ddyfod yno'n ŵr iddi hi. Wrth gwrs, yr oedd Methodistiaeth wedi gwreiddio yn y Bala cyn dyfod o'r Deheuwr disglair hwn i fyw yno, fel yr oedd wedi cael ewinedd ei chrafangau arno ef cyn iddo erioed weld na'r Aran na Llyn Tegid. Methodistiaeth ifanc blynyddoedd canol y ddeunawfed ganrif oedd honno, Methodistiaeth iasol y Boanerges gan Daniel Rowland, y pregethwr pen-ffordd athrylithgar Howell Harris, a'r perganiedydd o Bantycelyn. Rhwydwaith denau o seiadau oedd Methodistiaeth Cymru'r cyfnod hwnnw, seiadau o wŷr a merched, ifainc gan mwyaf, a oedd wedi profi troedigaeth ysbrydol, ac a deimlai nad oedd yr eglwys wladol mwyach ddim yn bodloni'u hawydd am well adnabyddiaeth o'u Gwaredwr. Arweinid y seiadau gan 'gynghorwyr', dynion a chanddynt ddoniau bugeiliol a defosiynol. Yn y man trefnwyd sasiynau i gydgordio gwaith y seiadau. Yn nechrau Ionawr 1742 y cynhaliwyd y sasiwn gyntaf, mewn ffermdy diarffordd yn Sir Gaerfyrddin. O hynny ymlaen fe'u trefnwyd yn rheolaidd, mewn mannau mwy hygyrch. Ymhen ychydig flynyddoedd daeth y sasiwn nid yn unig yn gyfarfod i roi trefn ar waith cynghorwyr seiadau, eithr yn gyfle am gydgyfarfyddiad i lawer o'r seiadwyr eu hunain, ac yn gymanfa bregethu. Pan gynhaliwyd sasiwn gyntaf y Bala, ym Mehefin 1760, 'ar hirddydd haf ... cyn dechreu y cynhauaf gwair', daeth y mawrion yno i bregethu, Daniel Rowland ei hun, Williams Pantycelyn, Peter Williams, ac ychydig gannoedd o seiadwyr o bob cwr o Wynedd a Phowys i wrando arnynt. Gan mor llwyddiannus yr achlysur a'r lleoliad, am gan mlynedd wedyn yn y Bala y cynhaliwyd sasiwn haf Methodistiaid y Gogledd bob blwyddyn.

Yr oedd y tri phregethwr a enwais yn awr yn offeiriaid yn Eglwys Loegr, â hawl ganddynt i weinyddu'r cymun sanctaidd. Fel y cynyddai niferoedd ac fel yr aeddfedai hunaniaeth y seiadau Methodistaidd, felly hefyd y lledai'r bwlch rhwng eu haelodau a'r eglwys sefydledig y perthynent iddi. Yn hytrach na derbyn y cymun o law offeiriaid na pharchent mohonynt, dechreuodd minteioedd o seiadwyr deithio'n rheolaidd i'w dderbyn gan offeiriad Methodistaidd ei gydymdeimlad. Dyna oedd dechrau'r pererindota mawr at Daniel Rowland yn Llangeitho o dua 1740 ymlaen. Yn y Gogledd, o 1785 ymlaen, dechreuodd pererinion ddod i'r Bala i dderbyn y cymun gan Thomas Charles, fel y daethant ato'n ddiweddarach am Feiblau. Yr oedd Ann Thomas Dolwar, Ann Griffiths wedyn, ymysg y rhai a ddaeth ato i geisio bara a gwin, ac yr oedd Mari Jones Ty'n-y-ddôl ymysg y rhai a ddaeth ato i geisio'r Gair. Ar ôl marw'r to cyntaf o ddiwygwyr Methodistaidd, i'r ail do Thomas Charles oedd yr arweinydd naturiol. Yr oedd yn offeiriad o Fethodist cydwybodol os di-blwyf, yr oedd yn ddiwinydd tan gamp, yr oedd yn ddysgawdwr tra arbennig, yr oedd yn drefnydd awdurdodol, yr oedd yn awdur toreithiog, ac yr oedd yn gyhoeddwr ac yn argraffydd cwbl angenrheidiol i'w genhedlaeth. A'r Bala oedd ei bencadlys.

Un o amryw gynhyrchion gwiw yr awdur-bregethwr Henry Hughes Bryncir yw'r gyfrol *Trefecca, Llangeitho, a'r Bala: hanes y pethau mwyaf hynod a fu ynddynt* (1896). I Drefeca, lle trigai Howell Harris, neilltuir dwsin o dudalennau. I Langeitho, lle llafuriodd Rowland gyhyd, dwsin arall. I'r Bala, pymtheg a phedwar ugain. Yn y Bala yn 1801 y cytunwyd ar *Rheolau a Dybenion y Cymdeithasau Neillduol ym mhlith y bobl a elwir y Methodistiaid yn Nghymru.* Ac yno, wrth gwrs, y cynhaliwyd y weithred fawr a droes y bobl a elwid y Methodistiaid yn enwad ar wahân, sef Ordeiniad 1811, a fynnodd i weinidogion Methodistaidd yr un hawl i weinyddu'r ordinhadau ag a oedd gan offeiriaid Eglwys Loegr a gweinidogion yr Hen Sentars. Yn ystod yr un flwyddyn cafwyd Ordeiniad yn y De hefyd, yn Llandeilo Fawr. Ond hwylustod oedd yn cyfrif am y lleoliad hwnnw. Yr oedd Ordeiniad y Bala fel petai'n rhagluniedig.

Ond i fwyafrif mawr y bobl a elwid y Methodistiaid yn ystod y bedwaredd ganrif ar bymtheg deubeth arall a enwogai'r dref, sef y llu cyfarfodydd pregethu mawr ar *Green* y Bala a gysylltid ag enwau John Elias, William Roberts Amlwch, Michael Roberts ac eraill, a'r Coleg a sefydlwyd yno i addysgu darpar-weinidogion gan Lewis Edwards. Er nad oedd y Bala fel tref Fethodistaidd yn enwog iawn am ei hemynwyr, pan ddaeth i Benllyn lluniodd John Roberts sgwrs (sgwrs fer yn yr achos yma) ar rai o'i hemynwyr hithau, fel y lluniasai waith ar emynwyr Eifionydd ym Mhorthmadog. Yn eu plith y mae Thomas Charles ei hun, dau William a gyfoesai ag ef, William Jones (1764-1822) a William Edwards (1773-1853), a Lewis Edwards. Pregethu, addysgu, canu: dyna bethau pwysig yr Hen Gorff i'n gwrthrych.

(i) 'Esgob Tegid'

Ond pan gyrhaeddodd gweinidog y Garth y Bala yn nechrau haf 1957 ar bregeth brawf, ys dywedid, nid un o bethau'r Hen Gorff a'i croesawodd, eithr un o bethau Hollywood. Un noson waith teithiodd o Borthmadog yn y car gydag Edward Jones, hen lanc o Borth-y-gest, yn gwmni iddo. Yr oedd gan Edward Jones berthnasau yn y Bala. Wrth ddod i mewn i'r Stryd Fawr y peth cyntaf a welsant oedd *billboard* yn cyhoeddi pa ffilm a ddangosid yr wythnos honno yn Neuadd Buddug. Yn ôl y stori a gefais i, enw'r ffilm oedd *Mr Roberts comes to town*, gyda James Cagney'n serennu ynddi. 'Mr Roberts bach,' ebe Edward Jones wrtho, ''does dim eisiau i chi bregethu yma heno. Maen-nhw eisoes wedi'ch derbyn chi.' Y mae'n stori dda ag iddi sail sicr, ond dros y blynyddoedd fe'i lliwiwyd i beth graddau. Erbyn gweld, *Mr Roberts*, yn blaen fel yna, yw enw'r ffilm, ac, er bod James Cagney ynddi, ei phrif seren yw Henry Fonda, gŵr o ran pryd a gwedd yr oedd John Roberts yn debycach o lawer iddo nag ydoedd i Cagney. Os gwelsoch lun neu ddau o Euros Bowen y bardd, ficer Llangower ar lan arall Llyn Tegid, gwelsoch mai ef, nid ei gymydog newydd, oedd ail James Cagney.

Bu'r bregeth brawf fondichrybwyll yn llwyddiant, aeth pleidlais yr eglwys o'i blaid, ac ar yr 11eg o Fedi 1957 sefydlwyd John Roberts yn weinidog Capel Tegid, ac yn weinidog Llanfor gerllaw. Am fod hanes yr Hen Gorff yn cyfrif iddo, yr oedd yn naturiol iddo wneud yn fawr o gysylltiadau hanesyddol yr eglwys a'r dref, yn enwedig y cysylltiad â Thomas Charles. Unwaith, gwnaeth hynny mewn ffordd ffansïol; ond yn amlach mewn ffyrdd mwy effeithiol. Ni allai'r mwyaf anwybodus o'i bedwar cant a hanner o aelodau beidio â gwybod am Thomas Charles. Yr oedd cofadail iddo o flaen Capel Tegid – cofadail a ddadorchuddiwyd yn 1875 gan wyres iddo, gwraig y dywededig Lewis Edwards: saif y gwron ar bedastal uchel yn ei wisg offeiriadol, gyda Beibl yn ei law dde. Yn y geiriau a roes y gweinidog newydd yn ei enau mewn cerdd:

> Safaf wrth ddrws y Capel i gynnig Gair ein Duw,
> Yn Hwn o hyd y gwelir y Ffordd y dylem fyw.

Y defnydd ffansïol (yn fy marn i) a wnaeth John Roberts o Thomas Charles oedd cymryd arno mai ef a ysgrifennodd y llythyr annerch a agorai Adroddiad Blynyddol y capel am y flwyddyn 1959. Gwelsom yn y Garth na hoffai John Roberts y rhagymadrodd busnes arferol i adroddiad capel. Yma unwaith yn rhagor y mae'n ceisio ffordd ffres o gyflwyno'i eglwys i'w haelodau'i hun. Dyma ran o'r llythyr annerch smalio gan 'Thomas Charles' am 1959:

> Gofynnodd eich bugail imi ddweud gair bach wrthych ... Y mae gennyf lawer mantais arno ef i siarad â chwi: yn un peth yr wyf yma o'i flaen (ac o flaen pob un ohonoch o ran hynny), ac y mae'n fwy na thebyg y byddaf yma wedi iddo ef gilio o'r ffordd. Peth arall, ni wêl ef mohonoch mor gyson a rheolaidd ag y gwelaf i chwi. Ni ellwch fy osgoi ar na Sul, gŵyl na gwaith.

Ar ôl canmol y plant a'r blaenoriaid a'r chwiorydd, â rhagddo fel hyn:

> Mae pethau wedi newid yn arw er pan oeddwn i'n byw yn y Stryd Fawr erstalwm. Deallaf fod traffig enbyd y ffordd honno heddiw, ac yn ôl a glywaf oddi wrth sibrydion fforddolion y mae lle i ofni fod traffig y Gŵr Drwg yn cryfhau ym Mhenllyn hefyd. Byddai'n drueni i'r Bala golli ei Sul a hen draddodiadau diwylliant gorau Cymru.

Yna cyfeiria at y gwaith anodd sydd gan 'y bugail a'i frodyr' heddiw:

> Gwaith anodd ydoedd yn fy nyddiau innau, ac ni allwn ddisgwyl iddo fod yn wahanol mewn unrhyw oes. Pan gewch eich temtio i sorri ac i laesu dwylo, gweddïwch am ras i ddyfalbarhau.

Nid oes ar glawr ddim i ddweud beth oedd ymateb ei gynulleidfa i'r anerchiad hwn – diau bod sawl un ynddi'n barnu ei fod yn afaelgar, – ond y mae ar gadw ddigon o dystiolaeth yn canmol sgriptiau eraill a luniodd John Roberts yn 1959. Y 15fed o Chwefror y flwyddyn honno pregethodd ar y di-wifr am y drydedd waith yn ei yrfa. Yn y gwasanaeth hwnnw, yn hytrach na'r drefn arferol o emyn, darlleniad, emyn, gweddi, emyn, pregeth, emyn, ar ôl yr emyn cyntaf cafwyd "Gair i'r Plant", math ar anerchiad y daethai John Roberts yn feistr ar ei lunio a'i lefaru. O'r Epistol at yr Hebreaid 11:1-10, 13-16 y darllenodd, pennod sy'n sôn am 'rai o enwogion Israel gynt', Abel, Noa, Abraham, &c. Gan gydio yn thema'r enwogion, dywedodd wrth y plant fod 'gennym ninnau'r Cymry ein Gwŷr Enwog, megis Dewi Sant, Williams Pantycelyn, ac O. M. Edwards, a pheth da iawn ydyw eu canmol a chofio amdanynt.' Yna cyfeiriodd at y tri cherflun sydd yn y Bala, cerfluniau a welai plant y dref bob dydd, cerfluniau 'y mae'n ddigon posibl fod llawer ohonoch chwi'r plant sy'n gwrando ar y gwasanaeth hwn yn eich cartrefi wedi eu gweld hefyd.' (Dalier sylw: yr *oedd* rhai plant yn gwrando ar oedfeuon ar y weiarles yn 1959.) 'Tybed,' ebe fe wedyn, 'faint ohonoch sydd wedi darllen barddoniaeth y Prifardd Williams Parry i Dair delw y Bala?' Y ddelw gyntaf yw delw Lewis Edwards ar ei eistedd o flaen y Coleg â llyfrau o'i chwmpas, 'arfau'r ysgolhaig'. Os eistedd y mae'r Prifathro, ar ei draed y mae'r gwleidydd a gynrychiolir gan yr ail ddelw, Tom Ellis, â'i fraich yn fythol ddyrchafedig. Y drydedd ddelw yw delw Thomas Charles, 'ceidwad y deml sy a'th drigfan wrth ei dôr' (chwedl Williams Parry). 'Thomas Charles yw un o ddynion mawr ein cenedl ni,' ebe John Roberts, 'ac aeth yn fawr yn ei berthynas â'r Beibl – ffordd ardderchog i fynd yn fawr.'

Ond nid yw pregethwr ysgrythurgar y plant wedi gorffen ei lith. Â rhagddo i gyfeirio at y tri o gedyrn Dafydd y sonnir amdanynt yn y drydedd bennod ar hugain o Ail Lyfr Samuel. Am y cyntaf o'r tri dywedir ei fod yn eistedd yn ei gadair 'yn bennaeth y tywysogion.' 'Dyna Lewis Edwards os mynnwch,' ebe John Roberts, 'ac y mae urddas tywysog yn ei wedd.' Am yr ail, dywedir iddo darawo ar y Philistiaid 'nes diffygio ei law ... a'r Arglwydd a wnaeth iachawdwriaeth mawr y diwrnod hwnnw'. 'Dyna Tom Ellis ieuanc, a ddiffygiodd ym mlodau'i ddyddiau wrth weithio dros Gymru'. Am y trydydd, 'efe a safodd yng nghanol y rhandir, ac a'i hachubodd'. Dyna Thomas Charles, yn sefyll dros Air Duw yn ei wlad.

'Cofiwch chi,' ebe'r darlledwr-bregethwr i gloi, 'fe eill delwau siarad!' Fel hyn:

> Beth a ddywaid delw Lewis Edwards? DYSGWCH.
> A cherflun Tom Ellis? DEFFROWCH!
> A cholofn Thomas Charles? "Dyma Feibl annwyl Iesu ..."

Yn nhermau ei ddiwylliant ei hun y mae'r oll yn gampus ganddo.

Yr oedd y weddi a'r bregeth a ddilynodd y gair hwn i'r plant hefyd yn gampus. Yn ôl ei arfer cynyddol ef, gweodd John Roberts i'w weddi benillion o emynau y disgwyliai i aelodau'r gynulleidfa ymuno gydag ef i'w hadrodd. O Lyfr Samuel 24:22-25 y tynnodd destun ei bregeth, lle disgrifir y pla sy'n blino Israel a'r modd y mae'r Brenin Dafydd yn ei ymwybyddiaeth o bechod yn gwrthod poethoffrymu offrymau rhad i'w Arglwydd. Ar y testun hwnnw – ac yn arbennig ar y defnydd o'r gair *rhad* a geir ynddo – adeiladodd John Roberts bregeth sydd ar yr un pryd yn foesol, yn ddiwinyddol ac yn efengylaidd. Darlunia'r oes oedd ohoni, diwedd y pumdegau, fel 'oes y gwobrau mawr' mewn gamblo, 'oes yr hap-chwarae', oes y 'cael rhywbeth am ddim', oes ag iddi athroniaeth beryglus. Y mae'r un ysfa i gael rhywbeth am ddim ym myd crefydd, ebe fe, ysfa sy'n ddifaol i'r eithaf. 'Ond, medd rhywun, beth am athrawiaeth Cristionogaeth sy'n cyhoeddi rhad ras, maddeuant pechodau ac iachawdwriaeth i bob dyn? Onid Tad yw Duw, a Thad cariadus-ofalus?' A'r ateb? 'Gwir yw hyn oll, ond y mae Duw hefyd yn gyfiawn. Y mae sancteiddrwydd a barn yn ogystal â thrugaredd a gras yn ei gymeriad. Duw ydyw sy'n gofyn am lwyr ufudd-dod a theyrngarwch diamodol ei bobl.' O dderbyn yr hyn a wnaeth Iesu Grist drosom, ebe'r pregethwr, bydd ein hymateb iddo yn ymateb costus iawn: 'deuwn i "gymdeithas â'i ddioddefiadau Ef." Rhywbeth am ddim yn wir!'

Beth a ddengys hanes Dafydd yn y testun, ebe'r pregethwr ymhellach, yw (1) bod 'gwir grefydd yn gyfrifoldeb personol, ac yn dechrau gyda sylweddoliad o fawr ddrwg pechod':

> Ni chredai Dafydd mewn crefydd rad. Pan gynigid popeth am ddim iddo dywedodd NA. ... Y mae crefydd rad yn ddiraddiad ar bwrpas mawr addoli; y mae'n annheilwng o garictor yr addolwr; ac yn sicr y mae'n dwyn amarch ar yr unig wir Dduw y dylid ei addoli.

Gan hynny 'Peidiwch â mynd i mewn am grefydd rad, nid yw byth yn gwisgo'n dda; 'ddeil hi ddim yn y dydd blin.' Yn ail, (2), er dweud bod gwir addoli yn cynnwys cyfrifoldeb personol ac yn costio, 'y mae iddo ar yr un pryd gysylltiadau cymdeithasol cadarn.' Y mae'r Brenin Dafydd yn troi llawr-dyrnu Arafna yn allor iddo'i hun *ac i'w bobl.* 'Os anghofiwch chwi eraill wrth addoli,' ebe John Roberts, 'buan y bydd eich addoliad farw dan eich dwylo. ... Chwi gofiwch gyngor Mari Lewis i Rys, "Tria gael crefydd y bydd ei chyfnas hi'n lapio rhywun heblaw ti dy hun."' Yn drydydd, (3), dengys yr hanes yn Ail Lyfr Samuel 'fod gwir addoli yn rhywbeth *gweithredol.* Y mae'r pwyslais o hyd ar y ffaith fod Dafydd yn gweithredu.' Y mae'n *prynu*'r llawr-dyrnu, y mae'n *talu* amdano, y mae'n *codi*'r allor, yn *trefnu*'r aberth, ac yna'n *offrymu*'r poethoffrymau. 'Y mae yna fywyd yn yr addoli hwn. Gwyliwch feddwl am addoli fel rhywbeth statig,' ebe'r pregethwr, 'rhowch fywyd ynddo, a'r ffordd orau ichwi wneud hynny ydyw drwy eich rhoi eich hunain ynddo, a'ch cysegru eich hunain iddo. Gwell na rhoi at achos crefydd yw eich rhoi eich hunain yn eich crefydd.' Yn olaf, (4), dywedir bod canlyniadau bendithiol a llesol i wir addoli. 'Soniais gynnau fod Dafydd yn gweithredu, ond sylwch yn awr fod Duw yn gweithredu hefyd.' Y mae'n atal y pla oddi wrth Israel. Pla pechod oedd hwnnw i John Roberts, ac y mae'n dda ganddo feddwl 'nad stori erstalwm yn unig yw stori Cymod Duw ac atal pla pechod. Mae'r stori hon yn parhau o hyd, ac yr wyf wedi ei chlywed lawer gwaith yn ystod tymor fy ngweinidogaeth.'

Fe'i clywodd, meddai, gan Edmwnd Buckley ym Mhen Cei Porthmadog, gan Robert Williams ym Mlaenau Ffestiniog, 'ac mi a'i clywais y pnawn o'r blaen wrth edrych am un o'r chwiorydd o'r eglwys hon yn y Bala'. Gyda'r ymweliad hwn y cyrhaedda uchafbwynt ei bregeth:

> "Sut y teimlwch chi heddiw?" gofynnais. "Diolchgar," meddai hithau'n ôl, ac ychwanegodd, *"I can't get over Him.* 'Fedra i ddim dod drosto Fo." ... Ni allai Paul ddod drosto ychwaith. Âi o gwmpas canolfannau nerfol y byd Groeg-Rufeinig â chyflawnder bendith Efengyl Crist, a chyhoeddodd hi er iachawdwriaeth llawer iawn. Ac ni allai Williams Pantycelyn ddod drosto Fo, a chanodd iddo gân na ddistewir byth mo'i nodau,
>
> Iesu, difyrrwch f'enaid drud
> Yw edrych ar dy wedd ...

Carwn yma wneud sylw neu ddau am bregethu John Roberts. Gyda'r anerchiad i'r plant, yr oedd yn ddiddorol (a'i ddefnydd yn ddiddorol i'r oedolion yr un pryd), yn drefnus ac yn gryno. Cyflwynai *bethau* iddynt, pethau ag arwyddocâd iddynt, ond yr oedd yn rhaid i'r plant ddefnyddio'u dychymyg i weld y tair delw – plant y Bala a'r cylch ddychymyg eu cof, plant gweddill Cymru naill ai ddychymyg eu cof neu ddychymyg eu ffansi. A dywedodd dri pheth byr *cofiadwy* wrthynt. O ran y bregeth, gan mai pregeth radio oedd hi, yr oedd y pregethwr fwy neu lai yn gaeth i'w sgript am fod y rhaglen oll wedi'i hamseru. Yr oedd hefyd yn gaeth i'w feicroffon: ni allai rodio'r pulpud, ni allai daflu'i freichiau'n uchel rydd, ni allai annerch y galeri'n ormodol. Mwy o reswm, felly, dros lunio sgript o bregeth a fyddai, fel anerchiad y plant, *yn gryno*, ond eto, gan fod yr oedfa'n achlysur, *yn gyffrous*. Yr oedd y bregeth hon, fel llawer o'i bregethau, yn gyffrous gofiadwy ei diwinyddiaeth ddiwyro ac yn gyffrous gofiadwy ei chyfeiriadaeth bersonol. Gyda golwg ar y ddiwinyddiaeth, byddai Thomas Charles wedi amenio'n hawddgar. Gyda golwg ar y gyfeiriadaeth, noder mai yn y bregeth hon y cyfeiria John Roberts at yr organ a ddaeth i'w gartref yng Nglan-yr-afon bron i ddeugain mlynedd ynghynt. Ei bwynt yn y bregeth yw y dylai'r bobl roi uchelbris ar bethau'r ysbryd. Prynwyd yr organ honno, meddai, 'o brinder mawr a thalwyd amdani â llafur cariad, chwys cysegredig ac aberth mawr fy mam yn bennaf. Bob tro yr af i'm hen gartref ym Môn, bydd gweld yr organ fach a chofio'i phris yn ennyn ysbryd tebyg i ysbryd addoli ynof.' Ni ellir ond dychmygu'r hiraeth yn llais y gennad wrth iddo adrodd ei stori bert, ac ni ellir ond dyfalu sut arddeliad oedd ar ei gymhwysiad ohoni: 'ABERTH yw sylfaen ac egni gwir grefydd, ...'. Ond gwyddys fod miloedd o wrandawyr radio drwy Gymru gyfan a thros y ffin wedi cael gwir foddhad o'i bregeth.

Y mae rhai tystiolaethau o'r mwynhad hwnnw. 'Diau ei bod yn un o'r oedfaon gorau a ddarlledwyd,' ebe'r Parchedig J. Luther Thomas Pontarddulais wrtho. 'Yr oedd y cyfan yn drefnus, gweddus a defosiynol. Nid anghofir eich neges gyfoethog gan y rhai a'i clybu. *Laus Deo.*' Cafodd lythyr o'r Rhyl oddi wrth J. Ellis Jones, a oedd 'yn bresennol [meddai ef] yng ngwasanaeth arwyl Tom Ellis yn y capel yna.' Cafodd lythyron oddi wrth eraill hefyd, yn eu plith Kate Roberts, E. A. Moelwyn-Hughes Caer-grawnt, Gwilym R. Tilsley (a gafodd yr hyfrydwch o egluro i hen ŵr o Benmachno a gydwrandawai ar y radio ag ef '*nad* mab Iolo Caernarfon oedd y pregethwr, ond bachgen ifanc golygus o Fôn'), a chafodd gerdyn oddi wrth ei gyn-Athro yn y Bala, G. A. Edwards, a oedd yn gaeth i'w wely yn ei gartref yng Nghroesoswallt ('hyfryd oedd cael bod mewn cynulleidfa yng Nghapel Tegid, a dychmygu am le a adwaenwn yn dda gynt. Gwelwn chwi yn blaen yn y pulpud uchel, ac ehedai'r meddwl i ystafell yn y Coleg cyn hynny, a chwithau'n eistedd yno ac yn cymryd rhan yn y trafod ar bregethu'r myfyrwyr').

Yr oedd un cynhyrchydd rhaglenni crefyddol gyda'r BBC wedi dweud mewn rhifyn o'r *Goleuad* rai blynyddoedd ynghynt 'nad *advertisement*' i unrhyw gapel penodol oedd y gwasanaeth ar y radio i fod. Ond gyda'i hanes goludog ni allai cynulleifa Capel Tegid lai nag ymfalchïo bod pregethu graenus ac angerddol ei gweinidog newydd yn cynnal ei hen draddodiad yn dra nerthol.

Pan gyrhaeddodd John Roberts yno yn haf hwyr 1957 yr oedd yr eglwys ar fin dathlu daucanmlwyddiant ei sefydlu. Buasai seiat yn y Bala er 1747, ond yn 1757 y codwyd Bethel, y capel cyntaf. John Evans esgyrnog ffraeth, gwehydd a rhwymwr llyfrau, oedd cynghorydd cyntaf y ddiadell honno. Yn hen ŵr wyth a phedwar ugain, ef, 'y gŵr hynaf a pharchusaf yn y Corff', yn gymwys ddigon, a gymerodd y rhannau arweiniol yn Ordeiniad 1811. Ond drwy hanner cyntaf y bedwaredd ganrif ar bymtheg bu'r eglwys yn y Bala yn anfoddog i gymryd gweinidog. Yr oedd ei thraddodiad, ebe R. T. Jenkins, un o'i meibion, 'yn an-fugeiliol; yr oedd ynddi, mi wn, elfen *wrth*-fugeiliol'. Ond yn ail hanner y ganrif fe blygodd i'r drefn newydd yr oedd un o'i phrif aelodau, neb llai na Dr Lewis Edwards, yn ei hyrwyddo. Yr oedd yr olyniaeth dda o weinidogion y daeth John Roberts iddi yn 1957 yn cynnwys un o feibion y Prifathro ei hun, ac eraill, blaenllaw yn eu dydd, megis D. Francis Roberts, y lluniodd ei ferch Rhiannon gyfrol ddathlu'r daucanmlwyddiant ar y cyd ag ef.

Yn 1957 Prifathro'r Coleg oedd y Parchedig R. H. Evans, ac yr oedd ef a'i gyd-Athro, T. Hefin Williams, yn cael eu rhestru'n anrhydeddus yn nhudalennau blaen adroddiadau Capel Tegid, ynghyd â deg blaenor amrywiol eu galwedigaethau ond unplyg eu cefnogaeth i'w bugail. Ni wn faint o ddiwinyddiaeth a drafodai'r Prifathro a'i fugail, ond yn yr haf byddent yn chwarae tenis yn erbyn ei gilydd ar gwrt y Coleg, a'r bugail a enillai y rhan amlaf o ddigon, nes digalonni'r Prifathro'n flin bwt.

Yr oedd perthynas agos rhwng myfyrwyr y Coleg a gweinidog Capel Tegid, oblegid disgwylid iddynt fynychu'r oedfeuon noson waith a gynhelid yno, arwain y defosiwn ambell dro, ac weithiau agor pwnc. 'Un o freinitau bywyd,' ebe W. J. Edwards, a ddaethai'n ddiweddarach yn weinidog yn Llanuwchllyn gerllaw ac yn gofiannydd i R. Dewi Williams, 'oedd cael bod dan arweiniad John yn y Seiat. Byddai'n symud o res i res ac yn cael pobl i gymryd rhan.' Cymerai yntau ran ym mywyd y Coleg: anerchai yng nghyrddau Mudiad Cristionogol y Myfyrwyr, gweinyddai'r Cymun Sanctaidd yno, ac arweiniai'r myfyrwyr mewn trafodaethau, a hynny gydag eneiniad. Bob gafael, âi â'i hoff feirdd i'r Coleg gydag ef, 'Pantycelyn, Gwenallt, Williams Parry yn gyson, a Keats.'

Y ddau flaenor a fu'n trafod gyda John Roberts ei ddyfodiad atynt i'r Bala oedd John Hughes y Faenol, amaethwr da, a Meirion Jones, prifathro ysgol gynradd y dref er 1950, gŵr a gyfrannodd yn helaeth i bob gweithgarwch Cymraeg a Christionogol, ysgrifennydd myrdd o fudiadau a phwyllgorau cenedlaethol a lleol, gan gynnwys Capel Tegid. Meddyliai'r gweinidog y byd o'r ddau. Ar gyfer gŵyl gystadleuol yr Ysgol Sul un tro, ysgrifennodd *Mrs* John Roberts bortread o Meirion Jones. Hi, ta beth, a gododd i gydnabod gwobrwyo'r ffugenw *Betsan*. Ond o beth sy'n dywyll i mi, ei gŵr a'i lluniodd. Pwy ond efe, ar ôl ailadrodd yr hen wireb 'mai rhodd y Deheudir i'r Gogledd' oedd Thomas Charles, a ddywedai 'mai rhodd Llŷn i Feirionnydd yw Mr. Meirion Jones'? Pwy ond efe a ddywedai amdano na 'ellir cael gwell ysgrifennydd eglwys nag ef. Gŵyr am ddefosiwn y swydd honno'? Ef hefyd a'i canmolodd fel 'athro Ysgol Sul hwyliog', gan ychwanegu:

> Nid oes dim fel hiwmor am osod ffwndamentalydd ystyfnig yn ei le, nac i liniaru eithafrwydd ambell fodernydd hunandybus.

Os pwysleisiwyd uchod urddas a duwioldeb hanesyddol cynulliadau'r Bala, pwysig nodi hefyd fod hwyl ym mha le bynnag y trigai John Roberts. Nid yr hwyl bulpudol a olygaf yn awr, ond ysmaldod, digrifwch, adrodd straeon, mawr dynnu coes. Cyfeiriais at John Hughes y Faenol gynnau. Amaethwr da, fel y dywedais. Ie, a phorthmon hefyd, gŵr a grwydrai ymhell ac agos i brynu a gwerthu anifeiliaid, a phorthmon, yn ei achos ef, a ddaliai dir ymhell bell o dref. Âi yn aml ar Ddyddiau Llun i ffeiriau anifeiliaid ym Market Harborough, rhwng Caer-lŷr a Kettering yng nghanolbarth Lloegr, a chychwyn tuag yno tua thri o'r gloch y bore. Gan hynny, dywedai'n aml wrth ei weinidog yn ystafell y blaenoriaid ar Nos Sul na fyddai'n gallu bod yn y Cyfarfod Gweddi nos drannoeth – 'am fy mod yn mynd i Market Harborough.' Yr oedd ymhlith y blaenoriaid ŵr annwyl o blwmwr o'r enw William Pell, trwm trwm ei glyw. Wedi lled-glywed yr esgus hwn fwy nag unwaith dyma Mr Pell ymhen y rhawg yn gofyn i'w weinidog, 'Pwy ydi'r Margaret Harbro 'ma y mae John Hughes yn sôn amdani o hyd?'

Diau i'w weinidog ddweud honna wrth ŵr y Faenol droeon. Ond yr oedd gŵr y Faenol yn ddigon ffel i dynnu'i goes yntau hefyd. Tan ei flynyddoedd olaf, pan ddechreuodd dyfu tatws a thomatos, casâi John Roberts arddio. Un o'i aelodau, Dilwyn Jones, a driniai ardd fawr yr Annedd Wen, tŷ'r gweinidog. Un diwrnod, yn ôl yr hanes, aeth rhai o fustych John Hughes i'r ardd a gwneud cryn

John Roberts yn faban, mewn côt ffwr wen.

Glan-yr-afon o'r cefn.

Ysgol Ffrwd Win, 1919. John Roberts yw'r cyntaf o'r dde ar ei bengliniau.

Elizabeth Roberts, y fam.

William Roberts, y tad.

Myfyrwyr Coleg Clwyd, 1931. John Roberts yw'r ail o'r dde ar ei eistedd.

Myfyrwyr diwinyddol Bangor un Wythnos Rag ganol y tridegau.
John Roberts sydd yn y pram.

Myfyrwyr diwinyddol Bangor yn eu gynau academaidd. John Roberts yw'r cyntaf ar y dde ar ei eistedd.

Jessie Martin yn ei sgert hufen.

John a Jessie'n hwylio.

John Roberts ym mhulpud Capel y Garth, Porthmadog.

Elisabeth a Judith gyda'u mam a'u tad, 1948.

Gwen wedi'i gwisgo ar gyfer carnifal ym Mhorthmadog.

John Roberts yn gwisgo Coron Môn, 1954.

EGLWYSI TEGID Y BALA, A LLANFOR

CYFARFOD SEFYDLU

Y Parchedig John Roberts, B.A., B.D.

DYDD MERCHER, MEDI 11, 1957

am 6.30 o'r gloch.

YNG NGHAPEL TEGID, Y BALA

Llywydd: Y Prifathro R. H. EVANS, M.A. B.D.

Taflen Cyfarfod Sefydlu Capel Tegid, 1957.

John a Jessie yn eu canol oed.

EPILOG

Dywedir im fod gobaith
Cael pensiwn i ŵr ffôl,
Fe allwn fyw heb hwnnw,
Ond dy gael DI 'n fy nghôl.

Siôn-for-ever.

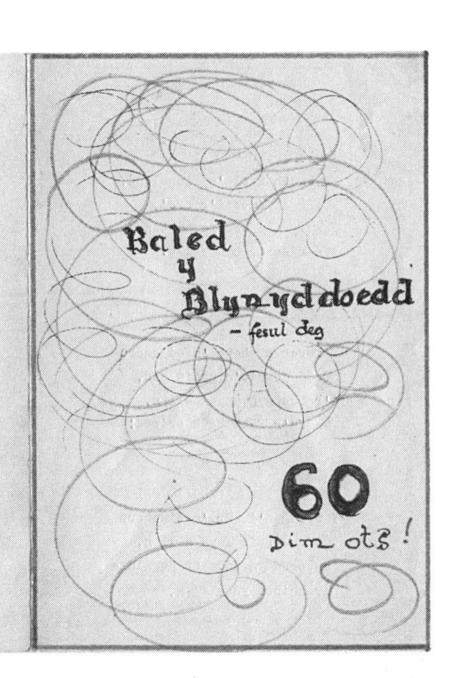

DEG OED

Yr eneth ddela'n Kingsland,
Dyna a ddwedai'r Dre',
Pan fyddai Jessie Martin
Yn mynd ar hyd y lle.

UGAIN OED

Y ferch a phawb 'n ei charu
Oedd Jessie'n ugain oed,
A'r bechgyn yn ei dilyn,
Na fu'r fath beth erioed!

DEG AR HUGAIN OED

Y wraig a'i gŵr 'n ei charu
Oedd Jessie fwyn a llon,
Pan oedd yn ddeg ar hugain -
Brenhines yn y FRON.

DEUGAIN OED

'Roedd Jessie'n tynnu sylw
Dieithriaid yn y Port:
'Doedd neb trwy'r lle'n anwylach,
Yn smart a llawn o sbort.

HANNER CANT OED

Y ddoethaf yn y Bala
A thref y Castell mawr,
A hanner cant o flwyddi'n
Rhoi iddi newydd wawr.

TRIGAIN OED

Dan goron trigain mlynedd
Mae Jessie erbyn hyn,
Mae'n harddach im, a'i chariad
Heb ball yn dal yn dyn.

'Baled y Blynyddoedd,' 1974.

Y 'Doyen Digger' ar y creigiau.

Y *love essence* mor fendithiol ag erioed.

Yn y stydi yn y Cwt Allan yng Nglan-yr-afon.

ddifrod ynddi. Dyma un o'r aelodau a welodd y drwg yn dweud wrth John Hughes, 'Bydd yn rhaid rhoi hyn o flaen y gweinidog.' Ac ebe John Hughes, 'Mae'r rhain wedi rhoi gwell trefn ar yr ardd nag y gwnaeth o erioed!' Honno ydyw'r ardd y plannodd J. R. Roberts Penycae a D. Terry Thomas Deiniolen *gauliflowers* yn eu llawn-dwf ynddi. Ceir disgrifiad ohoni ac o esgeulustod John Roberts ohoni mewn cywydd a anfonodd rhywun ato rai blynyddoedd yn ddiweddarach – ai Trebor Roberts, tybed? – cywydd yn nodi ei agwedd at erddi mwy nag un o'r tai gweinidog y bu'n byw ynddynt. Yr esgus ganddo dros beidio â thrin yr ardd ym Mhorthmadog oedd ei bod yn rhy fechan:

Maenor mwy a ddymunai:
Bach oedd yr ardd – dyna'r bai.

Ond –

Yn ardal dlos y Bala,
Mwy o dir, cyfanswm da,
A gafodd ar ei gyfer,
Ond holl ragolygon têr
Yr ardd a fuont fel rhith:
Ni chwalwyd trwch ei hoywlith;
Cadwodd draw heb raw ar rych –
O odre'r ardd bu'n edrych;
Ciliai ef o dorcalon;
Ei maint oedd haint yr ardd hon.

I Elisabeth a Judith yr oedd symud o dŷ rhes taclus yng Nghlog-y-berth Porthmadog i glamp o fans yn y Bala a oedd mor fawr â gwesty, a hwnnw'n oer ofnadwy yn y gaeaf, chwedl nhwythau, yn newid byd llwyr. Nid yn feirniadol, ond yn ffeithiol-wrthrychol, y dywedodd y merched nad ystyriodd eu tad wrth symud yn 1957 fod honno'n flwyddyn bwysig iawn iddynt hwy gyda'u gwaith ysgol. Yr oedd Elisabeth ar ganol eu hastudiaethau *Higher*, a Judith ar fin mynd i'r chweched dosbarth.

Y flwyddyn ganlynol aeth Elisabeth i Fangor, i hen goleg ei thad, i astudio'r Gymraeg, ac yna, ar ôl graddio, i Ysbyty Llundain i dderbyn hyfforddiant fel gweithiwr cymdeithasol ac almonydd. Yn Llundain, mewn cyfaneddfa a lochesai ac a gynorthwyai Iddewon, Cyfaneddfa Bernard Baron, cyfarfu ag Edward Lynn, brodor o Gilgwri a dreuliasai rai o flynyddoedd yr Ail Ryfel Byd gyda'i fam a'i chwaer ym Mhenllyn. Iddew oedd Edward Lynn, cyfrifydd, pianydd da, ieithydd wrth reddf, Iddew na fynychai synagog ond a oedd, fel Elisabeth, yn chwilio am ffydd a'i bodlonai. Ymunodd y ddau â Chymdeithas y Cyfeillion gyda'i gilydd. Ac ym mis Awst 1965 priodasant â'i gilydd, yn Nhŷ'r Crynwyr yn Westminster.

Ymarfer corff oedd dewis bwnc Judith – yr oedd ymysg pethau eraill yn rhedwraig gampus – ac i goleg hyfforddi St Catherine's yn Lerpwl yr aeth hi i astudio. Priododd ag un o gyffelyb fryd iddi, gŵr ifanc a oedd yn swyddog chwaraeon gydag Urdd Gobaith Cymru, Elwyn Huws, mab y diweddar weinidog Annibynnol Ifor O. Huws, a'i wraig Nans, bellach o Bentrefelin, Cricieth, a phriodi o flaen Elisabeth, sef yng Ngorffennaf 1962.

Ni welodd William Roberts Llanfwrog y naill ferch na'r llall yn mynd i'r coleg, heb sôn am weld un ohonynt yn priodi. Bu ef farw ar y 9fed o Awst 1959 yn 74 oed, a'r bri cenedlaethol a enillasai ei fab yn destun balchder iddo. Ond cadwodd John a Jessie Lan-yr-afon, a daliai'r teulu i fynd yno bob haf.

Â'r ddwy ferch hynaf i ffwrdd oddi cartref am y flwyddyn academaidd, yr oedd Gwen fwy neu lai yn unig ferch yr Annedd Wen. I wneud iawn am y golled am dipyn bach dyma John Roberts yn cymryd *lodgers*. Un arall o flaenoriaid Capel Tegid yn 1957 oedd G. F. Roberts, rheolwr cangen y Bala o Fanc y Midland. Ymddeolodd ef ymhen ychydig a symud o'r Bala i fyw. Yng ngwanwyn 1961 cafodd mab iddo, Dr Ian Roberts, ar ôl gorffen ei astudiaethau yn Lerpwl ac ar ôl blwyddyn o weithio mewn ysbyty ym Mae Colwyn, gyfle i wireddu ei ddymuniad i fod yn feddyg teulu yn y wlad. Daeth lle gwag yn y practis yn y Bala, a chafodd ef. Ond gan fod y meddyg a oedd yn ymddeol yn dal i fyw dros dro yn y tŷ a oedd ynglŷn â'r feddygfa – Plas-yn-dre, cartref Simon Lloyd, y cyfaill a ddaeth â Thomas Charles i'r Bala gyntaf erioed – dros dro nid oedd gan Dr Ian a'i wraig ifanc Helen do uwch eu pen. Cynghorodd ei dad ef i fynd i ofyn i John Roberts a wyddai am un o aelodau'r capel a fyddai'n fodlon rhentu ystafell a llofft iddynt am ychydig fisoedd. Ac ar y perwyl hwnnw dyma'r meddyg a'i wraig yn mynd i'r Annedd Wen. Aeth y gweinidog â nhw i'r stafell ffrynt. Dywedasant eu neges, ac ebe John Roberts yn syth, 'Cewch fyw fan'ma.' Galw wedyn ar Jessie o'r gegin. Pan ddaeth, ''Steddwch,' meddai wrthi, 'dw-i wedi gofyn i'r bobol yma ddod i fyw hefo ni.'

Gan hynny, trowyd y mans gwestyol dros dro byr yn fath ar feddygfa hefyd, lle deuai cleifion ar eu hald yn y dyddiau prin-eu-teleffonau hynny i chwilio am y doctor. Cofia Helen Roberts ŵr tra pharablus, gwladaidd yr olwg arno, yn dod i'r drws un diwrnod i holi am y meddyg, a Dr Roberts ar ei rownds. Ffwdan mawr wedyn ynghylch y lle a'r sut i gael gafael arno. A'r dyn diarth yn sydyn yn sylweddoli na wyddai Helen Roberts, a hithau'n newyddan i'r Bala ac i'r diwylliant Cymraeg, pwy yn y byd ydoedd. 'Deudwch wrtho-fo ma' LLWYD O'R BRYN' – a'r ddwy *-r* yn ratlo – 'fuo yma.' Y mae'r ffaith fod y pâr ifanc wedi ymgartrefu mor rhwydd yn yr Annedd Wen yn dweud cyfrolau am ddiddanwch rhwydd yr aelwyd ac am gyd-ddealltwriaeth y gweinidog a'i briod – y ddau'n ddiwahân yn ymhyfrydu drwy'u hoes yn yr hyn a alwent, dim ond yn hanner-cellweirus, yn *love essence*.

Gan fod trefn y Methodistiaid Calfinaidd yn sicrhau bod pob gweinidog yn gwasanaethu eglwysi eraill y Dosbarth y perthynai iddo, gwelid a chlywid John Roberts mewn llu o gapeli yn Nwyrain Meirionnydd, a daeth yr ardal gyfan i fwynhau ei gwmni a'i bregethau.

Un o'r hynaf o'i edmygwyr oedd y Llwyd y cyfeiriwyd ato yn y paragraff diwethaf ond un, yr eisteddfodwr a'r adroddwr enwog am ei grwydr a'i barabl, a fyddai yn awr ac eilwaith yn ceisio pás gan John Roberts i fynd i wrando arno ymhell o dref. 'Gwelais yn yr Herald heno,' meddai mewn llythyr dyddiedig yr 11eg o Ebrill 1961, 'hanes Cyfarfod Engedi Caernarfon Nos Iau Ebr yr 20fed. Cododd wib wyllt arnaf am fynd yno, mwy fyth o weld bod Esgob Tegid ar restr y siaradwyr. Ai gwib sydyn ydi hi i fod? Yn ol y digywilydd-dra arferol, sut mae hi'n edrych am naid ar grwper y merlyn?' Cyfarfod cyhoeddus oedd y cyfarfod yn Engedi Caernarfon i drafod codi cofeb i R. Williams Parry, a fuasai gynt yn ysgolfeistr yng nghynefin y Llwyd.

Dau o edmygwyr ifainc John Roberts oedd Elfyn Pritchard, mab gweinidog Gwyddelwern, a'i ddyweddi Nansi. Y bore Sul o Hydref yn 1957 pan bregethai yng Ngwyddelwern cyrhaeddodd John Roberts y maes parcio bychan o flaen y capel yr un pryd ag Elfyn a Nansi a'i fam wen ef. Er chwithdod i'r pâr ifanc, dyma Mrs Pritchard yn dweud wrth y pregethwr dieithr fod y ddau ohonynt yn priodi cyn diwedd y mis. Dyma atgof Elfyn o'r hyn a ddigwyddodd wedyn. –

> "O," meddai [J. R.], "ydech chi'n bwriadu dod i'r oedfa heno hefyd?"
>
> "Yden," medde ni gan ei weld yn gwestiwn od braidd, fel tase fo'n 'towtio' am gynulleidfa. Ond yr

hyn wnaeth o oedd newid ei gynlluniau'n llwyr a phregethu'r bore ar 'gariad' ac ar 'gartref' y nos.

Gwelsai John Roberts bwysigrwydd *love essence* pobl eraill, dyna'r peth.

Dengys yr hanesyn hwn mai'r un un oedd y priod cariadus gartref a'r gennad eneiniedig yn y pulpud, — a'r un un ag a wahoddid yn amlach nag erioed i bregethu mewn cymanfaoedd yn y tair sir ar ddeg a thros Glawdd Offa. Pan oedd y frech wen yn ddrwg yn y De yn nechrau'r chwedegau ni châi neb deithio yno heb gael brechiad. Am fod gan John Roberts gyhoeddiad mewn Cyrddau Pregethu yn Sir Gaerfyrddin neu Forgannwg ddiwedd rhyw wythnos dywedodd ei feddyg wrtho am ddod i Blas-yn-dre am bigiad. 'Mi wyddwn ei fod wedi cyrraedd,' ebe Dr Ian Roberts, 'am fy mod i'n clywed yr Ha-Ha fawr yn y stafell aros.' Cafodd y cowpog ar y Nos Fawrth. Erbyn y Nos Iau yr oedd yn ei wely mewn twymyn, yn gweiddi, '"O mam bach,"' y babi ag oedd o!' Ond fe wellodd yn ddigon da i fynd i'w gyhoeddiad.

Gartref, yn ogystal â gweinidogaethu yng Nghapel Tegid a Llanfor, cymerai ofal diddorus o aelodau'r Capel Presbyteraidd Saesneg, 'our English brethren' fel y cyfeiriai atynt weithiau. Y mae ôl cryn fodio ac astudio ar ei gopi o'r *Presbyterian Service Book* a gyhoeddwyd yn 1948, ac, fel gyda'i lyfrau defosiwn a mawl Cymraeg, y mae ynddo ddail lawer a ychwanegwyd ato: dail ag arnynt weddïau Saesneg printiedig a dorrwyd o gofnodolion Cristionogol, copïau printiedig o "The Lord's my shepherd, I'll not want" ac "Abide with me", copi o emyn bedydd gan Bernard Ferguson, a chopi o'r Gwasanaeth Priodas Diwygiedig, 1955.

(ii) Llawryf a llyfr

Os oedd haf hwyr 1957 yn nodedig am iddo symud i'r Bala, ac os oedd dechrau 1959 yn nodedig am iddo gynnal gwasanaeth radio mor gofiadwy, gellir honni bod 1958 yn flwyddyn ysblennydd iddo drwyddi – i'r bardd ac i'r pregethwr ganddo. Dyna flwyddyn cyhoeddi *Cloch y Bwi*, yr unig gyfrol o farddoniaeth a gyhoeddodd yn ystod ei oes; a dyna'r flwyddyn yr enillodd "Llongau'r Brenin" wobr arall iddo yn yr Eisteddfod Genedlaethol, y tro hwn am gyfrol o anerchiadau a gweddïau ar gyfer gwasanaethau mewn ysgol. Yr oedd y beirniad, y Parchedig Iorwerth Jones Pant-teg, yn llygad ei le pan ddywedodd am ei gynigion 'diddorol a buddiol ... mai mewn cyfarfodydd plant ar y Sul y gellid gwneud y defnydd mwyaf effeithiol' ohonynt, oblegid dyna oeddynt, pedair ar ddeg o araith-bregethau ar gyfer y plant a ddaethai ac a ddeuai i'w oedfeuon ef, a gweddïau i gyd-fynd â nhw. Ar ddalen olaf y teipysgrif ceir bonws, emyn o'i waith ei hun o dan y pennawd "Cariad Crist at Blant" a gyhoeddwyd yn *Y Goleuad* rai blynyddoedd ynghynt ac na welsai'r beirniad o Annibynnwr mohono efallai.

Ie, cynnyrch y blynyddoedd cynt yw "Llongau'r Brenin", ond da hynny. Pe bai'r cystadleuydd wedi mynd ati i gynhyrchu anerchiadau newydd ar gyfer y gystadleuaeth diau y byddai ôl straen yr ymdrech arnynt. Y mae'r cyfeiriad at Toyohiko Kagawa yn yr anerchiad a gafwyd o dan y pennawd "Yr Amhosibl?" yn awgrymu iddo gael ei lunio tua'r adeg y daethai'r pregethwr a'r diwinydd mawr o Siapan ar ymweliad â Phrydain ddechrau'r pumdegau – cadwodd John Roberts doriadau papur-newydd o hanes ei ymweliadau â Llundain ac â De Cymru, – ond nid yw'n bosibl dyddio unrhyw un arall ohonynt hyd sicrwydd. Geiriau o Efengyl Mathew 19:26 yw testun yr "Amhosibl", *'that blockhead of a word'*. Ond geiriau Paul – 'Yr wyf yn gallu pob peth, trwy Grist yr hwn sydd yn fy nerthu i' – yw arwyddair yr anerchiad, geiriau 'sy'n donig i galon, ac yn fiwsig i ysbryd dyn.'

"Stori Paentio'r Pwmp" yw un o'r moeswersi symlaf a gorau yn y gyfrol. Dywed y traethydd wrth ei gynulleidfa ifanc fod gan y rhan fwyaf ohonynt bellach 'gyflenwad o ddŵr yn dyfod i'w cartrefi'n gyson drwy bibelli o un gronfa fawr yn y mynydd yn rhywle', ond ers talwm cario dŵr i'r tŷ y byddai pawb, naill ai o ffynnon neu o bwmp. Sylwodd rhywun fod dŵr aflan yn dod o'r pwmp a oedd ganddo ef. (Ceir gan yr awdur lun o fwced ag arno'r gair **AFLAN** ar hyd ei ochr chwith mewn llythrennau cochion, sef llythrennau cyntaf yr ansoddeiriau **A**FLAN, **F**FIAIDD, **L**LYGREDIG, **A**MHUR, **N**IWEIDIOL.) Gofynnodd i gymydog beth i'w wneud ynghylch yr amhuredd. Dywedodd hwnnw wrtho am beintio'r pwmp. A dyma brynu brwsh a phaent, a pheintio'r pwmp yn 'y lliwiau siriolaf at ei waith.' Ond, wrth gwrs, yr oedd y dŵr mor aflan â chynt. Dyma ofyn i rywun arall pa beth a wnâi i gael dŵr glân. Chwilio'r gronfa, ebe hwnnw, a'i glanhau yn llwyr. Dyma wneud, ac wrth gwrs o ganlyniad i hynny cafwyd dŵr glân. Y mae'r ail lun o fwced yn yr anerchiad yn dwyn y geiriau **DŴR GLÂN**. Try John Roberts wedyn i sôn am y galon fel pwmp, pwmp 'sy'n gyrru gwaed drwy ein corff' gan wneud 'dros 4,000 o bympiadau mewn awr!' 'A glywch chwi'r pwmp yn gweithio yn awr?' Yna dyry'r ystyr arall sydd i'r gair *calon* yn y Beibl, sef ei ystyr ffigyrol, 'cartref y meddwl ym mywyd dyn.' A chymhwysa'r stori am beintio'r pwmp at y galon fel cartref y meddwl:

> Daw gwenwyn i holl fywyd dyn os yw'r galon yn ddrwg. Dyna beth atgas yw *calon ddu*. Pa beth sydd ynddi?

Yn y llun o galon ddu ar y ddalen printiwyd BALCHDER, CENFIGEN, CASINEB, HUNANOLDEB. 'Os mai calon fel yna sydd gennym, y mae ein holl fywyd yn cael ei wenwyno.' 'Llawer gwell na chalon ddu yw CALON LÂN'.

O II Cronicl 9:21 (adnod arall a danlinellwyd yn un o Feiblau gwaith John Roberts) y ceir yr ymadrodd 'llongau'r brenin' sy'n deitl i'r casgliad hwn o anerchiadau. Cario aur ac arian, ifori, epaod a pheunod yr oedd y llongau hynny. Man cychwyn yr anerchiad "Llongau'r Brenin" gan y gŵr o Lanfwrog a ddaliai i ddwlu ar y môr oedd atgasedd yr Iddew at y môr. Yn nychymyg yr Iddew, meddai, 'lle di-fôr oedd y nefoedd. "A'r môr nid oedd mwyach ..." (Dat. xxi:1)'. Ond yn ei ddoethineb gwelodd Solomon fod yn rhaid adeiladu llongau i'w dramwyo. Pennau'r anerchiad yw (1) fod i bob llong ei chargo, (2) fod i bob llong ei chriw hefyd, (3) fod yn rhaid iddi wrth gwmpawd, ac (4) wrth gapten. Wrth drafod y pen cyntaf cyfeiria'r pregethwr, yn naturiol, at gargo 'cymysg iawn' y llongau sydd yn y testun; cyfeiria at gân enwog John Masefield, "Cargoes"; a hefyd y 'bardd o Gymro, sef William Jones (Tremadog), ... yn disgwyl llong o dir, ond nid aur, arian, ifori, etc. sydd yn honno.' –

> Yr howld yn llawn breuddwydion,
> A chrythor wrth y llyw
> Yn canu'r gân hyfrydlais
> Sy'n codi'r marw'n fyw.

Ond beth yw cargo'r plant y mae John Roberts yn eu galw'n 'llongau'r brenin'? 'Y cargo yn eich hanes chwi yw eich CARICTOR. A yw'r "cargo" yn un da, tybed? Meddyliau da, bwriadau da, dychmygion da, awydd i wneud gweithredoedd da, BYWYD DA, – dyna'r "cargo" iawn i Longau'r Brenin.' A beth am y criw? 'Eich CYFEILLION yw'r rheini. ... Mae'n bosibl i gyfaill sâl wneud *wreck* o'ch bywyd' (a dyfynna Robert Burns, *His friendship did me mischief*). Y cwmpawd, wrth gwrs, yw'r Beibl (a chyfeiria at ddelw Thomas Charles y tu allan i Gapel Tegid gyda'r Beibl yn ei law: '*Dengys* hwn y ffordd i farw, | *Dengys* hwn y ffordd i fyw'). A'r capten, ni raid dweud, yw'r Arglwydd Iesu Grist.

Er mor foeswersol yr ymddengys yr ysgrifeniadau hyn i feddyliau llai argraffadwy'r dydd heddiw – gellir dweud bod byd plant yn ystod yr hanner can mlynedd diwethaf wedi newid yn llwyrach na byd oedolion hyd yn oed – y maent yn dystiolaeth bellach i ofal John Roberts am blant yr Eglwys, i'w awydd i'w hyfforddi ym mhethau moesol y Ffydd, ac i'w ddyfeisgarwch yn crynhoi stôr o straeon at eu mwyniant.

Gan iddo ddangos y fath greadigrwydd deniadol fel pregethwr plant, nid rhyfedd mai ef a ddewiswyd i arwain y gwasanaeth Ewyllys Da a ddarlledwyd o Gapel Tegid yn enw Urdd Gobaith Cymru ganol Mai 1961, gwasanaeth a ganmolwyd yn fawr gan Gyfarwyddwr yr Urdd, ei gyfaill R. E. Griffith, gan Cassie Davies, a chan yr Athro W. R. Williams o'r Coleg Diwinyddol yn Aberystwyth.

Ni wn a fu ym mwriad John Roberts i gyhoeddi "Llongau'r Brenin" ai peidio. Y mae ymhlith ei bapurau ddau lythyr arall oddi wrth Cynan, cyd-ysgrifennydd Llys yr Eisteddfod Genedlaethol, y naill yn dweud wrtho sut i geisio'i waith yn ôl oddi wrth swyddogion y Brifwyl yng Nglyn Ebwy, a'r llall, mor hwyr â Hydref 1960, ddwy flynedd dda wedi i'r Eisteddfod honno fynd heibio, yn gofidio na chawsai John fyth mo'i lawysgrif yn ôl. Yn sicr, yr oedd ganddo gopi arall; ond nis cyhoeddwyd.

Eithr fe gyhoeddwyd ei gyfrol fechan o gerddi, *Cloch y Bwi*, a hynny, fel y nodwyd eisoes, yn 1958, gan Wasg Gee, flynyddoedd piwr ar ôl i R. Williams Parry a Thomas Parry argymell ei chyhoeddi. Ceir disgrifiad o'r gloch honno yn un o anerchiadau "Llongau'r Brenin", yr anerchiad a elwir

"Y Terfynau" (Diarhebion 22:28, 'Na symud mo'r hen derfyn, yr hwn a osododd dy dadau'). 'Y gair Saesneg am "derfyn" yn yr adnod hon,' ebe'r awdur, 'ydyw *landmark*.' Tirnod, chwedl yntau wedyn, tirnod fel yr Wyddfa, Tŵr Marcwis yn Sir Fôn, a, rhyw filltir allan i'r môr gerllaw'r lle cafodd ef ei fagu, Cloch y Bwi, nad yw fyth yn newid ei lle. 'Fel arfer swyddogaeth cloch ydyw galw, – dyna a wna cloch yr ysgol, a dyna a wna cloch yr eglwys ar y Sul, ond am gloch y bwi, dywaid hi am i bawb gadw draw!' Yn y gyfrol, un pennill yn unig a geir i gloch y bwi, a hynny mewn cyfres o benillion annibynnol o dan y pennawd cyffredinol "Profiad". Dyma fe:

Mi glywais gloch yn canu
  Wrth chwarae ger y lli,
Deellais ymhen amser
  Ma[i] cloch y Bwi oedd hi;
Fe ddeil i ganu'i rhybudd
  I'r dewrion ar y don,
Ond cloch i'm galw adref
  Fyth mwy i mi fydd hon.

Penillion syml, teimladwy, telynegaidd fel yna yw'r rhan fwyaf o'r farddoniaeth rydd sydd yn y gyfrol, y math o farddoniaeth yr oedd Williams Parry a Thomas Parry wedi'i chanmol ddeng mlynedd ynghynt yn eisteddfodau Dyffryn Ogwen. Gwelodd blynyddoedd canol a hwyr y pumdegau yng Nghymru gyhoeddi cyfrolau cyntaf Euros Bowen a Bobi Jones, cyfrolau, yn herwydd eu cyfeiriadau a'u delweddau dieithr, a ystyrid gan lawer o ddarllenwyr Cymraeg yn gyfrolau astrus, anodd. Cawsai nifer o bryddestau astrus eu coroni yn yr Eisteddfod yn y cyfnod hwn hefyd. Er mai pur ychydig o'r rheini oedd o safon barddoniaeth Euros Bowen a Bobi Jones, yr oedd tuedd ddiog ym meirniaid y beirdd tywyll, fel y'u gelwid, i gorlannu'r beirdd diweddar i gyd gyda'i gilydd fel defaid duon na wnaent ddim ond halogi'r awen bur. Yn yr hinsawdd wrthfodernaidd hon cafodd canu didramgwydd *Cloch y Bwi* groeso cynnes. Wrth ei adolygu y mae hyd yn oed Islwyn Ffowc Elis yn rhifyn Ebrill 1959 *Y Ddraig Goch* yn dweud bod

> llawer o bobol yn teimlo y dyddiau hyn fod barddoniaeth wedi mynd y tu hwnt iddynt, wedi colli pob cyswllt â'u byd a'u bywyd hwy, a bod yn rhaid cael rhyw gyfrinach arbennig i'w deall. Iddynt hwy, y mae'r "stwff modern 'ma'n" rhywbeth i'w adael ar gownter y siop lyfrau, gan siglo pen.

Da ganddo felly 'gael sôn am fardd sy'n barddoni'n hollol syml a darllenadwy', un y mae ei gerddi 'mor hawdd eu deall â nofel, ac yn haws na llawer o nofelau heddiw.' (Ac yntau wedi cael ei feirniadu mor llym am ysgrifennu *Ffenestri Tua'r Gwyll*, 1955, nofel a fernid yn rhy fentrus ac *outré* gan rai beirniaid ceidwadol, y mae cryn ironi yn y cymal olaf hwn o adolygiad Ffowc Elis ar *Cloch y Bwi*.) Er mai perthyn i fyd Eifion Wyn, Wil Ifan a Chrwys – ac yn wir i fyd hŷn y penillion telyn bytholwyrdd – y mae *Cloch y Bwi*, cam â John Roberts fyddai dweud bod y defnydd a geir ynddi'n gwbl dreuliedig a bod yr arddull yn orgyfarwydd. Ar y cyfan, y mae ffresni yn y mynegiant a gwedd bersonol unigol ar y profiadau a ddiffinir. Megis yn "Y Bwlch", lle llefara'r llanc o Lanfwrog a garai'r môr yn fwy na'r mynydd:

> Agos yw ffin y mynydd,
> Rhy agos gennyf fi;
> Ni charaf y parwydydd
> Sy'n cuddio'r môr a'i li:
> Rhowch imi fwlch, a thrwyddo ef
> Rhyw ddarn o ddyfnach glas na'r nef.

[A] gorau oll os digwydd
Fod llong dan faich y gwynt
Yn gwynnu'r dyfnlas ymchwydd
Wrth hwylio draw i'w hynt;
Rhowch imi fwlch, a llennwch o
Â'r hyn na chwelir fyth o'm co'.

Yr un llanc biau "Y Llanw" ('Yng nghyfrinachau hallt a dwfn y lli | Mae cyfrinachau 'mywyd i'), y gerdd gaeth "Ar Draeth Trearddur", a'r penillion telyn a geir o dan y penawdau "Chwithdod", "Anwyldeb" a "Blas y Môr". Y mae i'r penillion newydd hyn eglurder darluniadol a dyfnder emosiynol sydd mor hyfryd ac ymddangosiadol ddiffuant â dim a gafwyd yn yr hen benillion gynt:

Wrth im fynd mewn cerbyd llwythog,
Gwelais ferch â gwallt modrwyog,
Glân ei gwedd, ac 'roedd sirioldeb
Fel yr haf yng ngwên ei hwyneb.

Daeth y cerbyd i Gaeathro,
Dim ond un a aeth ohono,
Ond 'rwy'n siŵr na fûm mor unig
'Rioed o'r blaen ar ffordd Llanbeblig.

Y mae yn y gyfrol hefyd nifer da o englynion, gan gynnwys yr englynion marwnad a ysgrifennodd John Roberts i'w fam, yr englyn marwnad i Mrs W. T. Ellis a ganmolwyd mor uchel gynt gan Fardd yr Haf, ac englyn i "Linell y Gorwel" a ganmolwyd yn *Lleufer* gan David Thomas. Yn haf 1954 cyhoeddwyd yn y cylchgrawn hwnnw y pennill telyn hwn gan John Roberts:

Rhwng godre'r nef a'r heli
Mae'r llinell yn hir oedi;
Fel hithau oedaf oni ddaw
Un dreiddiodd tu draw iddi.

'Wedi hynny,' ebe David Thomas, 'newidiodd y pennill yn englyn i'r *Gorwel* – un o englynion gorau'r iaith, yn fy marn i. Rhoes *"Hen linell bell nad yw'n bod"* Dewi Emrys yn deitl iddo.' Fel hyn y'i ceir yn y gyfrol:

Is y lasnef dros lesni môr llonydd
Mae'r llinell yn oedi;
Ni bu llong ar wyneb lli
A dreiddiodd tu draw iddi.

Ceir yn *Cloch y Bwi* hefyd dair soned (ond nid y soned Gymraeg i Jeanette Altwegg) a'r nesaf peth i ddau emyn. Yr wyf yn dweud *y nesaf peth i ddau emyn* am fy mod yn amau nad emyn yw'r darn o'r enw "Gethsemane" sy'n darlunio'r byd 'mewn Gethsemane' – hynny yw, mewn gardd lle mae'n parhau i fradychu'r Crist:

Gwenwyn sydd yn y gusan
A'r 'henffych well' o hyd,
A'r cleddyf sy'n cyhwfan
Ei ddychryn uwch y byd;
Bradwrus law a phetrus droed
Sydd eto'n llercian rhwng y coed.

O ran bod y darn yn gweithio fel ymarferiad mewn cyfoesi profiad hanesyddol, y mae'n burion: gellid ei ystyried yn emyn y mae'r awdur ynddo yn cyffesu drygioni'i oes. Ond am fod y cysêt, y trosiad, yn cael ei estyn mor ymwybodol, prin fod ynddo'r hyn a elwir gan John Roberts mewn man arall yn 'ysbryd addoli', a chan hynny nid yw'n addas fel cân i gynulleidfa. Cerdd grefyddol ydyw. Am yr emyn arall, na cheir teitl iddo oddi gerth "Emyn", y mae'n rhagorol, yn un o oreuon y bardd.

Dyma'r emyn y daethpwyd i'w adnabod mewn blynyddoedd diweddarach fel "Llaw fy Nheidwad". Os diystyrir "Gethsemane", dyma'r unig emyn a geir yn *Cloch y Bwi*, er i John Roberts gyfansoddi a chyhoeddi rhagor. Gwelsom iddo gyfansoddi naill ai yn y Carneddi neu ym Mhorthmadog yr emyn am 'nos ein dyddiau ni' a brintiodd yn un o'r Adroddiadau Blynyddol yn y Garth, a gwelsom iddo gael ei wobrwyo yn Eisteddfod Môn yn Llangefni am emyn arall ('Am dy gysgod dros dy Eglwys'). Ym Mhorthmadog hefyd cyfansoddodd emyn dau bennill (a ddaeth yn dri ymhen amser) ar achlysur derbyn ieuenctid yr eglwys yn gyflawn aelodau, emyn a ddefnyddiodd mewn oedfeuon derbyn weddill ei ddyddiau. Er ei fod yn agor yn rhyddieithol iawn, y mae hwn eto, yn herwydd symlrwydd ei ymbiliad, yn emyn tra effeithiol:

Edrych ar y rhai sy'n ceisio
   Yn dy Eglwys le yn awr,
Dyro iddynt nerth i gofio
   Am eu llw i'w Ceidwad mawr.
Cadw hwy'n ddiogel beunydd,
   Trwy holl demtasiynau'r daith;
Dan gawodydd gras rho gynnydd
   Ar eu bywyd yn dy waith.

O, bugeilia Di feddyliau
   Y disgyblion ieuainc hyn,
Dangos iddynt fawr ryfeddod
   Aberth Iesu ar y Bryn:
Rho oleuni'r nef i'w tywys
   Yn y byd ar hyd eu hoes,
Ac ym mhob rhyw brofiad dyrys
   Torred arnynt wawr y Groes.

A dyna'r emyn a geir ar ddalen olaf teipysgrif "Llongau'r Brenin" a gyhoeddwyd yn *Y Goleuad*, fel y nodais. Egyr hwnnw gyda'r pennill hwn:

Llaw dy gariad a estynnaist
I amddiffyn plant dy oes,
Hoffaist glywed eu Hosanna
Dan gysgodion trwm dy Groes,
Estyn eto
Law dy gariad atom ni.

Paham na chynhwyswyd y rhain yn ei gyfrol? A phaham y ceir "Llaw fy Ngheidwad" yno? Gallaf gynnig ateb, ond dyfalu yr wyf. Emynau cynulleidfaol ac emynau ar gyfer achlysuron neilltuol yw'r emynau y cyfeiriais atynt ac y dyfynnais o rai ohonynt uchod, emynau'n perthyn i wasanaethau'r capel neu'r eglwys, emynau'n gofyn am gorff o ganu, emynau'r gymdeithas Gristionogol yn dod ynghyd. Nid oes iddynt yr ysbryd telynegol hwnnw sy'n nod amgen *Cloch y Bwi,* nid oes ynddynt gyfaddefiad personol nac ymdeimlad unigol â phrofiad arbennig, boed hanesyddol, boed ddychmygol. Gan hynny, pe cynhwysid yr emynau eraill hyn yn y gyfrol newidient ei natur.

Gyda golwg ar "Llaw fy Ngheidwad", emyn personol ydyw, emyn y person cyntaf unigol. Emynau'r person cyntaf unigol yw'r rhan fwyaf o emynau cynnar y Gymraeg, o Williams Pantycelyn hyd at Ann Griffiths, emynau (yn achos Williams) yn mynegi'n synhwyrus y berthynas serchiadol sydd rhwng y bardd a'i Arglwydd, ac emynau (yn achos Ann) yn mynegi rhyfeddod at y berthynas anhraethol anrhydeddus sydd rhwng y bardd a'i Harglwydd. Ond emynau boreddydd Methodistiaeth yw'r rhai hynny, emynau serch hyderus ac argyhoeddiad diolchgar, syn. Mynegi y mae'r emyn personol gan John Roberts boen ac unigedd, gofid a diflastod dyn sydd yn gorfod ymgodymu â thrafferthion bywyd mewn cyfnod a droes ei gefn ar bethau'r nef, poen ac unigedd a gaiff, drwy drugaredd, gysur yn yr afael sicraf fry.

Er bod rhai beirdd wedi ysgrifennu telynegion gwell na'r telynegion a geir yn *Cloch y Bwi*, y mae'r emyn hwn yn *Cloch y Bwi* yn emyn na chafwyd ei debyg am fynegi adfyd yr anghysur yr oedd blynyddoedd canol yr ugeinfed ganrif yn ei deimlo. Nid rhyfedd iddo gael ei ganu mor aml wedyn mewn angladdau, mewn ysbytai, O, heb os, mewn cymanfaoedd, ac, mi wn, ar aelwydydd. Dyma ddiffinio i filoedd ar filoedd o bobl yr aeth eu heneidiau'n foel y profiad diweddar o anghymdeithas ddaearol yn cael ei gwella gan ofal cysurus Duw. Y mae'n ysig, os sentimental, werthfawr.

Y mae'n werth nodi prif ragoriaethau artistig yr emyn – y mynegiant syml, digysêt, sydd iddo; a'r ailadrodd cymen ond cytbwys sydd ynddo. Prin fod angen manylu ar symler uniongyrchol a chymharol ddiansoddair y mynegiant. Am yr ailadrodd, noder bod pob pennill yn agor gyda chymal amser: 'Pan fwyf ...', 'Pan fydd ...', 'Pan brofais ...' ac 'A phan ddaw ...'; a bod pob pennill yn diweddu gyda'r llinell 'Mae'i gafael ynof er nas gwelaf hi' y ceir amrywiad arni yn y pennill olaf. Y mae'n llinell sy'n aeddfedu drwy'r gerdd megis byrdwn o ddatganiad diamheuaeth. Cyfeirir at y llaw hefyd yn nhrydedd llinell pob pennill. Ond y mae'r cyfeiriadau mor amrywiol fel y rhoddant fath ar gydbwysedd i ailadroddiad mwy cysáct y byrdwn. Er mor adnabyddus yw'r emyn, ac er ei fod wedi'i argraffu mewn myrdd o raglenni cymanfaol, ac yn *Caneuon Ffydd*, anghymwynas â'r darllenydd fel â'i awdur fyddai peidio â'i ddyfynnu'n llawn yn y llyfr hwn ar ei fywyd a'i waith:

> Pan fwyf yn teimlo'n unig lawer awr,
> Heb un cydymaith ar hyd llwybrau'r llawr,
> Am law fy Ngheidwad y diolchaf i;
> Mae'i gafael ynof er nas gwelaf hi.

Pan fydd tywyllwch weithiau yn trymhau,
A blinder byd yn peri im lesgáu,
Gwn am y llaw a eill fy ngynnal i;
Mae'i gafael ynof er nas gwelaf hi.

Pan brofais archoll pechod ar fy nhaith,
A minnau'n ysig ŵr dan gur a chraith,
Ei dyner law a'm hymgeleddodd i;
Mae'i gafael ynof er nas gwelaf hi.

A phan ddaw dydd yr alwad fawr i'm rhan,
A'r cryfaf rai o'm hamgylch oll yn wan,
Nid ofnaf ddim, Ei law a'm harwain i
Â'i gafael ynof er nas gwelaf hi.

Fel finnau uchod, gofynnodd ambell un arall paham y gadawyd rhai pethau allan o *Cloch y Bwi*. Y Sadwrn ar ôl y darllediad o'r gwasanaeth boreol o'r Bala ganol Chwefror 1959, a chan hynny ryw ddeufis ar ôl cyhoeddi *Cloch y Bwi*, lluniodd James Arnold Jones, bardd medrus a oedd newydd ddod yn athro Lladin i Ysgol Eifionydd, epistol hir at John Roberts. Ar ôl diolch iddo am yr 'oedfa fendithiol fore Sul diwethaf' ac ar ôl ei longyfarch ar y traethiad 'cynnes ac angerddol' – 'dyna'r tro cyntaf i mi gael y fraint o'ch clywed' (Annibynnwr oedd J. Arnold Jones) – y mae'r llythyrwr yn mynd rhagddo i adrodd am y trafod a fu o dan ei arweiniad ef yng nghyfarfod diweddaraf Clwb y Garreg Wen ar bryddest 'wych' John Roberts i'r "Skerries", y bryddest a enillodd iddo goron Eisteddfod Môn 1954 ac a gyhoeddwyd yng Nghyfansoddiadau'r Eisteddfod honno. Ebe'r llythyrwr:

ATOLWG, GYFAILL ANNWYL, PAHAM NA CHYNHWYSWYD Y GERDD ODIDOG HON YN EICH CYFROL "CLOCH Y BWI"? – ai am eich bod mor ddiffuant a didwyll â chredu mai "false pretences" fyddai cynnwys cerdd a gyhoeddwyd ac a ddarllenwyd unwaith eisoes? Os felly, piti.

Dilynodd James Arnold Jones y cerydd caredig hwn gydag amlinelliad o'r sgwrs a roddodd i'r Clwb yn canmol cynnwys, adeiladwaith ac arddull y bryddest. Trydydd pwnc yr epistol yw rhagoriaeth *Cloch y Bwi*: 'Dyma ganu didwyll ar y pethau cynefin a thragwyddol. ... Mawr hyderaf y bydd mynd ar y gyfrol, ac mai herodr un arall ydyw hi.'

Tybiaf mai'r rheswm 'telynegol' a gyfrifai am adael y bryddest, fel rhai o'r emynau, allan o *Cloch y Bwi*. Heb os, yr oedd gan ei hawdur gryn feddwl ohoni. Onid e, ni fyddai wedi'i hadrodd wrth fardd arall y daeth i'w adnabod yn bur dda yn y Bala, sef James Nicholas, athro mathemateg yn Ysgol Ramadeg y Bechgyn, yr hwn, fel Euros Bowen yr ochr draw i Lyn Tegid, yr oedd sôn amdano fel un o brydyddion blaenllaw'r dydd. Yr oedd prifathro'r Ysgol Ramadeg, H. J. Pugh, yn flaenor yng Nghapel Tegid, ac un tro ar ddiwrnod gwaith, wrth yrru heibio'r llyn yn ei gar modur i ryw gyfarfod neu'i gilydd, gwelodd ei weinidog yn mynd am dro gyda'i athro mathemateg, a oedd i fod, oblegid iddo gael 'andros o annwyd', gartref yn swatio'n ei dŷ lodjin, ond a berswadiwyd y prynhawn hwnnw i rodio gyda'r pregethwr Methodist, a'i diddanai gyda'i hanesion am R. Williams Parry a William Jones a'r awen yn gyffredinol.

Cyfeiriais yn awr at lythyr hir James Arnold Jones a'r canmol mawr ynddo i *Cloch y Bwi*. Pennill byr a anfonodd William Jones Tremadog i ddweud yr un peth:

Mae 'Cloch y Bwi' yn canu
Ar donnau gwyllt y môr,
A'r gwylain gwyn sy'n gweiddi,
"Encore, Encore, Encore!"

Ond ni bu encôr. Nid oedd cyhoeddi cyfrolau'n orchwyl hawdd y dyddiau hynny. Eto, er na chafwyd cyfrol arall gyhoeddedig o'i gerddi, nid oedd ball ar gyfansoddi John Roberts. Gludiodd wrth ddalennau ei gopi ei hun o *Cloch y Bwi* nifer sylweddol o delynegion a cherddi caeth ac emynau a gyhoeddodd mewn cylchgronau a phapurau yn y blynyddoedd ar ôl 1958, ac ysgrifennodd yn ei law nifer o rai eraill nas cyhoeddwyd o gwbl. Y mae rhai o'r cerddi hynny'n ymwneud â'r Bala a'r cylch. Er enghraifft, y mae ganddo ddau englyn ar achlysur dadorchuddio'r golofn i Bob Roberts wrth drofa Tai'r Felin (wrth y sgribliadau odanynt, englynion ydynt nad oedd ef yn hapus â nhw); y mae ganddo gerdd yn y wers rydd o'r enw "Tryweryn Heddiw"; a thoddaid ar "Cefnddwygraig Heddiw" sydd i gryn raddau yn ddrych o gyflwr amaethyddiaeth ac Anghydffurfiaeth cefn gwlad Meirionnydd a Chymru:

Ger ffridd a manwellt gwyrffordd y mynydd,
Yno fe welir ar grib hen foelydd
Uwch y Llyn, yr addoldy bach llonydd:
Darfu ei derm fel llawer o'r ffermydd;
Brau ac oer yw briw geyrydd y capel
A'i wyneb tawel dan raib y tywydd.

Yn achlysurol yn ystod y blynyddoedd hyn rhwymai ddalennau teipiedig o'i gynhyrchion a'u cyflwyno'n gyfrolau, i Jessie yn bennaf, ond i ambell gyfaill ffodus yn ogystal. At hyn, fel pawb a fedd ar rywfaint o awen, nyddai benillion talcen-slip ar achlysuron arbennig, ar bennau-blwyddi ac i gyfarch ambell bâr yn priodi. Dyna'r penillion ar briodas David Alwyn Williams y llythyr-gludydd a Beryl, sy'n enghraifft o'i hoffter hwyliog o drin geiriau mwys. Pâr a addolent gydag ef ym Morfa Bychan oedd y rhain, ac a ofynnodd iddo ddod yn ôl o'r Bala i wasanaethu yn eu priodas ar y 7fed o Chwefror 1959. Printiaf y penillion yma nid am eu bod yn awenyddol gofiadwy ond am eu bod yn ddifyr ac yn grefftus, ac am eu bod yn dweud tipyn am awydd John Roberts i ddifyrru'r gymdeithas y gweinidogaethai arni:

Fel arfer mynd i'r Post wna dyn
  I 'mofyn postal order,
Neu stamp, neu drwydded, fel y bo,
  A disgwyl tro wrth gownter;
Nid trwydded modur, coeliwch fi,
  Na thrwydded ci un adeg,
A aeth â bryd ein Beryl gu,
  Ond postman cry' a glandeg.

Fe welodd ynddo 'stamp' o ddyn,
  Y gorau un o ddigon,
A rhoddodd yntau 'order' serch
  I'r ferch a aeth â'i galon;
A chafodd 'drwydded' yn y man
  I roddi cusan iddi,
A gwell na 'phensiwn' ar ôl cau
  Oedd cau ei fraich amdani!

Yr oedd erbyn hyn yn ddarlithydd llenyddol poblogaidd a phrofiadol. Ymysg ei bapurau, yn ogystal â'r darlithoedd a enwais yn y bennod ar ei weinidogaeth yn y Carneddi a'r pynciau emynyddol y cyfeiriwyd atynt yn y bennod ddiwethaf ac y cyfeirir atynt eto yn y bennod nesaf, y mae ambell ddarlith fwy technegol na'i gilydd ac ambell un fwy cyffredinol na'i gilydd. Trafod y mae yn y sgwrs ar "Cân mewn Caethiwed" rai o'r mesurau caeth mwyaf poblogaidd. Dyma'r englyn *à la* John Roberts: 'Pedair llinell o farddoniaeth gaeth yn cynnwys 30 sillaf gydag un odl mewn arddull fachog, ddiangof. Prawf o englyn da yw eich bod yn ei gofio ar ôl ei glywed.' Y mae yn ei gopi o

Munudau gyda'r Beirdd Aneirin Talfan Davies (1954) doriadau o englynion lawer a godwyd ganddo o gyfnodolion, a cherddi a chyfieithiadau newyddion eraill: prawf o'i ddiddordeb bywiol mewn barddoniaeth yw'r rhain, ei awydd i gadw'r hyn a hoffodd wrth ddarllen, ac i'w defnyddio er ei les ei hun ac er lles eraill. Mewn sgwrs a ysgrifennodd ar "Barddoniaeth Grefyddol Heddiw", y gellir ei dyddio i ddiwedd 1962 neu ddechrau 1963, y mae'n cyfeirio at debygrwydd y cyffro barddonol a'r cyffro crefyddol, ac yn maentumio 'bod y bardd fel y pregethwr yn rhoi rhywfaint ohono ei hun i eraill.' Ond, gan eilio Alun Llywelyn-Williams a drafododd yr un pwnc mewn erthygl yn *Y Traethodydd* ddeng mlynedd ynghynt, ei brif bwynt yw mai pur ychydig 'o ganu profiad uniongyrchol a gafwyd ar ôl i'r emynwyr mawr Methodistaidd dewi.' Â rhagddo wedyn i ddadansoddi peth o gynnwys yr *Oxford Book of Welsh Verse* a gyhoeddwyd yn 1962. Y mae yn y detholiad, meddai, lawer o 'weinidogion a fu farw yn y ganrif hon ond faint o ganu UNIONGYRCHOL GREFYDDOL sydd ganddynt? Fe synnech gyn lleied.' Fe'u henwa: Moelwyn, Elfed, J. J. Williams, Silyn, Dyfnallt, Wil Ifan, William Morris, William Jones Tremadog. Yna dywed: 'I'w bregethau y dylai cyffro mawr enaid pregethwr fynd; achlysurol yw ei waith fel bardd. Eithriad yw cael y ddau.' A'r unig enghraifft o fardd a chanddo'r ddau gyffro a enwa yw John Donne.

Yr oedd John Donne, fel John Keats, yn un o'i gyfeillion, ond y John iau oedd ei gyfaill llenyddol pennaf ymhlith y Saeson. Darllenai a dyfynnai ei lythyron yn ogystal â'i gerddi, a phuprai ei sgyrsiau ar farddoniaeth gyda'i sylwadau synhwyrlon. Y beirdd Saesneg cymharol ddiweddar a ddarllenai ac y traethai amdanynt oedd Siegfried Sassoon, John Drinkwater a Wilfred Owen; a darllenai feirniadaeth lenyddol Robert Lynd. Dyma'i bobl. Yn ei ddarlithoedd ar "Y Delyneg", "Y Delfryd Telynegol" a "Datblygiad y Delyneg", at y beirdd hyn y cyfeiria, ac at Williams Pantycelyn a Cheiriog ac Eifion Wyn a Williams Parry. Y mae fel petai'r Modernwyr mawr – hyd yn oed T. S. Eliot a T. H. Parry-Williams – wedi mynd o'r tu arall heibio i'w fyfyrgell ef.

(iii) Ymadael heb ymadael

Ar gerdyn Nadolig 1958 yr ysgrifennodd William Jones Tremadog, Billa, chwedl ei gyfeillion, y pennill nodweddiadol gryno-felys i ganmol *Cloch y Bwi* a ddyfynnais gynnau. Diau iddo weld eisiau cwmnïaeth John Roberts ar ôl iddo ef a Jessie adael Porthmadog, ond ysgrifennai ato'n weddol gyson, ac aeth i'r Bala i aros yn yr Annedd Wen o leiaf unwaith. 'A oes bregeth ar y gweill?' gofynna mewn llythyr ddiwedd 1957. 'A yw Niclas yn dal i gwyno?' (Yr oedd James Nicholas wedi cael ei daro gan lid y pendics a hwnnw wedi troi'n beritonitis, a bu John Roberts yn ymweld ag ef yn Ysbyty Maelor.) 'A fuoch yn darllen *Cerddi* Euros Bowen? Beth yw eich barn?' Y 12fed o Dachwedd 1958 y mae'n ysgrifennu'n ddoniol i ddisgrifio'i bregethu yn y Capel Coffa y Sul cynt: 'Ni chlywyd y fath beth yno, wrth gwrs, er pan fûm yno o'r blaen, y lle yn llawn ac yn boeth a'r merched yn llewygu.' Capel Trebor Roberts oedd y Capel Coffa, fel y cofir. Yr oedd ef a'i wraig, ebe William Jones, yn hiraethu'n arw ar ôl John a Jessie: 'Dywedasant eu bod wedi cau y bwlch yn y gwrych – â thristwch yn eu llais.' Ganol Rhagfyr 1960 nid am ffug-boethder nac am hiraeth yr ysgrifennai, ond am ddau o'i ddiddordebau mawr, oerfel yn gyntaf, 'pawb yn rhodio oddi amgylch â phibonwy yn crogi oddi wrth eu trwynau', a'r awen yn ail:

'Yr ydych yn *cael hwyl* ar englyna – "Angel luniwr englynion." Bydd Dewi Arfon wedi colli'r flaenoriaeth yn fuan iawn.' Megis i ddatgan yn ogleisiol nad oedd yntau ymhell ar ôl, y mae'n cynnwys yn yr amlen englyn (digon gwan) o'i waith ei hun i Judith (a roes liw yn ei gwallt):

Odiaeth o ferch yw Judith – a lliw teg
Ei gwallt du sy'n fendith;
Un gain o'r puraf gwenith
Heb eiliw us yn ei blith.
(Odl bur anodd!)

Chwe wythnos yn ddiweddarach yr oedd William Jones, yn drigain a phedair oed, yn ei fedd, a John Roberts yn talu teyrnged i'r 'bardd bonheddig' yn ei angladd.

Yr oedd John Roberts eisoes wedi colli un arall y bu'n gymdogol agos ato, ac un y rhannodd bulpud ag ef droeon, sef Tom Nefyn Williams. Er na fuasai'n gyfaill mor glòs at Tom Nefyn ag y bu at William Jones, buasai'n edmygydd ohono – o'i gariad at waith y deml, chwedl ei ysgrif goffa iddo yn *Yr Herald Cymraeg*, 15 Rhagfyr 1958, ac o'i gariad at weithwyr y tu allan i'r deml, sef y ddeubeth a'i 'sbardynnai ac a'i hysbrydolai drwy'i fywyd i'w roddi ei hunan yn llwyr i'r naill a'r llall mewn gwaith hyd y diwedd.' O soned gan R. Williams Parry y tynnwyd y cyfeiriad hwn at y deml, y soned "Y Cyrn Hyrddod" sy'n disgrifio Tom Nefyn a'r heddychwr mawr George M. Ll. Davies (y cyfarfu John Roberts ag ef yng nghartref Tom Nefyn yn y Gerlan gynt) fel y 'tenau ffyliaid hynny a roes mor hael | O'u rhyddid ac o'u hienctid ac o'u hedd' i ennyn dim ond dirmyg. Ynfytyn ydoedd, ebe John Roberts ymhellach, ond 'ynfytyn dros Grist', eithafwr yn ei 'eithafrwydd ffôl' fel dringwr 'yn ymgrafu ar y llethrau cribog mewn ymchwil am awyr ddilychwin.' Y clod uchaf a allai ei roi i'r ymadawedig, ebe fe, oedd dweud mai pregethwr ydoedd 'ymlaenaf oll', pregethwr a ddefnyddiai bopeth, ystum corff, llais, dychymyg, a geiriau, a hynny'n 'ddramatig a theatrig', 'i bwrpas cael y gwir drosodd.' Ailadroddodd rai o'r pethau hyn yn yr erthygl a anfonodd at y Parchedig Eliseus Howells i'w chynnwys yn rhifyn Ebrill 1959 *Y Drysorfa*, rhifyn coffa Tom Nefyn Williams. Yno dywed John Roberts na all feddwl am 'yr un pregethwr er dyddiau Howel Harris ... a gerddodd fwy, yn ystyr lythrennol y gair,' nag ef: cerddodd, meddai, am fod cerdded yn rhoi cyfle iddo i weini 'nas caffai wrth foduro'. Fel yn *Yr Herald Cymraeg* y mae yn *Y Drysorfa* hefyd yn ei gymharu â rhai o'r mawrion anghyffredin eu tân, Thomas John Cilgerran, John Elias, Matthews Ewenni, ac S. T. Jones y Rhyl.

Dyfynnais yn gynharach yn y bennod hon o lythyr a ysgrifennodd Llwyd o'r Bryn at John Roberts yng ngwanwyn 1961. Ymhen ychydig yr oedd y Llwyd yntau yn ei fedd. Yng Nghapel Tegid ar yr 2il o Fehefin 1962 John Roberts oedd llywydd y cyfarfod teyrnged a gynhaliwyd iddo, cyfarfod a ddilynwyd y noswaith honno gan gyfarfod i ddadorchuddio cofeb i'r pregethwr a'r diwinydd dall, Dr Puleston Jones, ar ganmlwyddiant ei eni. Llwyd o'r Bryn yn gymeriad mawr, Puleston i John megis sant. Lluniodd hir-a-thoddaid ac englyn i ddisgrifio'r naill ac englyn i ddisgrifio'r llall. Dyma'i Lwyd:

> Ei air yn uchel, a'i stori'n iechyd
> Wrth in ei glywed o'n ei dywedyd;
> Ei haelaf addurn i hen gelfyddyd
> Ein hiaith fu'i afiaith a'i BETHE hefyd;
> Mawrhâi ei Gymru o hyd: 'steddfodau
> A berw ei gwyliau oedd brig ei olud.

Ond Llwyd mud ydyw'n awr:

> Iechyd ei *Sut ma'i* uchel, a'i nwyd o
> Nid ŷnt yn yr awel; ...

A dyma'i Buleston:

Er na welai, rhodiai'n rhydd, â'i hoff wên
Yn heulwen heolydd:
Yn ei wlad, hedd weledydd
A welai Dduw'n haul ei ddydd.

Yr oedd llywyddu'r cyfarfodydd hyn gyda'r pethau olaf a wnaeth John Roberts fel gweinidog Capel Tegid. Yr oedd wedi cyhoeddi'i ymadawiad mor gynnar â Chwefror 1962. 'Clywaf fod siomedigaeth fawr yn y Bala – a phob man,' ebe Haf Hughes Parry wrtho mewn llythyr o Lanuwchllyn. Ni buasai yno'n hir iawn. Pum mlynedd fer, pum mlynedd wibiog wych. Dywedaf iddynt fod yn wych am iddo ef ei hun yn un o'i nodiadau bywgraffyddol ddatgan mai cyfnod y Bala oedd 'tymor mwyaf proffidiol fy ngweinidogaeth'. Pam ymadael, ynteu? Yr oedd ei braidd yn ei werthfawrogi, yr oedd ganddo flaenoriaid rhagorol, yr oedd y wlad o gwmpas yn ymhyfrydu yng nghyfoeth ei gyfraniad i'w bywyd ysbrydol a diwylliadol, yr oedd ef yn hapus yno, ac yr oedd yr un wefr iddo mewn cyfarfodydd pregethu ledled Cymru â chynt. Pam mynd? gofynnaf drachefn. Fel y celodd John Roberts ym mlynyddoedd ei ieuenctid ei resymau dyfnaf dros fynd i'r weinidogaeth, a gelodd yn ei ganol oed eto ei resymau dros ymadael â'r Bala? Yr unig nodyn ar y pwnc a welais i yn ei bapurau oedd nodyn yn dweud bod arno hiraeth am y môr, bod llyn yn iawn yn ei le ond nad oedd llyn yn fôr. Ond a oedd hynny'n ddigon o reswm dros ddewis mynd yn weinidog hyd yn oed i eglwys hanesyddol Moriah Caernarfon na wyddai odid ddim am ei chymeriad diweddar (ac eithrio fel ymwelydd) a gadael gogoniant Tegid a Thomas Charles? Efallai – efallai – ei fod. Un amser cinio yn ystod y misoedd y bu Dr Ian a Mrs Helen Roberts yn lletya yn yr Annedd Wen gwelsant John Roberts yn byseddu llyfr bychan du, ei lyfr cyhoeddiadau yn eu tŷb hwy. 'Methu cofio lle'r ydach chi'r Sul?' gofynnodd y meddyg iddo'n gellweirus. Nage, llyfr y *tides* oedd ganddo. 'Eisiau gwybod pryd y mae hi'n llanw mawr yn Llanbedrog,' ebe'r gweinidog. Eisiau mynd i gasglu broc môr yr oedd, neu o leiaf eisiau cymryd arno fynd i gasglu broc môr. Dyma'r nodyn a welais am dynfa'r môr:

> Diffyg "bywyd" a deimlais i bob tro yr arhosais ar lan llyn, er imi weld Llyn Tegid yn cael ei gorddi gan storm o wynt droeon. Er hynny ni theimlwn mai ei gynnwrf ef ei hun oedd ei gynnwrf. Aflonyddwch "allanol" ydoedd rywsut. Teimlais beth tebyg mewn cyfarfod pregethu cyn hyn. Efallai fod y pregethwr wrthi hi'n llafurus a chynhyrfus iawn, ond ni lwyddai i'm cyffwrdd, a hynny am na chredwn fod y cyffro'n codi o ddyfnder enaid y pregethwr ei hun. Y mae gan y môr enaid. Y trwbwl efo'r llyn ydyw na chadwynwyd mohono wrth y lleuad.

Ac at y môr yr aeth.

Ond nid âf ag ef i'w ofalaeth newydd yn nhref Caernarfon heb gael sôn unwaith yn rhagor amdano'n pregethu yng Nghapel Tegid – yn 1967, pan ddringodd i'w hen bulpud uchel ar ddau achlysur o bwys. I'r Bala y perthyn y pregethu hwn, i'r Bala ac i draddodiad y Bala. Y cyntaf o'r achlysuron yw hwnnw ym Mehefin 1967 pan bregethodd yno ar y cyd â'i ragflaenydd, y Parchedig T. Gwyn Jones, yng nghyfarfodydd dathlu canmlwyddiant yr adeilad pesennol. A'r ail yw'r tro y pregethodd yno y Sul cyn agor o'r Eisteddfod Genedlaethol yn Awst 1967, a'r BBC yn darlledu'r gwasanaeth, a oedd o dan arweiniad ei olynydd fel gweinidog, y Parchedig Huw Jones, yn fyw.

Yr oedd yr ail achlysur yn achlysur y daliodd John Roberts ei arwyddocâd i'r dim. Fel y nodais, y Sul cyn

Prifwyl y Cymry oedd hi, Sul dyfod y genedl, ys mynn rhai, ynghyd, Sul fel y Suliau gynt pan ddeuai'r miloedd Methodistaidd at Thomas Charles. Yr oedd 1967 hefyd yn bedwarcanmlwyddiant cyhoeddi Testament Newydd yr Esgob Richard Davies a William Salesbury. Yn gwbl addas, pregethodd John Roberts ar I Pedr 2:9:

> Eithr chwychwi ydych rywogaeth etholedig, brenhinol offeiriadaeth, cenedl sanctaidd, pobl briodol i Dduw; fel y mynegoch rinweddau'r hwn a'ch galwodd allan o dywyllwch i'w ryfeddol oleuni ef.

Dyma destun, ebr ef, sydd fel mosaig ysgrythurol, fel brithliw Beiblaidd, yn yr hwn y clymwyd ynghyd nifer o frawddegau o'r Hen Destament ac y rhoddwyd iddynt ystyr ac egni newydd. Er na ddywedodd ef hynny, dyma destun hefyd y byddai awduron a phregethwyr o Gymry gwlatgar o'r unfed bymtheg ar ganrif i lawr yn cymeradwyo pregethu arno, Richard Davies a William Salesbury, Charles Edwards, Islwyn, Gwenallt. Paham, tybed, y meddyliodd y gennad yn 1967 fod diben annerch cenedl y Cymry yn yr un modd ag yr anerchasai'r mawrion hyn hi, a thrafod pwnc oesol anodd, pwnc hanfodol fytholegol y genedl etholedig? Er ei fod yn genedlaetholwr ni roddodd John Roberts achos i neb dybied ei fod o'r farn fod Cymru'n genedl ragorach na'r un genedl Gristionogol neu ôl-Gristionogol arall. Doedd hi ddim, wrth gwrs. Ond ar achlysur mor nodedig, fe'i cyffrowyd i draethu ar un o bynciau mawr yr Hen Destament, gyda hen ffydd ond gyda swrn o synnwyr yr ugeinfed ganrif. Dyheu am ragoriaeth y Cymry yr oedd y pregethwr, nid datgan ei bod. Apêl sydd ganddo, nid clod.

Brawddeg gyntaf ei bregeth oedd 'Daeth yr Eisteddfod i dre'r Sasiwn.' Dyna briodi'n diwylliant a'n crefydd yn syth. 'Yn wir,' meddai, gan uno eto y Brifwyl a Methodistiaeth, 'cyhoeddwyd hi ar *Green* enwog y Sasiynau y llynedd, ac y mae'r briodas yn un hapus.' 'Bro groesawus i grefydd a diwylliant ein gwlad yw Penllyn. Bro' – a dyma ddod â'i hoff Williams Parry i'w bregeth yn gynnar – 'Bro fel Dydd Gwener i athro ysgol. Cofiwn eiriau prifardd-brifathro'r Sarnau gynt:

> Pan oeddwn ym Mhenllyn yn mil naw un tri,
> Dydd Gwener oedd pob dydd o'r flwyddyn i mi.'

Gan fynd at ei destun, noda fod ynddo ddau gwestiwn sy'n 'holl bwysig i genedl wâr': '(a) Beth yw gwaith Duw ynom ac arnom?' a '(b) Beth yw ein gwaith ni dros Dduw a thros eraill?' Mewn geiriau eraill, 'beth yw ein cymeriad a beth yw ein cenhadaeth?'

Cymeriad y genedl yw pen cyntaf ei bregeth, ynteu, sef ein 'rhywogaeth etholedig'. Ag etholedigaeth yn bwnc tramgwyddus i nifer o bobl yn y Gymru oedd ohoni, dywed y pregethwr mai 'Gair atgas i lawer yw'r gair etholedig, – gair a gam-esboniwyd ac a gam-ddeallwyd. Syniad llawer un ydyw fod Duw megis teyrn creulon â chanddo ei ffefrynnau, a'i fod yn ochri rhai er mwyn rhannu bendithion iddynt ar draul esgeuluso eraill – druain ohonynt!' Gan ddyfynnu o Gyffes Ffydd yr Hen Gorff, dywed ar y naill law nad yw 'etholedigaeth gras yn drygu neb' ac ar y llall 'na buasai gadwedig un enaid... oni buasai etholedigaeth gras'. Peth amheuthun o bulpud y capeli traddodiadol Anghyddffurfiol oedd traethu diwinyddol fel hyn yn 1967:

> Diogelu dianwadal garictor Duw, a'i ddyrchafedig garedigrwydd Ef a'i ras, a wna etholedigaeth, a sicrhau fod ei ewyllys Ef yn ben. Etholedigaeth ER GOGONIANT I DDUW yw'r unig etholedigaeth gwerth meddwl amdani. Etholedigaeth yw galwad proffwyd,

ond yr etholedigaeth berffaith yw Iesu Grist. Fel y dywedodd John Calfin, Iesu Grist a etholwyd i leddfu digofaint Duw â'i aberth, ac i ddiddymu ein pechodau â'i ufudd-dod:

> Ethol meichiau cyn bod dyled,
> Trefnu meddyg cyn bod clwy, ...

Disgrifiad arall o'r genedl yn y testun yw 'brenhinol offeiriadaeth'. 'Awgryma'r gair,' ebe John Roberts, 'URDDAS a STATWS.' 'Gwasanaethyddion brenhinol ydym. Rhywogaeth etholedig i wasanaeth brenhinol.' 'Cenedl sanctaidd' ydym, ys mynn y testun eto, 'cenedl arbennig, yn cynnwys pobl yn gweld gwerth ymgysegru, a chadw ei charictor yn lân.' 'Pobl briodol' hefyd, '"Pobl sy'n briodoriaeth" yn ôl yr Esgob Davies yng nghyfieithiad 1567. Pobl yn perthyn i Duw. ... Gwyn fyd na welem ni'r Cymry ein bod yn bobl BRIODOL i Dduw!'

A dyna grynhoi'r apêl ar i'r Cymry fagu'r cymeriad sy'n nodweddu cenedl nodedig, pen cyntaf y bregeth. Eir wedyn at yr ail ben, sef ein cenhadaeth.

'Traethu i maes', meddai John Roberts, yw'n cenhadaeth, 'mynegi, gwneud yn hysbys trwy ganmol.' Mynegi beth? Mynegi'r goleuni tragwyddol a geir yn Nuw, 'mynegi rhinweddau yr Hwn a'n galwodd o dywyllwch i oleuni'. –

> *Tywyllwch anwybodaeth, tywyllwch pechod, tywyllwch marwolaeth,* dyna nos y byd hwn.

Gan alw i gof y rhai ym Mhenllyn a geisiodd oleuo'r tywyllwch hwn, y mae John Roberts o bulpud Capel Tegid yn canmol ymdrechion dysg ddisglair Caer Gai, lle trigai Rowland Vaughan, y mae'n mawrygu Thomas Charles fel llusern i'w wlad, y mae'n disgrifio Coleg y Bala fel goleudy canrif, ac y mae'n ymhyfrydu yn y goleuni i'r werin a ddaeth drwy O. M. Edwards Coed-y-pry. At hynny, dywed mai ymdrech 'i ddelio â thwllwch PECHOD fu Sasiynau'r Bala o'r dechrau, ac nid ofer yr ymdrech.'

Eithr yn y fan hon, yn agos i'w huchafbwynt, y mae'r bregeth, er gwell, er gwaeth, yn peidio â bod yn bregeth am y genedl etholedig – ac yn troi i fod yn bregeth am werth tragwyddol yr efengyl i bob cenedl. Y mae'n troi'n bregeth am y goleuni y mae'r efengyl yn ei fwrw ar dywyllwch marwolaeth, am 'y golau rhyfeddaf oll' a geir yn yr Atgyfodiad. Y bedd 'yn wag, yn wag o bopeth ond golau!' ''Doedd yr Iesu ddim yno, ond 'roedd yno OLAU!' Yn nodweddiadol, dyfynna John Roberts bennill o emyn yn y fan hon, y pennill o emyn o waith Thomas William Bethesda'r Fro sy'n dweud: 'Mae'n olau, fe rwygwyd y llen, | Fe gododd ein Harglwydd i'r lan ...'. Yn annodweddiadol, y mae'n diweddu ei bregeth gyda stori, stori'r wraig honno'n tywys y Dr Herber Evans o'r capel i'w thŷ, ei lety dros nos, ac yn dweud wrtho fod ganddi 'hen lantern fach, bur hen, ac aml dolc arni, ond *mi goleuith* ni adra'.'

Hyd yn oed ar ddechrau wythnos yr Eisteddfod yr oedd yr efengylydd yn John Roberts yn drech na'r cenedlaetholwr.

Pennod 6

'MURIAU HOFF MORIAH AETH ...'

Dywedais mai yn apeliadol y pregethodd John Roberts ei bregeth ar y genedl etholedig yn 1967. Er bod digon o farddoniaeth, caneuon protest, a hyd yn oed ganeuon pop cyfoes yn lleisio'r dybiaeth fytholegol fod Cymru Fach yn ail Israel, sentimental, ofer, ffôl ac amddiffynnol yw'r dybiaeth wirion honno. Yr oedd y Gymru a fu drwy'r ddeunawfed ganrif a'r bedwaredd ganrif ar bymtheg – i *ryw* raddau, ac i *ryw raddau'n unig* – yn wlad y diwygiadau bellach wedi peidio â bod. Yr oedd y Gymru ysbrydol optimistig a helaethodd ei chapeli tua diwedd Oes Victoria a chyda thro'r ugeinfed ganrif hefyd wedi peidio â bod. Eto, fel y gwelsom yn mywyd John Roberts ei hun hyd yma, ac fel y gwelem ped edrychem ar fywydau pregethwyr nodedig eraill a oedd yn eu blodau yr un pryd ag ef, yr oedd mynd o hyd ar rai agweddau ar fywyd Cristionogol Cymru, a mynd go lew ar gymanfaoedd pregethu. Yn fy nglaslencyndod treuliais i sawl Nos Sadwrn, heb sôn am fyrdd o Suliau, mewn cyrddau mawr yn nghapeli Annibynnol a Methodistaidd Dyffryn Aman a Chwm Tawe yn gwrando gwroniaid da y Gair, Morgan Jones Abercwmboi, R. J. Jones Caerdydd, Dr Martyn Lloyd-Jones Llundain, R. H. Williams Chwilog, T. Glyn Thomas Wrecsam, ac eraill, ifancach, J. Eirian Davies yr Wyddgrug, Gwyn Erfyl Jones Trawsfynydd. Ac yr oedd y bri a roddid ar yr oedfeuon hyn a'r pregethwyr hyn a'u tebyg o hyd yn ddigon i beri i'r glaslanc ei hun ddyheu am gael dringo i bulpudau a thraethu gerbron y bobl.

Eithr yr oedd y byd cymanfaol hwnnw wedi hen hen droi. Yn yr anerchiad a luniodd John Roberts i flaenu Adroddiad Blynyddol Capel Tegid am 1959, parodd i 'Thomas Charles' nodi bod cynnydd mawr yn 'nhrafnidiaeth' y Bala, a chynnydd yn 'nhraffig y Gŵr Drwg' ym Mhenllyn. Gellir cymryd yr ymadroddion hyn i olygu cynnydd pechod yn gyffredinol, ond tybiaf eu bod yn gyfeiriadau mwy llythrennol, sef yn gyfeiriadau at y cynnydd mewn ceir modur, mewn mynd am dro mewn ceir modur, ac mewn esgeuluso'r moddion oherwydd hynny. Cofier bod 'Thomas Charles' yn yr un brawddegau yn poeni am 'golli'r Sul' Cymreig. Peiriannau'r fateroliaeth ddiweddaraf oedd y ceir modur masgynyrchedig hynny, y fateroliaeth a ddaethai i roi ychydig o gysur a hamdden i'r bobl gyffredin a ddioddefiasai brinder a dogni yn ystod yr Ail Ryfel Byd a'r blynyddoedd dilynol, ac a barodd iddynt holi – heb holi'n ddwfn iawn – beth oedd wedi'u cadw wrth gapel ac eglwys gyhyd.

Yn yr Ail Bennod uchod, wrth drafod beth a barodd i weinidog John Roberts yn Llanfwrog yn 1928 ei rybuddio rhag mynd i'r weinidogaeth, trafodais y newidiadau deallusol a ddaeth i darfu ar enaid Oes Victoria, yr Uwch Feirniadaeth ar destun y Beibl a ddaethai i fwrw amheuaeth ar Awdurdod y Gair, y darganfyddiadau mewn daeareg a bioleg a fwriodd amheuaeth ar stori'r Creu, y dyfaliadau athronyddol rhyddfrydol a oedd yn bwrw'r athrawiaethau diwinyddol traddodiadol i'r cysgod, a chanlyniadau dieithr y chwyldro diwydiannol. Crybwyllais hefyd y difrod ysbrydol enbyd a achosodd y Rhyfel Mawr, yr argyfwng ystyr a'r argyfwng economaidd a'i dilynodd, yr ymdrafod a fu ymhlith diwinyddion a gwleidyddion a chymdeithasegwyr fel ei gilydd ynghylch ffyniant ysbrydol y bobl, a'r pwys a roddwyd ar brofiad rhagor na datguddiad.

Awgrymu y mae'r tueddiadau hyn i gyd ddirywiad cyson, os araf, mewn addoli. Ymhlith y rhelyw o gapelwyr yr oedd teyrngarwch yr hen werin i'r Ffydd Ddiffuant, na ddeallai mohoni'n fanwl ond a gredai ynddi'n fawr, wedi troi'n habit ar y gorau. Yn y blynyddoedd rhwng y ddau Ryfel Byd ac wedyn, pan oedd byw bob dydd yn galed i weithwyr cyffredin, daethai Cristionogaeth i lawer o aelodau'r capeli fel soffa dreuliedig, yn oresmwyth ac yn orgartrefol. Deuai pobl i wrando pregethwyr fel cynt, nid o raid am eu bod yn anfonedig nef ond am ei bod yn bleser gwrando arnynt. ''Roedd gennyf bregeth ar "Jwdas" nos Sul diwethaf,' ebe John Roberts wrth ei rieni mewn llythyr dyddiedig yr 20fed o Chwefror 1953 (soniais amdani yn y Bedwaredd Bennod uchod): 'Clywaf sôn am y bregeth hon. Dywedodd un wrthyf ei fod yn teimlo fy mod yn ei ddisgrifio ef ynddi. Y drwg yw fod y bobl yn canmol fy mhregethau heb symud eu neges at eu calon.' Yn lle sêl grefyddol, yr oedd rhyw selni crefyddgaraidd. Un o'r pwyntiau syml a wna'r Athro Densil Morgan yn ei lyfr ar grefydd a chymdeithas yng Nghymru'r ugeinfed ganrif yw bod gwrando pregethau a chanu emynau wedi mynd yn ddifyrrwch yn hytrach nag yn weithred o addoliad, a bod hynny o ysbrydolrwydd a oedd yn weddill ymhlith aelodau'r capeli bellach yn ysbrydolrwydd anwybodus.

Yn ail hanner yr ugeinfed ganrif yr oedd y rhan fwyaf o bobl yr un mor anwybodus o bethau crefydd ag oeddynt o'r gwyddorau a ddiffiniai'r bydysawd. Ond fel y dywed Dr Dafydd Wyn Parry yn ei gyfrol *Crefydd a Gwyddor*, 2006, yr oedd yn haws ganddynt geisio deall y gosmoleg newydd na cheisio dirnad 'sut y mae'r Groes yn dileu pechod neu sut y gellir egluro gwirionedd mawr y Drindod'. Pwynt teg

Dr Parry yw bod athrawiaethau'r Ffydd a diwinyddiaeth yn fwy dieithr i'r rhelyw na mathemateg neu astroffiseg.*

Tueddir i gysylltu'r newidiadau a gafwyd mewn moesoldeb yn y chwedegau, y *swinging sixties*, sef pan symudodd John Roberts i Gaernarfon, gyda'r ifanc. Ond yr oedd achos y newidiadau hynny'n ymwneud â phethau heblaw ymddygiad a golygweddau'r ifanc. Heriwyd awdurdodaeth fel y cyfryw. Heriwyd yr hen agweddau llym at foesoldeb, agweddau heb sail iddynt yn ôl y rhai a'u heriai. Heriwyd rhagrith y biwritaniaeth bupuraidd a gysylltid â chrefydd arwynebol, y grefydd arwynebol a oedd mor dreuliedig-denau â neisrwydd parchus. O, âi'r Cristionogion i'r capel, ond a feddyliai'r capelwyr am *Dduw*? A ddalient i ystyried nefoedd yn wobr ac uffern yn gosb? Neu a gollodd y naill le ei lewyrch fel y collodd y llall ei ofnadwyaeth? A oedd cysylltiad di-dor rhwng eu haddoli a'u byw? Heb os, yr oedd crefydd draddodiadol wedi ymlâdd, ac yn eu blinder ni wyddai'r eglwysi sut i ymegnïo. Tystiolaeth o'r diffyg dwfn hwn yng Nghymru yw'r holl sŵn a sôn a fu oddeutu 1955 tan 1965 am uno'r enwadau, sŵn a sôn nad esgorodd ar odid ddim o werth achubol mawr.

At hyn y dôf. Er mai yn ystod Oes Victoria y daeargrynwyd yr Eglwys Gristionogol yn Ewrop fodern, yng Nghymru fel yng ngweddill Prydain yn ystod Oes Elisabeth o Windsor y mawr ymdeimlwyd â'r dirywiad a'i darostyngodd. Dyna pryd y peidiodd Cristionogaeth dra-arglwyddiaethu ar fywyd yn gyffredinol, sef pan gollodd ei gafael ar ethos yr oes, ar feddwl a chalon pobl yn gyffredinol, ac yn y wladwriaeth ar y cyfreithiau a reolai

* Gyda llaw, yr un Dafydd Wyn Parry yw hwn â'r un a gofia John Roberts yn dod gyda'i dad i Ynys Cybi i nôl lloi gwryw i'w cludo i ffarm y Penrhyn yn y dauddegau.

sensoriaeth, ysgariad, Sabotholrwydd, erthylu, ac yn y blaen. O hynny ymlaen, er cynnal priodasau, bedyddiadau ac angladdau mewn capeli, ni fennodd crefydd fel y cyfryw odid ddim ar fywydau'r mwyafrif o bobl.

(i) Cyflwr Moriah Caernarfon

O ystyried hyn oll nid rhyfedd i John Roberts, ymhell cyn gadael y Bala, ddatgan fod 'yr Eglwys heddiw'n ymddangos fel *wreck*, yn enwedig i'r ifanc.' Y rheswm dros ei bodolaeth, meddai wrth annerch cynulleidfa ym Meifod ar "Natur Eglwys", oedd bod yn gymdeithas o addolwyr, yn gymdeithas â Duw yn gyfrifol amdani, yn gymdeithas deyrngar i Iesu Grist. Ei chenhadaeth o hyd oedd mawrhau Duw, dysgu, disgyblu a goleuo ei haelodau, ac, yn ei pherthynas anodd â'r byd, ei argyhoeddi o wirionedd yr efengyl. Ond yr oedd ei gallu i ddylanwadu ar ei haelodau ei hun, heb sôn am y byd y tu allan iddi, yn wan iawn iawn erbyn hynny.

Wrth ysgrifennu gair o groeso i weinidog newydd Moriah Caernarfon yn *Y Goleuad*, y 29ain o Awst 1962, dywedodd y Parchedig W. Brothen Jones fod y dref ar lan y Fenai yn gyfarwydd iawn â llanw a thrai. Ond heddiw, meddai, 'mae yn fwy o drai nag o lanw' ar eglwysi Arfon. O'r dechrau, goslef ddigalon sydd i'r anerchiadau a luniodd John Roberts i Adroddiadau Blynyddol eglwys Moriah, yn union fel petai rhyw leithder wedi llwydo'i ysbryd pan gyrhaeddodd yno. Yn yr anerchiad yn yr Adroddiad am 1966, ar ôl canmol yr aelodau am glirio'r gost ar y twymydd newydd a roed yn y capel ac ar y gwaith ar y *dry rot* yn Nhŷ Fry, tŷ'r gweinidog, y mae'n datgan mai 'ofer cael twymydd newydd yn ein haddoldy oni fydd addolwyr o fewn i'w furiau, a'r rheini'n addolwyr y Tad mewn ysbryd a gwirionedd.' 'Aeth tôn ysbrydol ein heglwysi'n isel,' ebe fe, 'aeth hyd yn oed ein crefydd yn faterol.' Y mae'r casgliadau'n uchel, y mae'r aelodau'n hael; ond hael yn eu habsen yw llawer ohonynt. A chan eu ceryddu â choegni, sy'n beth anarferol ganddo ef, y mae'r gweinidog yn synnu bod 'cynifer yn rhoi mor hael a hwythau'n derbyn cyn lleied wedi'r holl roddi.'

'I ba le'r aeth y bobl?' gofynna. Yr oedd yn agos at bedwar cant o aelodau yn yr eglwys pan aeth yno, ac ychydig dros drigain o blant ar gofrestr yr Ysgol Sul. Ymhen pedair blynedd gostyngodd nifer yr aelodau i 374. Yn 1967 ni dderbyniwyd neb yn gyflawn aelod 'o had yr eglwys'. Megis i leddfu'i siom, mynn y gweinidog mai 'ofer derbyn er mwyn derbyn', yn bennaf am fod yn rhaid i bawb a ddaw at Iesu Grist barchu'r 'egwyddor fawr sydd ynghlwm wrth y ddau air AELODAETH EGLWYSIG.' 'Ni chredwn,' ebr ef, 'fod yr efengyl yn gweithio'n otomatig: yn hytrach rhaid iddi gael ei phregethu, ei gwrando a'i derbyn cyn ei bod yn effeithiol er iachawdwriaeth.' Ond a oedd clustiau'n gwrando? A oedd calonnau'n derbyn? Prin. Y mae'r anerchiad a geir yn yr Adroddiad am 1971 mor fyr fel y gellid tybied bod John Roberts wedi anobeithio'n llwyr. O'r tri pharagraff, yr ail yw'r hwyaf:

> Beth sydd gan y deng mlynedd olaf i'w dangos? Dywed nad yw pethau'n dda arnom, er ein bod yn llwyddo i dalu'n ffordd. Ynfytyn yw'r sawl nad yw'n sylwi ar arwyddion yr amserau yn ein plith. Llai sy'n dyfod i glyw'r Efengyl, llai yn dod i weddïo, llai yn malio fawr am yr hen drefn o grefydda yn ôl patrwm y tadau. ... Y gwir plaen ydyw, er pob cynnydd mewn gwelliannau cymdeithasol, a phosibilrwydd byd braf a helaethwych beunydd, i'r gors y mae ein gogwydd.

Erbyn 1973 gostyngodd rhif yr aelodaeth i 350. Eithr prin drydedd ran o'r aelodau a welid ar y Sul, a maentumiai John Roberts fod 'hyd yn oed rhai o'r ffyddloniaid yn tueddu i lacio gafael.' Oedd, yr oedd nifer ohonynt yn hen ac yn llesg, yr oedd nifer mewn colegau ac yn gweithio oddi cartref, ond yr oedd 'nifer helaeth o wrthgilwyr, neu led-aelodau, ... a dyma'r elfen fwyaf annymunol oll ... o'm safbwynt i fel gweinidog.' Y prif reswm am y gwrthgiliad yw 'ein bod wedi mynd yn wan ein ffydd Gristionogol.' Nid oes rheswm nac esgus arall. Y mae pawb, meddai, yn siŵr o ddilyn ei ddiddordeb mewn unrhyw gylch arall ar fywyd 'yn eithaf selog, boed waith, chwarae, hobi, cartref neu deulu.' Y gwir plaen amdani yw nad crefydd 'yw *delight* y bobl mwyach'.

O ddechreuad ei weinidogaeth ym Moriah, yn ogystal â'i anerchiad yn yr Adroddiad, ysgrifennai'n flynyddol at ei holl aelodau Lythyr y Cynhaeaf, llythyr yn eu hannog i ddod i'r moddion adeg Diolchgarwch ac i gyfrannu at gasgliadau'r Diolchgarwch. Yn Llythyr y flwyddyn 1972 y mae'n dweud iddo fod yn darllen yn ddiweddar Adroddiadau'r eglwys am y blynyddoedd oddeutu'r Rhyfel Mawr. Y gweinidog yr adeg honno oedd y Parchedig David Hoskins. Gallai ef ddweud yn 1913 fod cynnydd yn rhif yr eglwys a bod llewyrch ar ei holl weithgareddau. 'Dyddiau braf i weinidog yn ysgrifennu *cyn* 1914,' ebe John Roberts. Yna daeth y Rhyfel Mawr â'i alanastra. Dywedodd David Hoskins yn 1921 na allai 'dim fod yn yr Adroddiad hwn am bethau mwyaf mewnol yr eglwys. Nid oes colofn ar gyfer ei dagrau, ei hocheneidiau, ei gweddïau, a'u dyheadau.' Y gweinidog yn 1972 yn olrhain y dirywiad ddiweddar biau dweud: 'Bu chwalfa rhwng 1914 a 1918, ac ni wnaeth yr ail ryfel byd ddim ond dwysáu'r sefyllfa, a llenwi'r gostrel ddagrau o'r newydd.' Yna, gan droi dail y blynyddoedd yn ôl i 1913/1914 unwaith yn rhagor, dyry John Roberts restr o'r pregethwyr rhagorol a ddringai i bulpud Moriah y pryd hwnnw, pregethwyr y bu rhai ohonynt ar y tudalennau hyn o'r blaen: J. H. Williams Porthaethwy, W. R. Owen Bethesda, Thomas Charles Williams Porthaethwy, S. T. Jones Bae Colwyn (y Rhyl wedyn), Thomas Williams Caergybi a Gwalchmai, David Williams Aberystwyth, a John Williams Brynsiencyn. 'Cyn y dagrau, fe fu gorfoledd,' ebr ef. A dyma fel y dwg Lythyr y Cynhaeaf 1972 i ben: 'Teimlaf fy mod yn perthyn yn nes i'r dyddiau goleulon gynt nag i'r amseroedd cymysglyd presennol.' Y mae ing hiraeth ac anobaith yn y datganiad hwn.

Dyddiau digalon oeddynt yng ngolwg pawb bron. Yn 1964 pregethodd John Roberts bregeth deledu y defnyddiodd ynddi'r un troad-ymadrodd ag a ddefnyddiasai Brothen Jones am eglwysi Arfon yn 1962, 'cyffebyliaeth yr harbwr' ys galwodd yr aelod seneddol Goronwy Roberts hi mewn llythyr at John o Dŷ'r Cyffredin:

> Dywedasoch rywbeth aruthrol o wir – pan gilia'r llanw daw pethau atgas i'r olwg, a phan ddaw y llanw i mewn, y mae'n harddu, puro a dyrchafu. Y mae'n ffitio'r oes i'r dim ...

Ychydig wythnosau ynghynt yr oedd Thomas Parry wedi ysgrifennu ato o Aberystwyth i gydnabod rhywbeth neu'i gilydd. Wrth gofio at ei gyn-ddisgybl y mae'n dymuno'n dda iddo yn ei waith 'yn y blynyddoedd dilewyrch hyn.'

Yn ystod yr un flwyddyn cyhoeddodd Kate Roberts ysgrif yn *Y Drysorfa* ar "Yr Eglwys, y Byd a'r Wladwriaeth", ysgrif a dorrodd John Roberts allan o'r cyfnodolyn a'i rhwymo yn un o'i lyfr nodiadau. Yr un, i raddau, yw thema'r ysgrif hon â llawer o ddehongliadau eraill o ddirywiad crefydd yn yr ugeinfed ganrif – adlodd y Rhyfel Mawr, y pwyslais yn symud 'oddi ar ffydd i weithredoedd, a phregethu rhyw fath o ddyneiddiaeth sosialaidd', materoliaeth a dihidrwydd. Eithr mynn Kate Roberts fod y drwg yn mynd yn ôl ymhellach na 1914-1918, 'a'i fod ynghlwm wrth Anghydffurfiaeth ei hun.' Tueddwn i anghofio, meddai, mai am gyfnod byr yn unig y bu'r capeli'n llawn. A thueddwn i anghofio peth arall hefyd, sef fod ymhlith pobl gyffredin y bedwaredd ganrif ar bymtheg 'ddyhead am ddiwylliant gwahanol i ddiwylliant y ddeunawfed ganrif,' ac y gall 'dyhead felly fod yn gyffro tebyg i gyffro crefyddol.' Gan hynny, *rhan o ddiwylliant* y Cymry oedd y capel, nid calon eu Cristionogaeth fel y cyfryw. Ond yna daeth addysg ffurfiol i'r wlad, a honno'n addysg estron, Saesneg. 'Yr ydym yn medi canlyniadau'r addysg fydol yma heddiw,' ebe'r awdur ymhellach, 'nid yn unig yn ein diwylliant ond *yn ein heglwysi.*' Seisnigwyd teuluoedd, ysgarwyd bywyd ysgol a chartref oddi wrth fywyd yr eglwys, ac ni ddealla'r genhedlaeth ieuanc ddim o iaith y pulpud. 'A hyd yn oed ymysg yr ychydig bobl ieuainc sy'n siarad Cymraeg yn eu cartrefi ac yn gallu deall iaith y pulpud fel *iaith*, mae llawer peth na allant ei ddeall ... Mae athro [Ysgol Sul] a phregethwr yn gorfod pontio gagendor llydan a dwfn o anwybodaeth, a dim ond rhyw awr o amser mewn wythnos sydd ganddynt i wneud hynny.'

A'r ateb i'r Dr Kate? 'Dylem fynd yn ôl at ffydd yr Eglwys fore, mynd i addoli i ystafelloedd bychain a rhoi ein cwbl i drueiniaid y byd sy'n dioddef newyn. Gellid uno'r enwadau felly, oblegid gwrthwynebiad i adael capel a hyd yn oed sêt yw ein gwrthwynebiad i uno heddiw.'

Heb os, yr oedd nodau'r ysgrif hon yn taro'r un nodau o boen a thristwch ag a darawai ysbryd a meddwl John Roberts. Dyna pam y'i cadwodd. Ond a oedd yr argymhelliad ar i bawb fynd yn ôl at ffydd ymddangosiadol seml y cyfnod bore yn apelio ato ef? – ato ef a oedd newydd ddod yn weinidog ar eglwys a ymfalchïai fod ei chartref yn un o gapeli mwyaf a mwyaf moethus Cymru?

Yr oedd i eglwys Moriah hanes tra anrhydeddus a âi yn ôl i ddiwedd y ddeunawfed ganrif. Mewn llofft ym Mhenrallt y cynhaliwyd yr oedfeuon Methodistaidd cyntaf yng Nghaernarfon, a chodwyd y capel Methodist cyntaf – ym Mount Pleasant Square – yn 1794. Y pregethwr a ofalai amdano oedd y llafurfawr Evan Richardson, un o frodorion Llanfihangel-genau'r-glyn yn Sir Aberteifi a ddaethai *via* Llŷn ac Eifionydd 'i gyflawni gwaith mawr ei fywyd' yn y dref. Cymaint oedd ei lwyddiant fel pregethwr a bugail fel yr helaethwyd y capel yn 1806, a'r flwyddyn honno, ys dywed David Hoskins yn ei lyfr gwirioneddol ardderchog *Canmlwyddiant Capel Moriah, Caernarfon* (1926), ni ddychmygodd 'y buasai raid ymhen ugain mlynedd adeiladu y capel mwyaf yn y wlad er mwyn cael lle ar gyfer cynnydd y gwrandawyr.' Bu Richardson farw ddwy flynedd cyn codi'r capel newydd, ond ef a'i gwnaeth 'yn angenrhaid.'

Y mae i Evan Richardson le pwysig yn hanes Methodistiaeth fel athro ac fel pregethwr. Ef oedd athro John Elias. Ac yr oedd yn un o'r rhai a ordeiniwyd yn y Bala yn 1811. Ei olynydd yng Nghaernarfon oedd David Jones, brawd John Jones Tal-y-sarn, David Jones Treborth fel y'i hadwaenir, gŵr, fel Evan Richardson, ac, mi fentraf ddweud, fel John Roberts, 'o ymddangosiad hardd a thywysogaidd – eu dawn fel y diliau mêl yn felys – eu dull yn enillgar a'u gweinidogaeth yn efengylaidd ac eneiniedig.' Yn ystod gweinidogaeth David Jones ym Moriah y sefydlwyd achosion Methodistaidd eraill y dref, capel Nasareth yn 1840, capel Engedi yn 1842, a chapel Seilo yn 1859 (yn 1873 y sefydlwyd achos Saesneg Turf Square, a symudodd yn 1893 i Castle Square). Gwelir cythraul y capeli'n codi'i gynffon mor gynnar â'r trafod cyntaf a fu am faint Engedi: a ddylai fod 'o'r un maint â Moriah' ai peidio? Peidio oedd barn David Jones, a'r farn honno a orfu. Yr oedd yn y dref hefyd gapeli Methodistaidd llai, fel canghennau, Capel Glan-y-môr, er enghraifft, a oedd yn gangen o Foriah, Mark Lane, a oedd yn gangen o Engedi, a Seilo Bach. A dyna Feulah yntau.

Ymadawodd David Jones â Chaernarfon yn 1858, yn rhannol am fod rhyw ddosbarth yn yr eglwys yn 'wrthwynebol iddo, os nad yn elyniaethus tuag ato'. Wedi bwlch o rai blynyddoedd, codwyd Evan Jones yn fugail ar Foriah, 'yn yr un oedran ag yr anfonwyd Moses at feibion Israel' (os gwelwch yn dda) – a'i orchymyn cyntaf ef i'w braidd oedd clirio'r ddyled ar yr *heating apparatus* ac ar y *railings* y tu allan. Arwydd o weithgarwch yr oes – ac o ddatblygiad balch Anghydffurfiaeth – oedd yr awydd i fynd eto i ddyled, yr awydd ym Moriah cyn diwedd y ganrif i godi ysgoldy newydd ac i brynu organ newydd, organ ragorach na'r rheini yn Engedi a Castle Square. Ar gost o £1250 prynwyd 'un o'r rhai goreu ... yn y deyrnas', cafwyd *bazaar* anferth ym Mhafiliwn y dref i dalu amdani, ac fe wnaed elw. Pan ymddeolodd Evan Jones yn 1906 yr oedd ym Moriah 609 o aelodau. H. Harris Hughes ddaeth i'w olynu, ond aeth ef oddi yno'n fuan i olynu John Williams yn Princes Road Lerpwl. David Hoskins a ddaeth wedyn, ac ar ei ôl ef Stephen O. Tudor, diwinydd da, pregethwr dysgedig 'dihalog ei wedd' a ddringodd i uchel swyddi'r Trefnyddion Calfinaidd. Rhyngddynt, gwasanaethodd y ddau olaf hyn Foriah am hanner canrif dda.

Olynu Stephen O. Tudor a ddarfu John Roberts. Dywedid yn y dref – gan rai *nad* aent i Foriah, bid siŵr, – mai'r *swanks* a âi i Foriah, y saint i Engedi, a'r *stragglers* i Seilo. Er nad yw'r gwir i gyd fyth mewn dywediad beirniadol slic fel hwn dichon bod rhyw gymaint o wir ynddo, fel y dichon bod ar ôl yng nghymeriad yr eglwys ryw gymaint o'r ysbryd gwrthwynebus a anfonasai David Jones Treborth oddi yno gan mlynedd ynghynt. Cafodd John Roberts gefnogaeth frwd gan rai o'i flaenoriaid – ei gefn a'i gyfaill mwyaf yn yr eglwys oedd Walter T. Owen, yr ysgrifennydd – ond cyn diwedd ei dymor ei siomi a gafodd yn y mwyafrif o'i braidd. Daeth yn gyfeillion garw gyda llawer ohonynt, ysgrifennai'n weddol gyson at ambell un ymhell o dref, megis at Ceridwen Pierce, wyres W. J. Williams Penmynydd slawer dydd, a aethai i weithio mewn ysbyty yn Seland Newydd. Câi eraill gartref gysur nid bychan yn ei gwmnïaeth. Er bod rhai yn disgwyl mwy gan y gweinidog, fel bugail nid oedd ef yn grwydrwr tai. Ond gan mor 'arbennig o dda' ydoedd pan oedd aelodau mewn trallod neu brofedigaeth, meddylid yn uchel ohono – ac o Jessie, canys gwnâi hithau ei rhan, nid yn unig fel Llywydd Cymdeithas y Chwiorydd ond hefyd fel ymwelydd â'r anghenus. Gan mor heulog ei bersonoliaeth oedd John Roberts, hyderus, synhwyrus, ffraeth, hoff ofnadwy o straeon doniol ac o chwarae ar eiriau, yr oedd ei gwmni'n gynnes ym mhob amgylchiad. Ond erbyn canol y chwedegau ofnai mai pobl heb gydnabod eu hangen ysbrydol oedd llawer o'i aelodau.

'Hanes eglwys,' ys dywed David Hoskins ym mhennod agoriadol *Canmlwyddiant Eglwys Moriah*, 'yw hanes ei dynion mawr'. Ebe fe ymhellach:

> Nid yw y nefoedd, pan yn anfon gweithwyr, byth yn methu wrth ddilyn y "time-table" yn hanes y byd. ... I blannu fel Paul yr anfonwyd Evan Richardson, ac i ddyfrhau fel Apolos yr anfonwyd David Jones ac Evan Jones, a Duw a roddodd y cynnydd.

Beth am John Roberts yn y cyfnod dirywiedig? Rhyfedd y ffydd sydd gan bobl mewn Rhagluniaeth pan yw pethau'n ffynnu. Ni feia neb Ragluniaeth am ddirywiad a methiant.

(ii) 'Llawer gweithgarwch arall'

Fel yn y blynyddoedd o'r blaen, yr oedd galw mawr ar John Roberts, drwy'r chwedegau a'r saithdegau, i bregethu ar led, ac fel cynt treuliai lawer o amser yn darllen ac yn myfyrio fel paratoad i gyfansoddi pregethau. Dau Sul y mis y pregethai gartref, ac er ei fod yn gweld 'y dyn modern' yn ei sedd ym Moriah Caernarfon fel ym mhobman arall yn edrych yn 'foethus, ddi-ofal braidd', barn nifer o'i braidd a'i cofia'n dda yw ei fod yn bregethwr agos atynt, a fynnai wrandawiad am fod ei ddefnydd mor rhagorol a'i draethu'n ddisglair. Cofir fel y deuai'r blaenoriaid a'r pregethwr 'i fyny i'r capel o'r gwaelodion' ym Moriah, ac 'fel yr oedai John Roberts am ychydig eiliadau wrth droed y pulpud cyn esgyn iddo.'

Yno, neges i'w chyhoeddi oedd ganddo bob amser, nid pwnc i'w drafod. Dywed hyn mewn anerchiad a draddododd yn y cyfnod hwnnw ar "Efengylu Heddiw", anerchiad a luniwyd yn finiog goeth. 'Dyn wedi ei alw yw'r pregethwr,' meddai, dyn a anfonir at bobl mewn lle arbennig gyda neges arbennig. Un a saif 'rhwng yr Iesu a'r Bobl, nid er mwyn ei guddio, ond er mwyn ei gyhoeddi.' Ond beth a gyhoedda? Duw. Natur Duw a ffordd iachawdwriaeth. Rhaid iddo 'syfrdanu pobl â rhyfeddod yr Ymgnawdoliad, cyhoeddi rhyfeddod di-ddiwedd Croes Calfaria, a Grym ei Atgyfodiad Ef. Dangos gwyrth yr Ysbryd Glân a nerth Gras Duw.' Er mor onest o besimistig oedd yr anerchiadau blynyddol a luniai i Adroddiadau'r capel, yn yr anerchiad anogaethol hwn mynn fod yn rhaid 'bod yn obeithiol, hyd yn oed yn wyneb y gwaethaf.' Eto, nid 'dyn yn dal fflachell ei optimistiaeth' yw'r pregethwr, ond dyn 'yn sefyll yn y goleuni, ac yn adlewyrchu cariad Crist i eraill.' Yr oedd yr *eraill* yn cynnwys holl Gristionogion y gwahanol eglwysi yn nhref Caernarfon. Bob cyfle a gâi, anogai John Roberts gydaddoli a chydweithio'n eciwmenaidd.

Yn fuan ar ôl dod i'r dref dechreuodd baratoi papur ar "Emynwyr Tref Caernarfon". Pan ddywedodd am y gwaith hwn wrth un o'i gydnabod gofynnodd hwnnw iddo, 'Oes gynnoch chi rywun heblaw Meigant?' Yr hyn a wnaeth oedd corlannu gyda Meigant (R. M. Jones), nad oes emyn o'i waith yn *Llyfr Hymnau y Methodistiaid Calfinaidd* 1927, emynwyr dŵad i'r dref, David Jones Treborth, y cyfeiriwyd ato uchod, Caledfryn a Herber Evans yr Annibynwyr, Anthropos, gweinidog Beulah, yr archemynydd plant, ac eraill a ddaethai i Gaernarfon ar eu hald, o John Davies (Gwyneddon) hyd at Ieuan S. Jones. Cawn bip ar y papur hwn mewn print eto.

Yn fuan ar ôl dod i'r dref hefyd ysgrifennodd John Roberts un peth arall ar emynyddiaeth, sef llith go hir i'r *Goleuad* o dan y pennawd "Theophilus, Saunders Lewis, a Phantycelyn." Dros y blynyddoedd yr oedd wedi astudio Pantycelyn yn fanwl; ond hyd y gwn dyma'r tro cyntaf iddo draethu arno mewn print. Ffugenw un o golofnwyr *Y Goleuad* yw'r Theophilus sydd ym mhennawd yr erthygl hon ganddo, colofnydd diflewyn-ar-dafod a fyddai'n cymryd ei arwain gan ddarllenwyr a ofynnai gwestiwn mwy dadleuol na'i gilydd iddo i draethu'n awdurdodol ar bynciau crefyddol, diwinyddol a moesol. Y math o gwestiwn a atebai oedd 'A allasai Crist bechu?' a 'Beth yw swydd a gwerth profedigaethau bywyd?' Ddechrau Chwefror 1963 traethodd Theophilus ar Williams Pantcelyn, a chymryd y cyfle i feirniadu'n llym y gyfrol ddadleuol a gyhoeddodd Saunders Lewis ar yr emynydd bymtheng mlynedd ar hugain ynghynt yn 1927, ac i ganmol cyfrolau Moelwyn arno.

Y mae'n amlwg i Theophilus gythruddo John Roberts. Agorodd ef ei erthygl yn ddiplomataidd drwy ddweud y cytunai pawb â'r colofnydd 'pan ddywaid y dylai Williams Pantycelyn gael lle ymhlith y deg blaenaf o enwogion ein cenedl, a'i fod o'i ysgwyddau i fyny yn uwch na phawb arall fel emynydd, beth bynnag am ei ragoriaethau fel sant a bardd yn gyffredinol.' Yna try at yr hyn a ddywedodd Theophilus am lyfrau Moelwyn ar Bantycelyn. Cafodd y cyntaf, meddai, sef *Pedair Cymwynas Pantycelyn*, 1925, ganmoliaeth dros ddwy golofn yn *Y Goleuad* yn Ebrill y flwyddyn honno, a chanmoliaeth mewn llefydd eraill, gan Miall Edwards, Pedrog, Anthropos, Elfed, Thomas Charles Williams, &c. Cafodd ei ail lyfr, *Mr. Saunders Lewis a Williams Pantycelyn*, 1929, ganmoliaeth fwy fyth, gan Keri Evans, Maurice Jones, Jenkyn James, &c., a chanmoliaeth dros dair colofn yn rhifyn y 5ed o Fawrth 1930 o'r *Goleuad*. A phaham? Am fod 'yr awduron a nodwyd yn cael cyfle i ymosod ar Mr. Saunders Lewis a'i safbwynt "pabyddol" yr un pryd. Y mae'n anodd gennyf feddwl,' ebe John Roberts, 'am ddwy gyfrol Gymraeg a gafodd sylw mwy ffafriol erioed yn y wasg nag a gafodd y ddau lyfr a nodwyd gan Moelwyn.' Ond dweud yn dda am Saunders Lewis yw ei fwriad ef:

> Braidd yn swta (a dweud y lleiaf) yw gair "Theophilus" am lyfr Mr. Saunders Lewis pan ddywaid: 'llyfr annysgedig a ysgrifennwyd ar ôl darllen rhyw ddau lyfr dibwys: un ar seicoleg a'r llall ar un o'r cyfrinwyr.' Cefais i yr hyfrydwch o dreulio dau dymor llawn yn astudio llyfr S. L. mewn dwy Frawdoliaeth o weinidogion, a'r argraff a wnaeth yn awdur arnaf oedd ei fod wedi darllen llawer ac astudio'n helaeth cyn sgrifennu ei lyfr, ac yn wir clywais ef mewn ymgom bersonol yn mynegi hynny rai blynyddoedd yn ôl.

Ni wn ddim am yr ymgom bersonol honno, ond gwn i John Roberts ddiweddu ei lith drwy ddiolch i Theophilus am godi 'ysfa chwilota' ynddo, 'fel yn hanes eraill o edmygwyr y Perganiedydd': 'Y mae hyn yn beth llesol a bendithiol iawn.'

Yn ogystal â pharatoi a phregethu ac annog eraill i bregethu a thraethu ar emynau ac emynwyr, fel ym mlynyddoedd Porthmadog a'r Bala rhoddai John Roberts hefyd ddyddiau bwy'i gilydd i ddarllen barddoniaeth neu i darllen amdani. Yn y cetyn dyddlyfr a gadwodd am rai wythnosau ddechrau 1965 y mae'n dweud iddo dreulio'r 'rhan fwyaf' o'r 31ain o Ragfyr 1964 'yn darllen am "To Psyche" Keats.' Ganol Ionawr pan oedd yn Llundain yn pregethu yn Jewin aeth i weld *Waiting for Godot* – 'Gwagter bywyd ond eto *Disgwyl*' (y *Disgwyl* mewn biro goch). Y 26ain o Ionawr noda iddo orffen 'sgript Gŵyl Ddewi Rwth a Naomi.' Yr oedd fel cynt yn ysgrifennu. Ac yn ysgrifennu, eto fel cynt, ar gyfer plant a phobl ifanc y capel.

Yn wir, daeth dramâu a phasiantau John Roberts yn rhan o ddiwylliant Moriah. Ysgrifennai ef y geiriau, a chyfansoddai organydd swyddogol a thaledig yr eglwys y gerddoriaeth i gyd-fynd â nhw. Yr athro cerdd a'r datgeinydd adnabyddus G. Peleg Williams oedd hwnnw, a benodwyd i olynu Osborne Roberts fel organydd Moriah mor bell yn ôl â 1936. Cododd gôr yn y capel a threfnodd gyngherddau crefyddol nodedig, megis "Gweddi Habacuc" gyda David Lloyd yn unawdydd. Mewn nodyn a luniodd tua diwedd ei yrfa, dywed Peleg (fel yr adwaenid ef gan bawb bron) iddo wneud un addewid mawr i'w gyflogwyr pan benodwyd ef, sef y ceisiai 'roi sylw a gweithio gyda'r plant' – addewid a gadwodd. 'Mae'n siŵr,' meddai, 'mai yng nghyfnod John Roberts y bu i ni gael y dathliadau gorau, mewn buddioldeb, blas a bodlonrwydd. Yr oedd ef yn meddu dawn greadigol, ac fe luniodd ddrama neu basiant bob blwyddyn. ... Does wybod faint y gwerth a'r daioni a gawsom drwyddynt.'

Cyfeiriais ddau baragraff yn ôl at "Rwth a Noami". Chwareugerdd gerddorol oedd hi, a berfformiwyd gan Gôr Moriah yr un nos Ŵyl Dewi yn 1965 ag y perfformiwyd "Tywysoges yr Aifft" gan y plant, dau gynhyrchiad uchelgeisiol a hawliai waith paratoi mawr nid yn unig gan y cyfansoddwyr, y perfformwyr a'r cynhyrchwyr, eithr hefyd gan feistresi'r gwisgoedd a chynllunwyr y llwyfan. Fel rheol, Gwyneth Owen a Nel Griffith oedd y prysuraf y tu ôl i'r llenni ym Moriah. Cafodd "Rwth a Naomi" ran o'r wobr yn Eisteddfod Genedlaethol 1967 am raglen nodwedd addas i'w defnyddio mewn capel neu eglwys, o dan feirniadaeth ganmoliaethus Cassie Davies. 'Rhagoriaeth arbennig y rhaglen,' meddai hi, 'yw'r darnau o farddoniaeth wreiddiol a geir drwyddi, yn ganu caeth a rhydd, a hynny gan un sy'n fardd mewn gwirionedd.' Wyth mlynedd yn ddiweddarach, ysgrifennodd Cassie Davies at John Roberts yn gofyn am gopi ohoni, er mwyn 'i nifer bychan o bobl ifainc sydd gen i' ei pherfformio mewn Cymanfa Bwnc a gynhelid yn Nhregaron 'yn lled fuan.'

I ddathlu Gŵyl Dewi 1964 ym Moriah, "Molawd i Gaernarfon" a gafwyd. Os dilynwyd y sgript chwe thudalen ar hugain sydd o hyd ar glawr, yr hyn a gafwyd oedd rhywfaint o Flas y Môr – tref forol oedd hi, cofier, ac ugeiniau lawer o longau wedi'u cofrestri yno drwy gydol y bedwaredd ganrif ar bymtheg; yna Chwedlau o'r Mabinogi; yna Stori Tomos Olfyr, pregethwr Methodist cynnar a ddadleuai yn erbyn etholedigaeth; yna Adlais Eisteddfodol – a fu tref fwy barddol ei thraddodiad yng Nghymru? – ac yn olaf Atgof am Oedfa Fawr John Williams Brynsiencyn yn y Gymdeithasfa a gynhaliwyd ym Moriah yn 1886, 'oedfa fwyaf ei oes' fel y cyfeirir ati yn y cofiant a luniodd R. R. Hughes Niwbwrch iddo. Yr oedd cael adrodd am ei arwr ymhlith tywysogion y pulpud, a chael crynhoi'i bregeth, yn hyfrydwch mawr gan John Roberts. Yn 1886 dywedid y byddai'r 'plant a oedd yn gwrando yn sôn am yr oedfa [honno] ym mhen deugain mlynedd.' Oblegid John Roberts, yr oeddynt yn sôn amdani ym mhen pedwar ugain mlynedd.

Yn 1967 cafwyd dwy noson o raglenni nodwedd, y naill, eto ar Ŵyl Dewi, ar hanes a gwaith Eifion Wyn, y dethlid canmlwyddiant ei eni y flwyddyn honno, a'r llall, yn nes ymlaen yn y flwyddyn, yn dathlu pedwarcanmlwyddiant cyhoeddi Testament Newydd William Salesbury. Diau i'r bardd yn John Roberts fwynhau'n arw gyfleu rhagoriaeth awen y telynegwr o Borthmadog. Mewn un rhan o'r sgript, ar ôl datgan i Williams Parry ddweud mai telyneg Eifion Wyn i fis Medi yw'r orau o'i delynegion i'r misoedd, y mae'n dychmygu bod bachgen o'r enw William John Jones yn Ysgol Elfennol Llanymynydd yn ysgrifennu am fis Medi yn gatalogaidd o ryddieithol fel hyn:

> Yr wyf yn hoff iawn o fis Medi. Bydd yna flodau'r grug ar y mynydd ym mis Medi. Byddaf i yn hel cnau a mwyar duon. Byddwn yn mynd i ben yr Wyddfa ym mis Medi, a bydd y ffarmwrs yn cario yd yng ngolau'r lleuad. Mae mis Medi yn fis braf iawn.

Yna'n syth wrth gynffon y darn hwn ceir barddoniaeth bert telyneg Eifion Wyn, gwrthgyferbyniad amlwg ac awenus, nodweddiadol o ffraethineb y gweinidog.

Ymhlith y sgriptiau eraill a baratôdd yr oedd rhaglen ar Martin Luther King a rhaglen ar Feibl Peter Williams. Ond er pwysiced y llafur hwn, ei werth diwylliadol ac addysgol, a'r budd diamheuol a geid o ddenu plant a phobl ifanc i gymryd rhan yng nghyfarfodydd y capel, yn y dyddiau duon pan ymboenai John Roberts am argyfwng yr Eglwys, ymhlith y 'llawer gweithgarwch arall' y gosodai'r rhaglenni nodwedd hyn, gan haeru mai 'eilradd ydyw pob un ohonynt i bwrpas mawr a chanolog codi'r Capel yn y lle cyntaf, sef Gweinidogaeth y Gair a'r Sacramentau.'

Ai eilradd, gan hynny, oedd un arall o'i weithgareddau ym mlynyddoedd Moriah, sef y llyfr a gyhoeddodd yn 1968? Llawlyfr o'r enw *Gweddi ac Addoli ar gyfer y dosbarth 17-20 oed* yw'r llyfr hwnnw, â'i gynllun, yn ôl y Rhagair, yn dilyn y cynllun a geid mewn cyfrol ddiweddar a ddisgrifiai 'faes llafur newydd addysg grefyddol yn ysgolion Cymru'. Gan mor sobr-ddysgedig yw llawlyfrau fel rheol, a chan mor osodedig yw meysydd llafur, prin y disgwylid i lyfr John Roberts fod yn wahanol. At hynny, teg gofyn pa beth deniadol y disgwylid i weinidog hanner cant ac wyth mlwydd oed ei ddweud wrth bobl ifanc y chwedegau?

Y gwir amdani yw bod *Gweddi ac Addoli* yn un o'r llawlyfrau crefyddol hynny sy'n agor y meddwl. Y mae'n agor y meddwl am ei fod yn gofyn cwestiynau sylfaenol anodd am ymarfer crefydd, ac yn ceisio'u hateb drwy ddehongli'r Ysgrythur yn olau a thrwy apelio at hanes. Go brin y dywedid mai llyfr i bobl ifanc, yn unig nac yn bennaf, ydyw, eithr llyfr i bawb a ddiddora mewn Cristionogaeth. Y mae'n arddangos adnabyddiaeth ddofn yr awdur o'i Feibl (ac o'i wybodaeth fanwl o nifer o gyfieithiadau ohono), y mae'n dystiolaeth o ddyfnder ei fyfyrdod ar grefydd, ac o'i ddealltwriaeth o'r hyn a bryderai Gristionogion a darpar-Gristionogion y dydd. At hynny, tystia i wybodaeth John Roberts o emynau Cymraeg, i'w fedrusrwydd fel cyfansoddwr gweddïau, ac i'w sensitifrwydd fel bugail a oedd hefyd o raid yn athro. Trwyddo i gyd y mae'r llyfr yn dystiolaeth ddisglair o hyder ffydd John Roberts ei hunan.

Cyn manylu arno, talai imi geisio cyfleu lled a dyfnder y darllen sy'n sail iddo. Oes, fel y dywedais eisoes, y mae yma wybodaeth fawr fanwl o'r Ysgrythur a'r Llyfr Emynau (y mae Pantycelyn yma, ei gyfoeswr Charles Wesley, Thomas William Bethesda'r Fro, ac Elfed); gwybodaeth hefyd o athrawiaethau rhai o ddiwinyddion dylanwadol yr oesau, Chrysostom, Awstin Sant, Martin Luther, John Wesley, Karl Barth, Thomas Merton, yn ogystal ag awduron crefyddol eraill fel William Carey, William Temple, Toyohiko Kagawa, a Moelwyn Hughes; y mae yma adnabyddiaeth o esboniadau dysgedigion fel William Law, F. W. Manson, J. Jeremias; adnabyddiaeth o ysgrifeniadau a phregethau rhai o gewri diweddar a phoblogaidd y pulpud, Charles Spurgeon, J. Puleston Jones, Leslie Weatherhead; y mae yma gynefindra â llenyddiaeth llenorion lu o Shakespeare drwy Wordsworth hyd at Tennyson a Daniel Owen a Williams Parry; cynefindra hefyd â gwaith nifer o droswyr y Testamentau, William Salesbury i'r Gymraeg, James Moffatt a J. B. Phillips i'r Saesneg, – heblaw cynefindra pellach ag awduron a phregethwyr mor wahanol i'w gilydd â David Livingstone ac E. R. Micklem, H. E. Fosdick ac R. Tudur Jones, Samuel Chadwick a Syr Ifor Williams. Nid honni yr wyf fod John Roberts yn y stydi yn Nhŷ Fry a'r tri mans a fu'n gartref iddo cynt wedi astudio cyfanweithiau'r awduron hyn i gyd – naddo, erioed, – ond ei fod wedi pori yn rhai ohonynt ac wedi myfyrio ar ddarnau dethol ohonynt, wedi codi dyfyniadau gwerthfawr o'u gweithiau ac o weithiau amdanynt, ac wedi gwneud hynny i'r fath raddau fel eu bod yn gefn ac yn gymorth iddo wrth gyfansoddi llawlyfr sy'n llyfr defosiwn ac yn llyfr hanes.

Rhennir *Gweddi ac Addoli* yn bedair gwers ar ddeg ar hugain. Y mae Gwersi 1 hyd 22 yn ymwneud â gweddïo, a'r gweddill yn trafod addoli.

"Paham Gweddïo?" yw pennawd y wers gyntaf. Ei datganiad agoriadol yw bod 'gweddi ac addoliad y Cristion yn seiliedig ar ei gred am Dduw ac am ddyn.' Fel ym mhob gwers drwy'r gwaith, cyfeiria'r awdur y darllenydd at nifer o adnodau i'w darllen, adnodau perthnasol i'r pwnc. Yma

Actau 17:22-31 ydynt, yr adnodau sy'n adrodd hanes Paul yng nghanol Areopagus yn traethu ar y Duw nid adwaenir. 'Gwirionedd cyntaf pob crefydd,' ebe John Roberts, 'yw'r gwirionedd am Dduw, a chreadur yn hiraethu am Dduw ydyw dyn.' Cyfeiria at Salm 42:1 lle 'brefa'r hydd am yr afonydd dyfroedd' a lle disgrifir yr enaid dynol yn hiraethu am Dduw. Yna cyfeiria at Job 23:3 ('O na wyddwn pa le y cawn ef!'): 'Nid yw Job yn amau bodolaeth Duw. Ansicr yw pa le i chwilio amdano.' Paul sy'n ein dysgu mai 'trwy'r Gŵr a ordeiniodd Efe' y daw Cristionogion i adnabod Duw:

> Nid canlyniad ymdrech lwyddiannus dyn wrth ymresymu mo'r adnabyddiaeth hon, ond yn hytrach Duw o'i ewyllys da Ef ei Hun yn ei ddatguddio'i Hun yn ei Fab Iesu Grist. ... Hanfod Cristionogaeth, gan hynny, ydyw fod y rhai a fu'n ymbalfalu am Dduw yn ei gael yn Iesu Grist.

Yna beth a geir, eto fel ym mhob gwers drwy'r llyfr, yw nifer o gwestiynau sy'n bynciau trafod, cwestiynau megis:

1) A gewch chwi anhawster i roddi ystyr i'r gair Duw?
2) A yw'r angen am Dduw yn reddf ynom?
3) A yw'n bosibl addoli Duw heb ei adnabod?

Cysegrir yr ychydig wersi sy'n dilyn i nodi beth yw bywyd gweddi, sef, yn bennaf, mawl i Dduw. Yr ydym yn ôl yn Llyfr y Salmau, gyda Salm 103, lle mae Dafydd yn annog ei enaid i fendithio yr Arglwydd. Nid canolbwyntio arnom ein hunain a ddylem wrth weddïo, ebe'r awdur, ond gogoneddu Duw. Eithr y mae agweddau eraill ar weddïau, ebr ef, 'gweddïau *gofyn am*, a gweddïau *eiriol dros*.' Pan weddïa dros eraill, 'y mae pob Cristion i ryw raddau yn offeiriad'. Ac offeiriadu dros y byd y mae'r Eglwys.

Dull y Crist ei hun o weddïo yw pwnc Gwersi 5 ymlaen. Y modd y gweddïai'n rheolaidd, nid am fod gweddi'n fater o ffurf a defod iddo ond am ei bod yn fater o fywyd iddo. Nodir y modd y gweddïai ar adegau argyfyngus, a'r modd y cadwai ei weddïau'n weddïau byrion. 'Arglwydd, dysg ni i weddïo,' ebe un o'r disgyblion, Luc 11:1. A'r ddysg honno a geir yng Ngwersi 10-16, lle trafodir Gweddi'r Arglwydd, lle trafodir hollwybodaeth Duw a'n hymddiriedaeth ni ynddo, lle trafodir hefyd natur gweddi gyhoeddus ('A oes yna elfen o *actio* ym mhob gweddi gyhoeddus?') a natur gweddi neilltuedig. 'Dylid ymneilltuo i weddïo,' ond nid o raid yn gorfforol neu'n llythrennol. Wrth ddywedyd 'pan weddïech, dos i'th ystafell,' defnyddio ffigur ymadrodd i bwrpas arbennig yr oedd yr Arglwydd, ebe John Roberts:

> Ceir awgrym yn y gair Groeg am *ystafell* y gellir ei gyfieithu yn *ystorfa*, ac felly y dylid gweddïo ynghanol y pethau a ystyriwn yn drysorau gennym, a chysegru ein bywyd ymhlith ein meddiannau.

Ond pa arddull sy'n addas i weddi? Awgryma'r awdur i'w ddarllenwyr y dylent ystyried y sylw a ganlyn o eiddo'r diweddar Brifathro David Phillips, a gynghorai bregethwyr ifainc yn y Bala ers talwm i ysgrifennu gweddi 'yn union fel pe baech yn ysgrifennu llythyr at Dduw. Ysgrifennwch eich gweddi ar eich gliniau. Geill Duw ddarllen yn ogystal â chlywed.'

Os bernir bod y llyfr yn cymryd yn ganiataol fod pawb yn cytuno â'i gynseiliau athrawiaethol, noder y ceir yn awr ac yn y man bwniad go egr i'r neb sy'n eu swrth-dderbyn. Y pumed cwestiwn yng Ngwers 15 yw 'A gredwch chwi'r pennill hwn ...?' –

> Ni fethodd gweddi daer erioed
> Â chyrraedd hyd y nef,
> Ac mewn cyfyngder f'enaid, rhed,
> Yn union ato Ef.

Yn yr adran ar "Ateb i Weddi" (Gwersi 19 a 20) cyfeirir at Habacuc 1:2 fel enghraifft o gwyn gan un nad atebwyd ei weddi. Ebe John Roberts yma: 'Y mae galwad arnom ni i weithio i wneuthur yr hyn a allom i ateb ein gweddïau ein hunain.' At hynny, ac yn bwysicach na hynny, 'Nod eithaf y gweddïwr wrth weddïo,' meddai, 'ydyw cael gafael ar Dduw', a phwrpas pennaf Duw wrth ateb gweddi 'yw digoni angen dyfnaf dyn.'

Gan mor ddyngar ei gonsýrn, gan mor ddefosiynol ei agwedd, gan mor gydymdeimladol ei driniaeth o'r pwnc, a chan mor gyfoethog ei ddefnyddiau, rhaid dweud bod y llyfr yn drafodaeth gynnes, onest, gymhleth ond dra defnyddiol ar bwnc anodd mewn byd materol. Ni wn faint o gopïau ohono a werthodd Llyfrfa'r Methodistiaid, ond ni allai lai na bod yn gymorth mawr i'r rhai a fynnai ymarfer duwioldeb.

Ac ni thrafodwyd eto ddim llawer mwy na'i hanner. Os dengys y drafodaeth ar weddïo sensitifrwydd defosiynol John Roberts, yr hyn a ddengys ail hanner y llyfr, y drafodaeth ar addoli, yw ei sensitifrwydd i hanes, sy'n golygu, wrth gwrs, fod ganddo wybodaeth o hanes, hanes y Ffydd Ddiffuant dros ganrifoedd Cred, a hanes a natur enwadaeth yng Nghymru'r canrifoedd modern. Ar un cyfrif, yr oedd yn haws iddo ysgrifennu ar addoli nag ar weddïo, am y rheswm syml fod ganddo ffeithiau diwyrdro i'w cyflwyno, nid maentumiadau dyheadol fel petai.

Nodau amgen y rhan hon o *Gweddi ac Addoli* yw trylwyredd ei wybodaeth o hynt a helynt yr Eglwys Fore, tegwch ei driniaeth o hanes yr Eglwys Babyddol, ei agwedd ddysgedig at yr *Ecclesia Anglicana* yr oedd y Llyfr Gweddi yn rheol ac yn ysbrydiaeth i'w haddoliad urddasol, a chyfoeth ei adnabyddiaeth o natur a chymeriad yr enwadau Cymreig anfethodistaidd. Wrth drafod yn ail bennod y llyfr hwn y cwrs BD ym Mangor y tridegau, dywedais mai pur ychydig a ddysgid i'r myfyrwyr am hanes ac athrawiaethau'r eglwysi a gynhaliai'r ffydd yng Nghymru. Ond y mae'n amlwg fod John Roberts dros y blynyddoedd wedi'i drwytho'i hun yn y pethau pwysig hyn. Y mae'r un mor amlwg fod ganddo'r ddawn i'w mynegi'n eglur. Wrth drafod yr Anghydffurfwyr Cynnar, er enghraifft, fel hyn y disgrifia'u trefn yn y capeli. Nid oes i'r disgrifiad ddim addurn, ddim mwy nag oedd i hen gapeli'r Hen Sentars:

> Y mae'r gwaith o arwain yr addoliad yn llaw'r pregethwr, y gŵr a saif yn y pulpud. Ei brif arfau gyda'i waith yw pregethu, darllen o'r Beibl, rhoi emynau allan i'w canu gan y gynulleidfa yn gyffredinol, gweddïo o'r frest, fel y dywedir, mewn gwrthwynebiad i ddarllen gweddi o lyfr, a gweinyddu'r ddwy sacrament yn achlysurol, sef Bedydd a Swper yr Arglwydd. Gweinyddir y sacramentau hyn mewn ffyrdd llawer symlach nag yn yr eglwys esgobol.

Fel y disgrifia ddatblygiad a diffyg defodaeth yr Annibynwyr, ac fel y noda bwysigrwydd eu cewri cynnar, John Penry, William Wroth, Morgan Llwyd, felly y disgrifia hanes dewr y Bedyddwyr a'u pwys hwy ar y 'broffes bersonol' y rhaid ei 'selio â bedydd trochiad.' Hefyd, noda'r modd y perthynai'r Annibynwyr a'r Bedyddwyr i'w gilydd gynt yn eu gwrthdystiad Piwritanaidd i eithafion athrawiaethol ac addurniadol yr Eglwys Wladol. Yn y Wers ddilynol dywed mai 'cefndir hollol wahanol sydd i addoli'r Methodistiaid Calfinaidd. Nid oedd ganddynt hwy gŵyn yn erbyn 'na threfn na defod na chred o'r eiddo'r Eglwys.' Gan hynny, meddai, 'ni anwyd Methodistiaeth yn wrth-dim-byd; yn hytrach ail-ddarganfod pwer achubol yr Efengyl a wnaed. ... Dynion ieuainc yn eu hugeiniau cynnar oedd y "Tadau Methodistaidd" wedi dyfod i *deimlo i'r byw* y pethau a wyddent o'r blaen.' Yr ail genhedlaeth o arweinwyr Methodistaidd, ebe fe wedyn, a dorrodd yn rhydd oddi wrth yr Eglwys, ac a fynnodd, yn wahanol i'r Annibynwyr a'r Bedyddwyr, Gyffes Ffydd. Manyla yn y Wers ddilynol ar y Methodistiaid Wesleaidd. Ganddynt hwy caiff 'Trefn y Cadw yn Iesu Grist y lle canolog, ond nid fel rhywbeth ar wahân i ddiwinyddiaeth brofiadol-bersonol y meddylir am athrawiaeth achub enaid.'

Fel y dywedwyd o'r blaen, yr oedd yng Nghymru'r chwedegau drafod helaeth ar uno'r enwadau. Trafodid uno'r enwadau mewn cyfnod pan na wyddai aelodau cyffredin yr enwadau fawr ddim am na'u tarddiadau na'u prif nodweddion. Ni ffafriai John Roberts y trafod hwnnw. Ei farn ef oedd mai bywyd mewnol eglwys oedd yn bwysig, nid ei threfniadaeth allanol, ac amheuai'n fawr a ddiwygid y mewnol gan ddiwygiad allanol. Ond, wele, yn y Gymru drafodfawr honno, ef, yr un a fwriai amheuaeth ar uno, ef yn *Gweddi ac Addoli* a fwrodd y goleuni egluraf ar yr enwadau oll fel y'u caed. Ef hefyd a fynegodd orau yr undod hanesyddol oedd iddynt. Fel hyn y daw Gwers 32 i ben:

> Dylem gydnabod cyfoeth y traddodiad addoli a ddaeth inni o'r gorffennol, ac y mae llawer o wir yn yr hyn a ddywaid E. R. Micklem: "Y mae aelod o'r Eglwysi Rhyddion yn ddyledus am ei ddefnyddiau defosiynol i'w fam, yr Eglwys Anglicanaidd, i'w nain, Eglwys Rufain, ac i'w hen nain, y Synagog Iddewig."

O gofio i Elisabeth, ei ferch hynaf, ymuno â'r Crynwyr yn y chwedegau, ac i John Roberts ei hun ymhen blynyddoedd ymddiddori'n arw yn eu defosiwn tawel, diddorol nodi pa mor ganmoliaethus yw ei drafodaeth ar eu haddoliad hwy yng Ngwers 33. Nid *eglwys* ydynt, ond *cymdeithas*, nid *aelodau* ydynt, ond *cyfeillion*; ac nid oedd ond rhyw 198,078 ohonynt drwy'r byd yn 1964, dau can mil o gyfeillion â phrofiad yn hanfodol i'w haddoliad. Fel hyn y gwelent hwy bethau. Dyfynnaf eto:

> Geill ychydig o ddiwinyddiaeth fod yn ddigon i achub dyn, ond ni ellir gwneud hynny o gwbl os nad yw dyn yn awyddus i gael ei achub. Oherwydd hyn cyhuddwyd y Crynwyr o fod yn hiwmanistaidd eu golygwedd, ... ond y maent erioed yn rhoi'r lle blaenaf i Iesu Grist. ... Y mae ef yn bwysig nid fel pwnc ond fel pwer yn yr enaid.

At hyn, yn niwedd y llyfr *Gweddi ac Addoli* dywedir mai ymarferiad mewn addoli yw crefydd i'r Crynwyr, ac mai nod terfynol eu haddoliad yw ymhyfrydu yn Nuw ac ymddistewi ynddo — 'a dyna hanfod cyfriniaeth y saint trwy'r oesau.'

Dug John Roberts ei lyfr i ben drwy grynhoi ei ystyriaeth o'r pynciau a drafododd 'mor ddiduedd ag oedd bosibl', drwy ofyn cwestiynau am y gwahanol agweddau ar addoli a fabwysiadodd y gwahanol eglwysi, a thrwy ddatgan ei ddatganiad clo. Sef yw hwnnw, mai 'Addoli'r Tad trwy'r Mab yng nghymdeithas ei bobl yw uchafbwynt addoli.' Yr union ddatganiad a ddisgwylid gan weinidog i Iesu Grist.

Wrth fynd at y llyfr hwn, gofyn a wneuthum a ystyriai John Roberts fod ei gyfansoddi ef, fel y cyfansoddiadau ar gyfer nosweithiau Gŵyl Dewi Moriah, yn 'weithgarwch arall', eilradd i bwrpas mawr addoli, sef gweinidogaeth y Gair a'r sacramentau? Yn rhyfedd iawn, ni ddywedodd ef ddim am *Gweddi ac Addoli* yn ei bapurau, nac am astudio ar ei gyfer nac am ei ysgrifennu – o leiaf, ni welais i ddim cyfeiriad ato. Ond prin y dywedai neb nad oedd y llyfr hwn yn waith a lwyr wasanaethai weinidogaeth y Gair, yn syml am ei fod yn arweiniad da i addoli.

Cyhoeddiad arall ganddo'n y cyfnod hwn, ac un a

werthfawrogid yn fwy gan y mwyafrif o ddarllenwyr, yn rhannol am ei fod yn fyrrach ac yn homilïaidd, oedd ei gyfraniad i'r gyfres *O Ddydd i Ddydd* a olygid gan y Parchedig Ddr Gwilym H. Jones ar ran Cyngor Eglwysi Cymru. Arweinlyfrau mewn myfyrdod Cristionogol oedd cyfansoddiadau'r gyfres boblogaidd hon. Traethai'r awduron ar destunau dethol o lyfrau'r Beibl am dri mis ar y tro. John Roberts oedd awdur gwâdd Gorffennaf, Awst a Medi 1968, a'i ddewis lyfr ef oedd Llyfr y Diarhebion, llyfr addas iawn 'ar gyfer cynllun *O Ddydd i Ddydd*', chwedl yntau, am nad llyfr i'w ddarllen drwyddo ar un eisteddiad mohono 'ond yn hytrach llyfr i droi ato a'i flasu fesul tamaid.' A llyfr addas iawn ar gyfer John Roberts hefyd, am nad llyfr yn ymdrin 'mewn haniaethau ag athroniaeth bywyd' ydyw, ond llyfr yn gwneud 'sylwadau byrion a bachog am fywyd dyn.' Cyfeiriaf at rai o'r sylwadau hynny yn nes ymlaen.

(iii) Barddoniaeth breifat a chyhoeddus

Y tu allan i gylchoedd crefydd, un o ddyletswyddau achlysurol John Roberts drwy'r chwedegau oedd gwasanaethu ar Bwyllgor Cofeb R. Williams Parry. Ganol Medi 1959 ysgrifennodd John Eilian ato i ddweud bod rhai o gyfeillion Bardd yr Haf mewn cydgyfarfyddiad â T. H. Parry-Williams a Thomas Parry ar faes yr Eisteddfod yng Nghaernarfon y mis cynt wedi penderfynu sefydlu'r Pwyllgor, ac i'w wahodd ef i fod arno. Araf iawn y symudodd y Pwyllgor hwnnw. Er iddo gyfarfod yn yr Amwythig ym Medi 1960 ac er iddo drefnu cyfarfod cyhoeddus yn Engedi Caernarfon yn Ebrill 1961, y cyfarfod y gofynasai Llwyd o'r Bryn am lifft iddo o'r Bala, nid aethpwyd â'r maen i'r wal tan 1969. Ar y 4ydd o Hydref y flwyddyn honno y dadorchuddiodd gweddw'r bardd y gofeb iddo a godwyd yn Nhal-y-sarn. Cafwyd anerchiad gan Thomas Parry, a chyfarfod coffa yng nghapel Hyfrydle yn yr hwn y darllenodd John Roberts o'r Ysgrythur, a lle traddododd weddi fer a gyfieithodd o waith John Donne.

Fel y nodwyd eisoes, ar ôl cyhoeddi *Cloch y Bwi*, ni chyhoeddodd John Roberts yr un gyfrol arall o farddoniaeth yn ystod ei oes. Ond, fel yn y Bala, daliai i gyfansoddi cerddi yng Nghaernarfon, caneuon ar gyfer y chwareugerddi a ddisgrifiwyd uchod, ambell emyn, rhai cerddi ar achlysuron arbennig, fel y gwyliau Cristionogol, a llawer o gerddi ar hap fel petai. Adeg y Nadolig – drwy'r chwedegau ac i fewn i'r saithdegau – teipiai a seiclosteiliai nifer o'i gerddi, rhai'n newydd, rhai'n hŷn ond heb eu cyhoeddi, a'u rhwymo ynghyd i'w hanfon i rai yn lle cardiau Nadolig. Câi ambell flaenor gopi, câi Mrs Olwen Pierce, merch y diweddar Barchedig W. J. Williams Penmynydd, gopi, a rhai cyfeillion agos eraill megis Mrs Nerys Wheldon. Yr oedd y rhain yn bethau difyr i'w cael y rhan amlaf, yn enwedig os cynhwysent garol newydd, fel pecynnau 1967 a 1970. Yn 1970 y garol newydd oedd honno'n agor gyda'r pennill unodl hwn:

> Iesu yw'n Seren a'n Heulwen o hyd,
> Ef ydyw'r golau a garwn i gyd,
> Ac Ef a folwn yn Waredwr byd.
>   Ar bob Nadolig moliannwn ynghyd
>   Y Rhodd uwch rhoddion, Garedwr y Byd.

Nid yw'n eithriadol o eneiniedig, ddim mwy na'r gyfres o bedair cerdd a anfonodd at ei gyfeillion yn 1968, sydd eto'n cychwyn gyda cherdd garolaidd am "Ei Seren". "Ei Bregeth", "Ei Basg", a'i "Bobl" yw teitlau'r gweddill. Ceir "Pregeth" arall ym mhecyn 1970, pregeth yn pwysleisio pwysigrwydd creiddiol atgyfodiad Crist, nid y peth mwyaf amserol i'w drafod adeg y Geni. Gan fod rhai o'i gerddi'n adlewyrchu'r digalondid a oddiweddai John Roberts weithiau wrth iddo feddwl am gyflwr crefydd yng Nghymru, prin fod eu derbynwyr yn debyg o werthfawrogi popeth a gaent drwy'r post ganddo. Prin fod y "Soned Laes" a gyfeiriai atom ni'r 'flinedig dorf, ... anniddig-lwm ein heneidiau' yn 1967 y gorau peth i roi darllenydd mewn hwyl i stwffio'i gyw iâr neu i agor ei anrhegion! A digon rhyddieithol yw ei englynion ar farw Martin Luther King fel ei englynion i David Lloyd y tenor. Yn bendifaddau, nid esgynnodd yr un o'r cerddi hyn i'r tir uchel a enillodd glod i *Cloch y Bwi*.

Eto i gyd, yr oedd gan y bardd uchelgais o hyd. Yn 1966 cynigiodd am y Gadair Genedlaethol unwaith yn rhagor. Y testun yn Aberafan oedd "Y Cynhaeaf". Yn y blynyddoedd ar ôl 1949, pan gynigiasai am y Gadair o'r blaen, yr oedd John Roberts wedi ymarfer llawer iawn ar y gynghanedd, ac wedi dod yn gryn dipyn o law ar gywydd ac englyn a hir-a-thoddaid. O dan y ffugenw *Mahlon* gweithiodd awdl ar gyfer Aberafan o stori Ruth a Naomi, un o'r straeon y bu'n gweithio arnynt gyda G. Peleg Williams ar gyfer y perfformiadau Gŵyl Dewi ym Moriah. Lluniodd mewn 'dull diymffrost' awdl a oedd, ym marn T. H. Parry-Williams, 'yn gynganeddol lân a hyfryd'. Buasai ef, fel y cofir, yn ddigon caredig wrth yr awdl a luniodd John Roberts yn 1949. Yr oedd ganddo fwy o reswm dros fod yn garedig wrth hon. Er nad yw'n llawer mwy nag aralleiriad barddonol o'r stori a geir yn yr Hen Destament, pwysleisiodd y bardd rai o'r rhinweddau oesol-ramantus sydd ynddi – gweddwdod y ferch ifanc ddeniadol, ffyddlondeb y fam-yng-nghyfraith ofalus tuag ati, penderfyniad y bobl alltud i gyrchu'u tref, serch yn blaguro o'r newydd ar faes y medi, – a gwnaeth yn fawr o'r cyfle i ddarlunio tirwedd y gwledydd ac i ddisgrifio profiadau'r cymeriadau. Mor rhwydd y dywed

> Lle bu y newyn duaf,
> Rhwymir ŷd ar dymor haf.

Mor ddiaddurn y noda drueni Ruth ar y maes dieithr – 'A neb i'w harbed a phawb i'w herbyn' – ac mor gynnil y mynega'r argraff a wnaeth hi ar Boas: 'A byr ei hirddydd ar lwybr ei harddwch.' Ond er hyfryted y mynegiant, awdl heb 'wefr nac ias' ydyw, ys dywedodd Thomas Parry, 'heb lawer o wir angerdd, heblaw angerdd gwneud' chwedl D. J. Davies, y trydydd beirniad. Dic Jones a enillodd y flwyddyn honno, fel y cofir, ond o leiaf cymerodd John Roberts ran dda yn 'y gystadleuaeth orau' y bu Thomas Parry (meddai ef yn ei feirniadaeth) yn ei beirniadu erioed.

Dwy farwnad a ganodd yw rhai o oreuon cerddi Caernarfon. Y penillion plaen a ysgrifennodd ar farw ei fam-yng-nghyfraith ar y 27ain o Fehefin 1963 yw'r naill, a'r cywydd marwnad a luniodd i'r Parchedig D. J. Williams a fu farw ar yr 28ain o Ragfyr 1967 yw'r llall. Rhydd yr ail bennill flas o'r farwnad seml i Elizabeth Martin:

> Ei chrefydd fu ei noddfa
>   Ar hyd ei diwyd oes,
> A phrofodd ym mhob tywydd
>   Gadernid Gŵr y Groes, –
> Ac arno Ef y pwysodd hi
> Pan fethai'r help a roddem ni.

Ddechrau'r chwedegau, oherwydd afiechyd blin, bu'n rhaid i D. J. Williams, ynhyd â'i deulu, adael yr eglwys Annibynnol y buasai'n weinidog arni yng Nglan-dŵr Abertawe, a symud i fyw i Gaernarfon, lle cawsai ei wraig waith gyda gwasanaeth cymdeithasol y cyngor sir. Yn rhannol am iddynt gartrefu yn Y Twyn yn Segontium, gerllaw Tŷ Fry, ac yn rhannol am fod y ddau'n weinidogion, daeth John a D. J. yn gyfeillion gwiw, ac yn gyfeillion gyda chyfeillion ei gilydd. Ddiwedd Ionawr 1965 yr oedd J. R. Roberts (a hen briodasai erbyn hynny) a'i wraig Megan yn aros gyda John a Jessie dros y Sul, a'r 30ain yr oedd 'D. J. ac Ifanwy yma hefyd i swper.' Y rhesymau pennaf dros gyfeillgarwch y ddau oedd eu bod yn rhannu'r un diddordebau – pregethu a phregethwyr yn anad dim – ac yn rhannu'r un synnwyr digrifwch. Ar ddalen flaen y *Penguin Dictionary of Quotations* a roddodd D. J. i John yn anrheg Nadolig yn 1967 ysgrifennodd ddyfyniad o Hilaire Belloc: 'There's nothing that's worth the wear of winning but laughter and the love of friends.' Dyna un o'r pethau olaf a ysgrifennodd â'i law ei hun. Ebr John Roberts yn ei hiraeth am ei gyfaill:

> Ac eithrio yng nghwmni William Jones nid wyf yn meddwl imi chwerthin yn uwch nac yn ddyfnach gyda neb erioed nag a wneuthum yng nghymdeithas yr hoffus 'D.J.'.

Ac eilwaith:

> Clywaf bereiddlais dawn D. J. mewn agto' byw yn adrodd darnau o bregethau Elfed, H. T. Jacob, a J. M. Lewis Treorci yn awr. ... daw imi chwithdod mawr mai llais a ddistawodd ar y ddaear hon yw'r eiddo ef mwy.

Dyma ran o'i gywydd marwnad iddo:

Mae y cwmnïwr gwrol,
Na chaf onid bwlch o'i ôl?
Anwyldeb ei wyneb o
Yn dwyn ing nid â'n ango'.

Hawlio clych Nadolig glân,
Cilio cyn dyfod Calan.
Yn "Y Twyn" mor fwyn efô;
I'w rai annwyl oer heno.

Troes chwerthin ei gegin gu
Yn hiraeth a galaru,
Ac aeth arabedd heddiw
O dan frath hen gyndyn friw.
Mae ei gymen ymgomio?
Mud ei air mwy ydyw o.

Y mae'r cywydd yn taro deuddeg am fod y bardd, wrth ganu am ei gyfaill ymadawedig, wedi llwyddo i wneud hynny'n lân, yn ddi-lol o ddiffuant. Erbyn y chwedegau, pan oedd cynnyrch ffres beirdd tra gwahanol i'w gilydd o ran themâu ac arddull â Waldo Williams, Bobi Jones a Gwyn Thomas yn ennill bri, heb sôn am feirdd a ddaeth i'r amlwg gyntaf drwy'r Eisteddfod Genedlaethol fel Euros Bowen a T. Glynne Davies, yr oedd y math o delynegion mewn mesur ac odl a ysgrifennai John Roberts braidd yn henffasiwn. Er ei fod ef yn gwybod hynny, am mai dyna'r dull o gyfansoddi a apeliai ato, daliai i geisio uniaethu teimlad gyda rhywbeth pert neu brudd yn natur, a mwy na hanner llwyddo, fel yr uniaetha'i hiraeth am ieuenctid a serch gyda changen wiw pren rhosyn yn y delyneg hon o'r enw "Y Brigyn Briw" a ysgrifennwyd yn 1968, telyneg sydd i'r gweinidog rhamantus yn fath ar *reverie*:

Cerddais drwy'r grug a'r rhedyn
  Rhwng cerrig noeth y Rhiw,
Nes cyrraedd drws y bwthyn,
  Lle cwympodd brigyn briw
    Rhosyn yr haf.

Anadlai hydref arno
  Dros fôr a bryniau Llŷn,
Â'i flodau ola'n gwywo
  Fel atgo hiraeth un
    Am ddydd o haf.

O, na bai'r llaw garedig
A fynnai'i godi'n ôl
Hefyd yn rhoi ail gynnig
I ysig brydydd ffôl
I hawlio'i haf.

Henffasiwn neu beidio, yn 1969 enillodd John Roberts Gadair Eisteddfod Teulu Pantyfedwen Pontrhydfendigaid am ddilyniant o gerddi ar "Yr Awyr Agored". Rhyw Ddydd Mawrth ddiwedd 1968 neu ddechrau 1969 ysgrifennodd lythyr at Elisabeth ag ynddo ddau bwt o newyddion. Y mae'r cyntaf yn darllen fel hyn:

> Bu jyst i'th fam a chael y farwol y noson o'r blaen pan ofynnais iddi ddod efo mi i'r Pictiwrs! Aethom gyda'n gilydd yn gariada bach del i weld "Far from the madding crowd". Llun ardderchog a'r golygfeydd o'r mynydd a'r môr yn odidog. Roedd Thomas Hardy wedi adnabod y wlad.

Yr ail bwt o newyddion yw ei fod 'wedi gorffen dilyniant o gerddi i'r awyr agored', sy'n awgrymu iddo fynd ati i'w llunio'n arbennig ar gyfer y gystadleuaeth eisteddfodol. Amheuaf ei fod yn y cyfnod hwn yn troi fwyfwy at farddoni nid yn ogymaint i ddifyrru'r amser ond i symud ei feddwl oddi wrth ddiflastodau beunyddiol at lunio rhywbeth adeiladol. Fel y caf adrodd yn y man, daeth amgylchiadau gartref i fennu arno – arno ef ac ar Jessie – yn ystod y blynyddoedd hyn.

Er na ddywedwn i fod y cerddi a anfonodd i Bontrhydfendigaid yn ddilyniant – tenau yw'r rhediad rhyngddynt – y maent yn gasgliad graenus. Y mae'r ddau gywydd yn canu go iawn. "I'r Haul" y mae'r naill; "Ar Draeth Porth Delysg" yw teitl y llall, ac, fel y disgwylid, atgof atgof, chwedl Williams Parry, sydd ynddo:

Deuaf at donnau diwyd
Ar draeth fy hiraeth o hyd;
Ei fôr a glywais yn fore,
A'i ru llaes hyd greigiau'r lle.
F'erlid mae atgof eurlawr
Heulog faes y weilgi fawr.

Y mae un o'r ddwy gyfres englynion sy'n y casgliad yn cadwyno'n hyfryd, y mae ei doddeidiau'n nobl, ac y mae'r ddwy gân yn y wers rydd gynganeddol sydd yn y casgliad yn llawn troadau-ymadrodd dillyn, fel y rhai sy'n esgor ar y disgrifiad disglair hwn "Mewn Gardd":

Blodau'n llesgáu yng ngwyll ias y gaeaf;
aidd y gân dan fysedd geneth
yn hudo'n ôl adain heulwen
uwch si arafwch Seiont.
Mur hen y Castell yn mawrhau
gwead yr hwyr, a godre'i wal
yn dal am ennyd ffrydli Menai,
a'i droi ar ddarn o draeth
yn rhyddm mwyn, cyn rhoi o'r Iwerydd mawr
fôr dan awel iddo'i fyrdwn newydd.

Yr un gerdd sy'n torri ar y mawl i Natur sy'n hanfod y casgliad i gyd yw'r gerdd olaf, y rhoddwyd iddi'r teitl "Gwae'r Awyr Agored". Dyma'i phenillion olaf, gwrthgyferbyniol o ddigyswllt: penillion pregethwr ydynt –

Mae gwenwyn strontiwm yn drwm ar drumiau,
  A glŷn ei gancr wrth drigolion gwyw:
Ein gwlad yn gur ac yn glwy dan gerydd,
  Ond ni leisiwn gri am dosturi Duw.

Diamau ein nawdd yw Duw y mynyddoedd,
  Creawdwr yr heulwen uwchben y byd,

A'n hunig obaith yn ein gwae yw gwybod
Am oleuni hedd ymlaen o hyd.

Yng nghyfnod Caernarfon gludiodd nifer o'i emynau teipiedig ynghyd mewn llyfrynnau clawr-papur o'i waith ei hun a alwodd yn "Ebyrth Gorfoledd" a'u hanfon at gyfeillion, fel yr anfonai atynt ei sypiau blynyddol adeg y Nadolig. Ond nid yw'r "Ebyrth" yn cynnwys yr emyn mwyaf nodedig a luniodd yn y cyfnod hwnnw, sef yr emyn a luniodd ar gyfer gwasanaeth Wythnos yr Henoed. Y mae'r gair o brofiad a geir ym mhwyll araf llinellau'r emyn hwn, y cyfeiriad cywir at lesgedd a'r ymwybod ag agosrwydd marwolaeth sydd ynddo, fel yr hiraeth am anwyliaid ymadawedig sydd ynddo, a'r cyfaddefiad fod 'cofion yn atgofion bron i gyd', yn ddigelwydd syml o onest, ac felly'n fynegiant triw o ofid yr hen ac o'u dyhead am gysur hedd a hyder y Goruchaf. Ni chynhwyswyd hwn yn *Caneuon Ffydd* chwaith, ond talasai am ei le yno:

Pan fyddo ein blynyddoedd yn prinhau,
A hwyr gysgodion einioes yn trymhau;
Cyn dyfod nos amserau di-lesâd,
Rho'r gobaith byw i'n hadfer, dyner Dad,
Ac anadl nefol wlad i'n hadfywhau.

Â hiraeth yn trywanu megis cledd,
A'n hysbryd yn dwysáu, boed ynom hedd
Dy annwyl Fab i'n cynnal ar ein rhawd:
Rhag gorthrwm byd a hen wendidau'r cnawd,
O, nertha'n bywyd tlawd â gwyrth dy wedd.

A phan fo'n trem yn troi yn ôl o hyd,
A'n cofion yn atgofion bron i gyd;
Er gwaethaf oer amheuon am a ddaw,
Gwawr heulwen hyder yw'r gorwelion draw
A ninnau yn dy law yn wyn ein byd.

Emyn campus arall a gyfansododd yng Nghaernarfon yw'r gerdd a deipiodd yn gerdyn Nadolig i'w gyfeillion yn 1974, cerdd y teipiwyd ar y ddalen gyferbyn â hi fraslun o bregeth ar Luc 2:15, 'Awn hyd Fethlehem.' Dywed John Roberts ar y ddalen honno mai 'Tŷ Bara' yw ystyr Bethlehem, a chan mai chwilio am ymborth yr ydym i gyd mai tuedd pawb 'yw mynd lle ceir bara.' Dyry bump o resymau dros fynd yno, rhesymau'n codi o ddigwyddiadau yn yr Ysgrythur. O ran ei bod yn cyfeirio at fan geni Iesu Grist ac at bethau sy'n gysylltiedig â hanes Ei enedigaeth, y mae'r gerdd yn garolaidd ei phwnc; ac eto, nid carol gonfensiynol i'w chanu ydyw. O ran ei bod yn trafod trueni'r byd cyfoes a'i waredigaeth drwy'r Duw sy'n dod yn Ddyn, y mae'n fath ar bregeth fydryddol; ac eto, nid pregeth gonfensiynol ydyw chwaith. Rhyw bregeth-garol efallai, pregeth sy'n troi'n garol, carol o chwith megis, ei neges yn hen, ac artistri ei mynegiant yn ailadroddus o ffres a glân fel brwsh sgwrio newydd:

Ai ofer mynd i Fethlem
   Â ni mewn gwallgof fyd?
Mae bomiau'n bygwth diffodd
   Y Seren uwch y Crud:
Ond gwell yw mynd, bydd Duw ei Hun
Yn lamp i'r ffordd at Geidwad dyn.

Ai ofer mynd i Fethlem
   Â'n dyddiau mor ddi-gân?
Bu creulon rai yn saethu
   At gôr yr engyl glân:
Ond mynnwn fynd, mae gennym Dduw
A gyfyd garol fud yn fyw.

Ai ofer mynd i Fethlem
  Â'r byd i gyd yn graith?
'D oes sicrwydd y cyrhaeddwn
  Â threiswyr wrth eu gwaith:
Ond rhaid yw mynd, â Duw a'i lu
I'n cadw rhag y giwed ddu.

Nid ofer mynd i Fethlem
  Eleni, fel o'r blaen
Cawn weled Un yn sugno
  Ar fynwes ddi-ystaen;
A da yw mynd, â'r Dwyfol Air
Yn gariad golau yn y gwair.

Cyfeiriwyd ym Mhennod y Bala at *love essence* Jessie. Er nad oedd hi'n ddigon hen i ganu'r emyn henoed uchod fel pensiynwraig pan gyfansoddwyd ef, fe gyrhaeddodd y trigain yn 1974. Lluniodd John saith o benillion iddi, "Baled y Blynyddoedd", un am bob deng mlynedd o'i bywyd ynghyd ag 'Epilog' yn fonws, teipiodd hwy ar garden hufen y rhoddodd forder goch i'r swigl ar ei hwyneb-dalen, ac uwchben pob un o'r penillion tynnodd frasluniau o ferch ifanc neu fenyw i gynrychioli'i wraig. Dyma ddau bennill er blas, nid am eu bod yn farddoniaeth gofiadwy, ond am eu bod yn dystiolaeth o sentiment serchus y digrifwas hwn o ŵr da:

UGAIN OED

Y ferch a phawb 'n ei charu
  Oedd Jessie'n ugain oed,
A'r bechgyn yn ei dilyn,
  Na fu'r fath beth erioed.

'Roedd Jessie'n tynnu sylw
  Dieithriaid yn y Port:
'Doedd neb trwy'r lle'n anwylach,
  Yn smart a llawn o sbort.

Diau iddo fwynhau eu llunio, a mwynhau'n arw eu cyflwyno iddi hi.

(iv) '... rhy braf o lawer arnom'?

A dyna ni wedi troi at y dyn teulu unwaith yn rhagor. Yr oedd Judith ac Elwyn Huws wedi priodi yr haf y gadawodd ei mam a'i thad y Bala. Y Gorffennaf dilynol ganed mab iddynt, Huw Martyn, y cyntaf o wyrion John a Jessie Roberts (a'r cyntaf o wyrion Mrs Nans Huws). Yr oedd y fam newydd a'r newyddanedig i fod i ddod i Dŷ Fry am 'ysbaid go lew' ar ôl yr enedigaeth ac i fod i fynd gyda'r taid a'r nain 'i Lanfwrog ddiwedd Awst.' Dywedir hyn wrth y mab bychan mewn epistol go hir a deipiodd Taid (rhag ofn na ddeallai'r bychan ei lawysgrifen!) ac a anfonodd ato i Randy Mamolaeth Ysbyty Maelor, Wrecsam:

> Nid wyf yn meddwl y byddi'n dyfod gyda mi i'r creigiau eleni i chwilio am grancod a chimychiaid, ond byddi'n dod yn nes ymlaen, ac y mae gennyf eisiau dangos iti'r tyllau gorau ym Môn i ddal y dywededig bysgod cas-caled. Cawn sgwrs am beth fel hyn eto.

Yna cymer arno sylweddoli bod 'popeth yn ddieithr' i'r bachgennyn hyd yn hyn. Rhaid i'r epistolwr ddweud pwy ydyw:

> Dy daid ydwyf, ac yr wyf yn byw yma efo dy nain – hen hogan iawn! Mi gei di lawer o hwyl efo hi, ac mi gei bopeth ganddi, ond iti fod yn hogyn da a pheidio smocio ac yfed dim byd cryfach na lemonêd!

Yna disgrifa Gwen, sy'n dair ar ddeg:

> Un garw am wrando ar ganeuon ysgafn ar y radio ydyw hi, ond un dda yn yr ysgol ac yn cael marciau da am algibra a miwsig. Mae hi bron iawn yn medru siarad yn y ddwy 'iaith' yna. Mi gei lawer o hwyl efo hithau yn nes ymlaen.

Ar ôl enwi Taff y ci, yr unig aelod arall o'r teulu sydd gartref ar hyn o bryd, y mae'r llythyrwr yn sôn am y rhai na thrigant yn Nhŷ Fry. 'Mae genti anti arall, sef, Elisabeth. One of the best. Hogan iawn am basio exams, a gwên onest heulog braf ganddi.' A beth am dad yr hogyn bach? 'Mae dy dad yn glamp o ddynoliaeth dda, dyna iti *top line* ardderchog drwy dy fywyd. ... Ond dyna biti na fuasai dy daid arall ar gael. Dyna iti DDYN go iawn, os bu un erioed.' Gŵr bonheddig a heddychwr. Ac am ei nain 'ffeind' arall: 'Os gelli di ennill llygaid fel yr oedd hi, mi fyddi yn *lladd* y merched i gyd.'

Wrth reswm pawb, y mae'r taid o weinidog yn rhwym o'i dweud hi am y stomp o fyd y daethai'r baban iddo, y byd lle mae ''na foi o'r enw Crwstioff a Cenedi yn cystadlu fel ffyliaid yn Steddfod yr arfau dinistriol': nhw yw'r 'babis mewn gwirionedd.' Y mae hefyd, wrth gwrs, yn cyflwyno Iesu Grist i Huw Martyn. 'Ceisia gadw dy hun yn blentyn bach iddo Fo am dy oes, ac mi fydd popeth yn iawn yn y diwedd, fel y dywedodd dy hen nain wrth farw y dydd o'r blaen.' (Prin wythnos oedd rhwng marw'r naill a geni'r llall.)

Os ysgrifennodd John Roberts lythyron i'w wyrion eraill,

nis cadwyd. Ganed chwaer i Huw, Sara, yn 1965, a brawd iddynt a enwyd ar ôl y ddau daid, John Ifor, yn 1967.

Fel y gwelsom, yn haf 1965 y priododd Elisabeth ac Edward Lynn. Cawsant hwy ddau o blant, Gareth, a aned yn 1968, a Miriam, a aned ddwy flynedd yn ddiweddarach. Yn 1970 aeth y Lynniaid â John a Jessie am wyliau i Ynys Iona ar arfordir yr Alban, a chyffrowyd John mor fawr gan ei sancteiddrwydd tawel fel yr ysgrifennodd gywydd hir amdani, cywydd a deipiodd ac a rwymodd mewn sgript y rhoes iddi gyfarwyddiadau perfformio. Yn drigain mlwydd oed yr oedd mor ddiflino gyda'i ddwylo Owenaidd ag ydoedd gyda'r awen.

Yr adeg hon y daeth Gwladys Eades, ei chwaer, a fu'n athrawes yn Rhoscolyn, i'w fywyd. Ym mis Gorffennaf 1969 bu farw ei gŵr Bill yn sydyn iawn pan oeddynt ar eu gwyliau yng Nghwmafon, Sir Forgannwg. Efallai mai deall bod y brofedigaeth yn ergyd ofnadwy iddi a barodd i rywun – fel y nodais yn y Bennod Gyntaf, ni wyddys hyd sicrwydd pwy – ddweud wrth John amdani. Daeth ef a Gwladys yn gyfeillion agos iawn. Onid oedd ganddi'r un diddordebau crefyddol a diwylliadol ag ef? Yr oedd yn ddiacones ac yn ysgrifennydd ei heglwys. Yn ei thro bu'n ysgrifennydd Clwb yr Henoed a Sefydliad y Merched, ac yn ddiwyd gyda phwyllgorau Eisteddfod Môn y troeon y bu hi'n y Fali. Ac onid oedd cryn dipyn o'u mam ynddi? Disgrifiad yr Athro J. Rice Rowlands ohoni yw ei bod yn wraig 'hoffus a chlên iawn', yn 'ddeallus a galluog', yn drwsiadus ei gwisg, 'ac fel mam John yn barablus a byw ei ffordd.' Gyda'r merched hŷn yn briod a chanddynt eu plant eu hunain, a chyda Gwladys yn ychwanegiad hyfryd iddo, gellid dweud bod y teulu'n llwyth llawen, teg. Ond nid felly.

Wrth sôn yn ddiolchgar am ddaioni'r eglwys i'w deulu ac yntau, ychwanega John Roberts yn un o Adroddiadau

Blynyddol Moriah: 'Y mae'n rhy braf o lawer arnom.' Buan y dechreuodd gofidiau. Er mor ddisglair oedd Gwen gyda'i gwersi yn Ysgol Syr Hugh Owen, er mor brydferth ydoedd â'i llywethau melyn a'i llygaid siriol, dechreuodd pethau newid yn ei bywyd hi. Y mae bron pob glaslanc a glaslances yn cicio yn erbyn y tresi pan ddônt i oed arbennig, a thybid mai drwg hwyliau'r *teenage angst* oedd achos ei hanadrwydd hi pan ddechreuodd, yn y chweched dosbarth yn Ysgol Syr Hugh Owen, wrthryfela'n erbyn safonau'r cartref a moesoldeb ei rhieni a'u tebyg. Rhodder yn y glorian ei bod yn ferch y mans – ym meddwl pobl eraill, onid yn ei meddwl hi ei hun, yn 'wahanol' i blant rhieni lleyg – a dyna bwysau mwy fyth arni i gydymffurfio â *mores* pobl ddi-blŷg y capel. Ond am na wyddai'n wahanol, yn ôl ei thystiolaeth ddiweddar hi ei hun i mi, bod yn blentyn y mans oedd y norm iddi. I raddau, am sbel, gellid dweud mai geneth ifanc ei chenhedlaeth ydoedd, yn cael ei thynnu i brofi deniadau'r ddiod gadarn a'r cyffuriau meddal a atynnai bobl ifanc wrth y degau o filoedd yr adeg honno, ac yn wir hyd y dydd heddiw. Ond nid dros-dro y'u profodd.

Am fod Gwen ei hun – gyda mi, beth bynnag, – yn ddywedwst am gyfnod ei glaslencyndod (ac am y maith flynyddoedd dilynol), ac am na chaiff neb yn ddiganiatâd drafod cyflwr unrhyw glaf gyda'r meddyg a fu'n ei drin, ni allaf fanylu gydag awdurdod ar yr helynt y bu hi drwyddo yn y chwedegau hwyr a'r saithdegau cynnar. Ond gyda'i bod yn ddwy-ar-bymtheg oed, cafodd ei rhieni helynt ofnadwy gyda hi. Hon yr oedd miwsig ac algebra'n ieithoedd iddi, a llenyddiaeth – llenyddiaeth Saesneg yn arbennig – yn hyfrydwch iddi, dechreuodd ei habsenoli'i hun o'r ysgol a'i habsenoli'i hun o'r cartref, fel bod ei thad yn aml yn gorfod mynd i chwilio amdani, weithiau, fel y daethpwyd i ddeall, rywle yng nghyffiniau Llanberis lle'r oedd criw ifanc yn cyfarfod i yfed ac arbrofi â chyffuriau. Yna byddai John Roberts yn ei dwyn tua thref, weithiau'n ddigymorth, weithiau gyda chymorth ei berthnasau agosaf a'i gymdogion.

Yn *O Ddydd i Ddydd* 1968 y nododd y tad ei boenau ynglŷn â'i ferch am y tro cyntaf, a'u nodi'n gyffredinol, am eu bod yn boenau cyffredinol, heb ddweud eu bod yn boenau personol iddo ef ei hun. Gan gymryd Diarhebion 2:10-12 yn destun ei fyfyrdod ar gyfer Dydd Sadwrn y 6ed o Orffennaf 1968, y mae'n gofyn 'a fu dyddiau creulonach i bobl ieuainc erioed yn hanes y byd na'n dyddiau ni? Hysbysebir yn gyson y pethau i foddio chwant y cnawd a chwant y llygaid a balchder y bywyd.' Y Dydd Iau canlynol, y bedwaredd bennod o'r Diarhebion yw ei destun. Cyngor yr adnod gyntaf yno yw 'Gwrandewch, blant, addysg tad'. I'r rhai a wyddai am yr amgylchiadau yn Nhŷ Fry, yr oedd rhywbeth yn ironig iawn yn y datganiad y geill 'tad a mam rinweddol ddysgu eu plant â chynghorion a thrwy esiampl ar eu haelwyd yn well nag y geill athro proffesiynol'. Os addysg tad a geir yn y bedwaredd bennod, yn yr unfed bennod ar hugain cynghorion mam a geir. Ond nid ydynt hwy chwaith yn ddigon i gadw'r ffrwyn yn dynn: 'Daeth llacrwydd mawr i foesau'r wlad, ac y mae anniweirdeb, diod a drygiau yn andwyo bywydau llu o'n hieuenctid heddiw, gwaetha'r modd.'

Ddechrau gaeaf 1968 cymerodd John a Jessie Roberts i'w tŷ wraig oedrannus a fuasai'n gyfeilles dda iawn iddynt er dyddiau Porthmadog, Ann Winifred Jones, a drigai gynt, gyda'i chwaer Jane, rownd y gornel yng Nghlog-y-berth. Â Jane wedi marw, yr oedd yn awr yn wael ei hiechyd ac yn gymharol ddiymgeledd. Gynt cadwai Ant Anni, chwedl y merched, siop ar y Stryd Fawr yn y Port, ac Anti Jane, y *main spring*, a gadwai'r tŷ. Byddai Elisabeth, Judith a Gwen yn mynd yno i gwmnïa, i gael ychydig bach o foethau, ac i wylied y teledu. Ond y fechan, Gwen, oedd y ffefryn. Pan ddaeth Anti Anni i Gaernarfon yr oedd Gwen gartref o hyd, ond yr oedd gan Elisabeth a Judith bellach eu haelwydydd eu hunain. Yn Nhŷ Fry y bu farw Ant Anni, ar y 9fed o Ragfyr 1968 yn 83 oed.

Ymhen ychydig wedyn penderfynodd Gwen fynd i Ysbyty Llundain i ddilyn cwrs nyrsio. Dilynodd y cwrs ond ni safodd yr arholiadau. Yn y man ystyriodd ddilyn cwrs yn y Coleg Normal ym Mangor, aeth yno am gyfweliad (a gwneud argraff ddofn ar y darlithydd a'i holodd), ond ni chofrestrodd fel myfyriwr. Yn ystod y blynyddoedd rhwng 1970 a 1975, pan ymddeolodd ei thad o'r weinidogaeth (ddwy flynedd ynghynt na phryd), bu'n byw gartref heb fyw gartref, gan fynd yn fwyfwy caeth i'r ddiod, yn boen enbyd i'w rhieni. Pan elai i ysbyty i geisio triniaeth, fel y tro hwnnw pan aeth i Ysbyty Dinbych yn ystod haf 1973, ei gweld mewn 'uned o rai clwyfedig' a wnâi ei thad, a cheisio'i orau i ddeall ei haflwydd a chydymdeimlo â hi yn ei thrueni.

Er mai ychydig o ofod a roddais yma i drafod trallod Gwen yn ferch ifanc – llai nag a roddais i ambell bregeth hanner awr, a llawer llai nag a roddais i *Cloch y Bwi* a *Gweddi ac Addoli* – na fychaned neb hollbresenoldeb y trallod hwnnw, trallod a oedd yn drech na gallu ei mam a'i thad i ymdrin ag ef. Ys dywedodd un meddyg a'u hadwaenai wrthyf, yr oeddynt 'allan o'u dyfnder yn delio gyda hi'.

Ni allent guddio'u gofid. A'r hyn oedd yn newyddion yn y dref un diwrnod, yr oedd yn newyddion yn y wlad drannoeth. Os tuedd Jessie Roberts oedd cadw'r pethau hyn yn ei chalon, tuedd John Roberts oedd dweud amdanynt, nid wrth bawb yn agored, bid siŵr, ond yn sicr wrth lawer yn breifat. Yn y man daeth y boen i dreiddio nifer o'i bregethau. Ymhen amser gwyddai pawb a wyddai unrhyw beth am deulu John Roberts am gyflwr Gwen. Mewn llythyr awgrymodd un cyd-weinidog mwy diniwed na'i gilydd wrtho mai rhywbeth dros-dro oedd y cyflwr yr aethai Gwen iddo ac y deuai haul eto ar fryn. Dywedodd un arall wrtho y byddai'r 'ymgeleddu sydd wedi bod arnat yn y ddrycin hon yn distyll rhywbeth newydd a grymus yn dy bregethu, rhywbeth costus i ti ei dderbyn ond rhywbeth er hynny fydd yn cyfoethogi bendith dy weinidogaeth i eraill.' Yn amlach na heb, cydymdeimlo'n syml y byddai pobl. 'Gobeithio,' ebe Cassie Davies, 'fod pethau'n llai pryderus yn eich teulu na phan oeddech ym Mhont-rhydfendigaid.'

Yn ei ddarlith dra chofiadwy ar ei gyfaill a'i gymydog, y mae'r Parchedig Trefor Jones, a ddaethai i drigo y drws nesaf i Dŷ Fry pan sefydlwyd ef yn weinidog Engedi Caernarfon, yn adrodd fel y buwyd un diwrnod yn chwilio'n ddyfal am Gwen. Rhyw ddiwrnod ym Medi 1972 oedd hwnnw. Hwyr brynhawn dyma'i chael. Y noson honno aeth John Roberts, gyda Trefor Jones yn gyrru'r car iddo, i gadw cyhoeddiad mewn Cyfarfod Pregethu ym Machynlleth, a phregethu'n nerthol. Ac yntau wrth ei waith yn cyhoeddi'r Gair o bulpud Sul ar ôl Sul, ni ŵyr neb faint o straen a roes y loes hon arno, na faint o straen a roed ar Jessie chwaith. Wedi'r cyfan, yr oedd hi gartref o hyd, naill ai'n gwarchod Gwen neu'n disgwyl amdani mewn anwybodaeth. Yn hyn o boen yr oedd i'w thawelwch urddasol hi ddyfnder yr un mor fawr â'i huotledd herfeiddiol ef. Ac o grybwyll yr huotledd hwnnw, bob tro yr agorai John Roberts ei enau i drafod drygau'r oes, i ymbil dros y truan a'r afradlon ac i felltithio'r hyn a alwai bob amser yn 'hafog pechod', byddai rhai pobl yn tybied mai cyfeirio at ei ferch ieuengaf y byddai. Ie, weithiau; ond nid bob amser.

Y mae ei bregeth ar Actau 4:12 yn amlwg yn cynnwys

cyfeiriadau at yr hyn a gynrychiolai ei hadfyd hi iddo – iddo ef a ddeallai bopeth yn nhermau'r Gair. A dyna, i raddau, fesur y gagendor rhwng y ddau, ei ddiffyg dealltwriaeth ef o'i chyflwr hi yn ei thermau hi. Dyma adnod y testun:

> Ac nid oes iachawdwriaeth yn neb arall: canys nid oes enw arall dan y nef, wedi ei roddi ymhlith dynion, trwy yr hwn y mae yn rhaid i ni fod yn gadwedig.

Egyr y pregethwr y bregeth hon drwy gyfeirio at ddau air a ddaethai'n boblogaidd yn ystod yr Ail Ryfel Byd, *utility* a *substitute*. Rhyw bethau oedd y rhain a oedd yn gorfod gwneud y tro am na ellid cael y pethau iawn. 'Aeth y rhyfel heibio,' ebe'r gennad, 'ond glynodd llawer o'r hen arferion y daethom i ddygymod â hwy ... Pethau anodd cael gwared â hwy yw ARFERION.' Yn lle dod i'r capel ar y Sul, y mae pobl yn dewis llefydd eraill i'w mynychu; ac yn lle darllen y Beibl ar y Sul, y mae pobl yn darllen papurau'r Sul. 'Caed *substitute* i Ddydd Duw ac i Air Duw, ond i Fab Duw – TYBED?' Na, ebr ef, 'ar gwestiwn IACHAWDWRIAETH ENAID, 'does yna ddim *substitute*.'

Y mae tri o bethau ynglŷn â bywyd, meddai John Roberts, a all ein gyrru'n ôl at Grist: (1) temtasiynau, (2) profedigaethau, (3) euogrwydd. Gyda golwg ar (1), y temtasiynau yw'r cynigion poblogaidd a geir fel *substitutes* ar y farchnad, y cyffuriau y gellir eu prynu ar gornel y stryd, y ddiod a geir o fynd drwy ddrws agored y dafarn. '*Un ochr* i fywyd y dafarn a ddangosir yn hysbysebion y sgrîn deledu,' ebr ef, sef yr yfwyr yn gwenu uwchben eu diod: 'ni ddangosir mohonynt uwchben eu gwarth yn nes ymlaen.' Y mae'r neb sy'n prynu'r *substitutes* hyn yn honni ei fod yn ddigon cryf i wynebu'r temtasiynau hyn, yn ddigon cryf i wybod pa mor bell i fynd. 'Dyna iaith un ar y llithrigfa. Camp y diafol yw perswadio'r ferch ifanc ei bod yn ddigon cryf i ddal yn awr y demtasiwn.' Ond nid yr ifanc yn unig a'i caiff: y mae'r satan hwn yn temtio pawb. A'r unig un all ei sathru yw Iesu Grist. Gyda golwg ar (2), profedigaethau, 'Mae'r storm yn siŵr o ddod – yn ANNISGWYL yn aml' y daw, a phan ddaw 'dydd tynnu'r llenni i lawr ar yr aelwyd' fydd hwnnw. 'Geill y meddyg gynnig ei dabledi,' ebe'r pregethwr eto, ond 'geill Iesu Grist ei gynnig ei HUN. "Dewch ataf fi bawb a'r sydd yn flinderog ..." 'Does yna ddim *substitute* i HWN.' Yn drydydd sonia am (3) euogrwydd, sef y boen sy'n dilyn pechod. Y tad-bregethwr sy'n dweud bod y '*seicologists* – chwarae teg iddynt – yn gwneud eu gorau, ond nid yw eu gorau'n ddigon. Beth am iachâd oddi wrth euogrwydd?' Williams Pantycelyn biau gofyn:

Pwy ddyry im falm o Gilead,
  Maddeuant pur a hedd,
Nes gwneud i'm hysbryd edrych
  Yn eon ar y bedd?
A dianc ar wasgfeuon
  Euogrwydd creulon, cry'?
'Does neb ond Ef a hoeliwyd
  Ar fynydd Calfari.

I John Roberts y pregethwr, 'Pechod' sydd yma'n 'gweiddi am ei gyflog.' Yr oedd gan ei ferch helgwn seicolegol na ellid eu henwi hanner mor rhwydd, nac ychwaith eu difa gyda moddion ystrydebol yr Ysbryd. Yr oedd gagendor anferth yn eu gwahanu. Ni ddilynai hi ei Efengyl ef; ni ddeallai ef ei hing a'i hangen hi. Nid rhyfedd iddo ddweud wrth un o'i aelodau ei fod yn 'dal i weddïo. Does gennyf fawr arall o ddim byd i hongian wrtho.'

Un o'i weddïau oedd "Litani", cyfres o chwe englyn y mae ynddynt yn ymbil ar yr Iesu i ddod allan o'r Beibl, allan o'r 'ffenestr liwiedig', hynny yw, allan o'i drigfannau hanesyddol a chelfyddydol, 'yn nes ato', i roi iddo nodded yn ei helynt. Y mae'r un englyn hwn yn crynhoi'r ymbiliad helaeth yn dda:

A thyred o'r Ysgrythurau, a chod
O lwch hen gredoau;
Rho law heddiw ar friwiau
Un â'i gŵyn yn ei lesgáu.

(v) 'Moriah yn lludw'

Pregethu oedd ei alwedigaeth ef. Gwelsom o'r blaen iddo gael ei wahodd i arwain nifer o wasanaethau a ddarlledwyd ar y radio; cyflwynodd oedfa ar y teledu hefyd. Ar ôl dod yn ôl i Arfon, yn awr ac eilwaith âi i stiwdio'r BBC ym Mangor i ddarlledu ambell wasanaeth ac i ddarlledu ambell homili o'r fan honno, weithiau yn yr un rhaglen â Chantorion Gogledd Cymru, a sefydlwyd gan James Williams yn rhannol i gyfoethogi'r arlwy grefyddol a ddeuai drwy'r awyr. Darlledwyd "Oedfa'r Hwyr" o Foriah ar yr 17eg o Fai 1964. Yn 1971 daeth oedfa fore'r 2il o Fai oddi yno, rhaglen a recordiwyd bythefnos ynghynt ar y 18fed o Ebrill.

Gan mor bwysig oedd yr Ysgrythur iddo fel carn ac fel arweiniad, yr oedd yn anghyffredin i John Roberts, wrth bregethu yn yr oedfa radio honno, beidio â chodi testun.*

*Mewn araith a roddodd John Roberts i staff a disgyblion ysgol (nas enwir) rywdro tua'r adeg yr aeth Cymru ddiwethaf i bleidleisio ar agor tafarnau ar y Sul, siaradodd am hunan-ddisgyblaeth. Cododd destun a allai ymddangos yn dychrynllyd i'r plant, sef Gal. 5:22, adnod y mae'n rhaid ei darllen fel dilyniant i'r tair adnod flaenorol. Y pwynt yr wyf am ei wneud yma yw iddo ddweud, 'I think I ought to have a text. A preacher without a text is like a policeman going about without his uniform.'

Yn y llyfr a gadwai i nodi testunau pob pregeth a bregethai, yr unig beth sydd ganddo gyferbyn â'r 18fed o Ebrill 1971 yw 'Pa beth sydd gennym i'w gynnig? | BBC.' A dyna sut y mae'n agor ei bregeth radio: 'Mi garwn drafod gyda chwi y bore yma y cwestiwn: "Beth sydd gennym i'w gynnig?"' Dyma fater a'i blinai'n barhaus yn ystod y blynyddoedd hyn. Wrth fyfyrio ar y llefydd gweigion yn y capeli, dywedai nad oedd yn ddigon i bregethwr ofyn i bobl ddod i'r capel. Rhaid gofyn 'I'r capel i beth?' Amrywiad ar y cwestiwn hwnnw oedd y cwestiwn 'Pa fodd y gallwn gyrraedd y dyn modern?' Drwy bregethu, meddai, dro ar ôl tro, drwy bregethu. Ond o bregethu, pregethu beth? –

> Pregethu am Dduw. Dweud wrth ddyn beth yw ei natur. Dangos iddo ei bechod, a chyhoeddi ffordd iachawdwriaeth. Syfrdanu pobl â rhyfeddod yr YMGNAWDOLIAD. Mynegi ei ddysgeidiaeth a'i gariad. Cyhoeddi rhyfeddod di-ddiwedd Croes CALFARIA, a GRYM ei Atgyfodiad Ef. Dangos gwyrth yr Ysbryd Glân a nerth gras Duw.

Eithr onid dyna a bregethwyd erioed? Ac onid oddi wrth y pethau hyn y gwrthgiliasai'r bobl?

Yr hyn sydd yn eisiau yma, wrth gwrs a gwaetha'r modd, yw trafodaeth ar y grymoedd athronyddol, seicolegol a chymdeithasol a barodd fod pobl erbyn saithdegau'r ugeinfed ganrif mor anfoddog i dderbyn Ffydd y mae ei goruwchnaturioldeb yn anathema i'w meddylfryd. Ond, fel y dywedais o'r blaen, pregethwr sy'n llefaru drwy John Roberts nid athronydd, pregethwr nid hanesydd syniadau, pregethwr sydd eto'n cydnabod bod pregethu i'r oes hon yn waith anodd onid amhosibl. Yn wir, y mae pregethu, ebe John Roberts, – ac yma y mae yn mynd â ni'n ôl i fyd y morwyr a hwyliai o gwmpas Ynysoedd y Moelrhoniaid a Chaergybi ei blentyndod a'i ieuenctid, – yn 'OILSKIN JOB.'

Yn y bregeth radio, er bod y cwestiwn agoriadol yn gwestiwn anhepgor, cyfoes, y mae'r pregethwr yn ymgysuro yn y ffaith iddo weld mewn cylchgrawn diwinyddol a gyhoeddwyd drigain mlynedd ynghynt sôn am bobl yn cwyno hyd yn oed y pryd hwnnw am ddieithrwch pregethu – am ei *'foreign-ness'* a'i *'faraway-ness'*. Sef yng nghyfnod y pregethwyr enwog a'r pregethu mawr, cyfnod y capeli llawnion, cyfnod y mynd ar grefydd. Y casgliad y daw iddo yw mai'r 'un yw'r cwynion, boed lanw neu boed drai.' Go, go brin. Cilio oddi wrth y gwir y mae John Roberts yma, tywyllu cyngor yn ofnadwy. Er bod pennau ei bregeth yn gysurlon o ran yr hyn y dywed sydd gan Grist i'w gynnig i bobl, Ei feddwl, Ei eiriolaeth a'i eneiniad, o gofio'i chwestiwn agoriadol poenus – 'Pa beth sydd gennym i'w gynnig?' – gwannaidd yw'r argraff a wna'r bregeth ar neb pwy bynnag a ddaw ati gan ddisgwyl ateb ymarferol i argyfwng y capeli, heb sôn am ateb cyffrous iddo.

Y gwir amdani yw bod John Roberts yn y bregeth hon wedi troi at ddadansoddi pregethu yn hytrach na phregethu fel y cyfryw, wedi troi'n feirniad yn lle barddoni, ac, am nad oedd ganddo'r gwrthrychedd hanesyddol na'r doniau fforensig i ddadelfennu ei fater yn oer, am unwaith y mae'n methu ag argyhoeddi. Dywedai yn niwedd ei oes na lwyddodd erioed fel darlithydd, fod pob darlith ganddo'n troi'n bregeth. Dyma'n sicr yng ngwanwyn 1971 fath ar bregeth radio na fagodd adenydd fel na phregeth na darlith. Gallaf ei ddychmygu'n cerdded y Foryd â'i ben yn ei blu o'r herwydd.

Y flwyddyn honno, 1971, â phrinder gweinidogion bellach yn argyfwng go fawr ymhlith yr enwadau yng Nghymru, a'r cynulleidfaoedd yn prinhau, penderfynodd Cyfundeb y Methodistiaid Calfinaidd 'ad-drefnu rhywfaint ar batrwm y weinidogaeth Bresbyteraidd' yn nhref

Caernarfon. Fel yr eglura William Gwyn Lewis yn ei gyfrol *Calon i Weithio*, golygai hynny 'fod y Parchn. Trefor Jones, Engedi, a John Roberts, Moreia, yn cydweithio â'i gilydd ynglŷn â Moreia, Engedi a Seilo, a bod y Parch. D. Elwyn Edwards yn cydweithio â'r Chwaer Emily Roberts ynglŷn â Beulah, Noddfa a Chapel y Maes.' Yn unol â'r penderfyniad cyfundebol hwn, cytunodd Engedi a Seilo i fod yn un ofalaeth o dan weinidogaeth Trefor Jones, a gafodd alwad ffurfiol i fugeilio Seilo, gyda John Roberts yn cynorthwyo yn ôl y gofyn, o leiaf am ryw dair neu bedair blynedd tan y codid adeilad newydd i gynulleidfa Seilo yn lle'r hen Seilo a oedd ar fin cael ei dynnu i lawr i hwyluso codi priffordd newydd drwy'r dref. Ond ni chafwyd cytundeb ym Moriah. Er i John Roberts gytuno i gynorthwyo Trefor Jones, gwrthwynebodd yntau y penderfyniad i gael gweinidogaethau ar y cyd i eglwysi Methodistaidd y dref, am na fynnai i eglwys Moriah fod heb ei gweinidog ei hun ar ôl iddo ef ymddeol. Gwrthwynebodd hefyd y cynllun i godi adeilad newydd i Seilo, am fod Moriah ar gael. A gwrthwynebodd y ddeubeth bron hyd y diwedd. Ond pan sylweddolodd na newidiai'r Cyfundeb ei feddwl, yn ystod ei flwyddyn olaf ceisiodd yn daer berswadio'i gynulleidfa i fabwysiadu cynllun y Weinidogaeth ar y Cyd. Ond Ddydd Sul yr 16eg o Fawrth 1975 pleidleisio yn erbyn a wnaeth hi. Edrydd Trefor Jones – eto'n ei ddarlith arno – am John yn dod i'w gartref o'r oedfa bleidleisiol honno a dweud, 'Dw-i wedi cael coblyn o *let-down* y bore 'ma, Trefor.' Glynu at hen safbwynt ei gweinidog a wnaeth yr eglwys, wrth gwrs, er mor golledus o ystyfnig oedd hynny.

Er ei fod yn nesáu at ei ben-blwydd yn bump a thrigain, yr oedd o hyd yn ddyn cryf, iach yr olwg arno a deithiai'n aml bellteroedd i bregethu ac a deithiai'n aml i ysbytai i ymweld â chleifion. Os byddai ambell un o'i braidd mewn ysbyty ymhell, ac oni allai ymweld ag ef, ysgrifennai ato, fel yr ysgrifennodd at Tom Vaughan Jones yn Ebrill 1975, 'ryw ddeufis' cyn y byddai ef a Jessie 'yn glanio yn Llanfwrog ym Môn'. Yn y llythyr cymharol hir hwnnw at un a gawsai 'hen helynt digon creulon' y mae'n dymuno gwaredigaeth iddo o'i ofid – 'Mae Dr SPRING yn y wlad, a daw'r spesialydd Dr SUMMER yn y man, ac y maent hwy ill dau wedi mendio miloedd erioed'; y mae'n rhoi hanes byr ei yrfa, ac yn nodi ei symudiadau: 'Ar gychwyn yr wyf i Birmingham. ... Mae gennyf Sasiwn y De yr wythnos nesaf hefyd yn Aberaeron, ac wedyn siarad ar John Hughes Pontrobert yn Sasiwn Wrexham yr wythnos wedyn.' Yna dyry ychydig o wybodaeth am arwyddocâd John Hughes, a aned ddaucanmlynedd ynghynt; yna pwt am Bedr Fardd, pwt arall am Charles Lamb, a aned ill dau yr un flwyddyn â John Hughes Pontrobert, ac yna frawddeg am gysylltiad Hughes ag Ann Griffiths. Wele, oddi ar deipiadur ei weinidog, cafodd y claf weld rhai o linynnau hanes yr Hen Gorff yn croesi gydag un llinyn o lenyddiaeth Saesneg, a chafodd gyfarchion hyfryd yr un pryd.

Yr oedfa gymun Nos Sul y 15fed o Fehefin 1975 oedd yr oedfa olaf a gynhaliodd John Roberts fel gweinidog eglwys. Printiodd daflen i ddisgrifio trefn y gwasanaeth, i enwi'r pedwar o blant Moriah a dderbynnid yn gyflawn aelodau y noson honno, ac i argraffu arni emyn newydd o'i waith. Er bod agoriad hwn fel ambell emyn arall o'i waith ychydig yn rhyddieithol, y mae'n magu cyhyrau barddonol cryfion wrth fynd rhagddo, ac y mae'r byrdynau'n nerthol:

"Pwy mae dynion yn dywedyd
  Fy mod i?" medd Mab y Dyn;
Ti yw y Meseia nefol,
  Gwir etifedd Duw ei Hun:
    Iesu ydyw
  Ceidwad mawr fy mywyd i.

Yn nhrafferthion bywyd beunydd,
Pwy fel Ef am roi ei law
Ar fy nolur, a thrwy'i gariad
Yn rhoi hedd lle gynt 'roedd braw?
Iesu ydyw
Meddyg mawr fy mywyd i.

Rhydd i'r rhai sydd yn ei ddilyn
Nerth i'w cynnal ym mhob loes;
Mi gaf goncwest ar bob gelyn,
Dim ond edrych ar ei Groes:
Iesu ydyw
Cyfaill mawr fy mywyd i.

Yr haf hwnnw symudodd ef a Jessie i Lan-yr-afon Llanfwrog, a fuasai'n gartref ac yn gynefin trysorlawn i John yn fachgen ac yn llanc. Ond, wrth reswm pawb, ac fel y gwyddent hwy cystal â neb, nid Llanfwrog ei fachgendod oedd Llanfwrog chwarter olaf yr ugeinfed ganrif. Yn awr, er bod Cymry yn y ffermydd o hyd ac er bod Salem yn dal ar agor, yr oedd ym mythynnod a thai moel Llanfwrog lawer o Saeson dŵad, ac yr oedd Glan-yr-afon, ar ôl cymdogaethau trefol Porthmadog, y Bala a Chaernarfon, yn fwthyn diarffordd dros ben. Purion i bysgotwr unig, ond nid i wraig tŷ y bu ei phob anghenraid yn hygyrch.

Yno yr oeddent fore Gwener y 9fed o Orffennaf 1976 pan glywsant ar y radio fod Moriah wedi mynd ar dân. Ychydig wedi un o'r gloch y bore y galwyd y frigâd dân. Ymhen dim yr oedd yno bum peiriant diffodd-tân, ond ar ôl y ffrwydriad a chwythodd y ffenestri i gyd allan, disgynnodd y to, a llosgwyd y galeri a seddau'r llawr yn wenfflam. Yn ôl yr adroddiadau yn *Yr Herald Cymraeg*, a roes ei ddalen flaen i gyd i'r trychineb, ni wyddai neb beth oedd achos y tân, ond dywedodd ysgrifennydd y capel wrth un gohebydd 'fod gweithwyr wrthi'n trin pydredd yng nghoed y capel ers pythefnos', a thybid, gan hynny, fod a wnelo'u peiriannau hwy rywbeth ag ef. Yr oedd y capel yn ulw, ac, eto yn ôl y papur newydd, nid oedd wedi cael ei insiwrio i'w lawn werth. Arbedwyd y festri i gryn raddau, a'r tŷ capel. Yn rhifyn y 3ydd o Awst edrydd *Yr Herald* fod y swyddogion wedi bod yn trafod, ymysg pethau eraill, 'y trefniadau ar gyfer gwasanaethau', ond 'ni fu sôn' hyd yn oed yn yr argyfwng dybryd hwn 'am uno gyda Seilo.'

Un o'r pethau y bu John Roberts yn gweithio arno yn ystod blwyddyn gyntaf ei ymddeoliad yn Llanfwrog oedd cyfrol ar hanes Moriah rhwng 1926 a 1976, cyfrol i ddathlu canmlwyddiant a hanner codi'r capel, cyfrol i ddwyn gwaith David Hoskins i fyny i'r presennol. Yn ironig, ebe fe yn yr "Epilog", yr oedd y teipysgrif yn barod i'w anfon i'r argraffwyr 'yn hwyr nos Iau, Gorffennaf 8', y noson cyn y tân. Yn naturiol, gohiriwyd ei gyhoeddi, fel y diddymwyd pob cynllun i gynnal cyfarfodydd dathlu. Yr hyn a gynhaliwyd, yn hytrach, oedd cyfarfod arbennig yn Engedi Nos Fercher y 1af o Ragfyr 1976 i ddatgorffori'r eglwys, cyfarfod a elwid yn 'oedfa olaf Capel Moriah'. Dyry John Roberts y manylion am yr oedfa honno yn nhudalennau olaf *Muriau Cof: Hanes Moriah Caernarfon 1926-1976* a gyhoeddwyd y flwyddyn ganlynol, ynghyd â chywydd o'i waith ef ei hun sy'n diweddu gyda'r cwpled

Muriau hoff Moriah aeth
Yn furiau cof a hiraeth.

Buasai'n ddigon hawdd i John Roberts ysgrifennu'n chwyrn ddramatig am y tân. Mewn oes ddreng i grefydd yng Nghymru difodwyd adeilad a fu'n gartref hardd i un o eglwysi Crist yng Nghaernarfon am ganrif a hanner, difodwyd y capel y bu ef yn weinidog ar ei braidd am dair blynedd ar ddeg na fu eu rhawd yn gwbl rwydd iddo, nac ar yr aelwyd yn Nhŷ Fry ers rhai blynyddoedd nac ym Mhenrallt ei hun tua'r diwedd. Gallai fod wedi edrych ar y tân fel symbol o ddifethdod ysbrydol.

Pennod 7

LLANFWROG

Gan na fynnai'r Cyfundeb adael i eglwys Moriah gael ei gweinidog ei hun, ofer mewn ffordd oedd y flwyddyn o rybudd a roesai John Roberts iddi ynghylch ei ymddeoliad. Ond yr oedd yn flwyddyn iddo ef ei baratoi ei hun am yr ymddeoliad, ac iddo ef a Jessie ddod i arfer â'r syniad o fyw yn y wlad ar ôl cynifer o flynyddoedd o fyw mewn trefi. Cadwasant Lan-yr-afon ar ôl marw William Roberts er mwyn mynd yno 'am fis o wyliau, mwy neu lai' bob Awst, fel Parry-Williams gyda Thŷ'r Ysgol yn Rhyd-ddu. Ni wn a fuont yn ystyried ymddeol i unlle arall ai peidio. Y mae'n amlwg oddi wrth lythyr gan y bardd a'r cyfieithydd J. T. Jones a ysgrifennwyd ar y 29ain o Awst 1974 iddo ef dybied, ar gam nid hwyrach, eu bod yn ystyried ymddeol i Borthmadog. Rhedeg ar y dirywiad yn natur y gymdeithas ddiwylliadol yno y mae ef yn y llythyr, a'u rhybuddio bod pethau wedi newid er pan fuont yn trigo yno o'r blaen: ''Does yma bellach fawr neb,' meddai, 'sy'n ymddiddori o ddifrif yn "y pethe": neb yn adnabod Keats na Shakespeare, heb sôn am Ddafydd ap Gwilym ac R. Williams Parry.' Wel, yr oedd y Parchedig Harri Parri yno a William Owen ym Mhorth-y-gest, a pharhâi Clwb y Garreg Wen i ddifyrru ei aelodau. A fu neb erioed a adwaenai Shakespeare a'r lleill yn Llanfwrog? Ond go brin mai ystyriaethau diwylliadol oedd bennaf ym meddwl John na Jessie wrth geisio penderfynu pa le i fynd i fyw iddo. Gan fod ganddi hi dylwyth agos yng Nghaergybi, gan fod Elwyn a Judith a'u plant yn byw ar Ynys Môn, gan fod John – ystyriaeth dra phwysig – o hyd yn eithriadol hoff o grwydro'r glannau rhwng y Penrhyn Mawr a Phorth Delysg i hel pob math o bethau, a chan fod yr hen gartref o hyd yn eu meddiant, yr oedd yn llai o drafferth symud yn ôl nid yn unig i'r hen sir ond i'r hen ardal na cheisio gwerthu'r hen le a phrynu tŷ newydd yn rhywle arall i ymddeol iddo.

Yr oedd John Roberts wedi arfer mynd yno'n gyson o Gaernarfon ar yr esgus lleiaf, weithiau am reswm digonol. Adroddaf hanes dau o'r ymweliadau cyn-ymddeoledig hyn.

Caiff ef adrodd hanes y naill, fel y gwnaeth mewn llythyr a ysgrifennodd y Nos Lun ar ôl yr ymweliad dan sylw at 'Judith, Elwyn & Co' 'just rhag ofn ichwi glywed am dipyn o helynt a gefais bnawn Sadwrn.' Prynhawn Sadwrn yn 1968 ydoedd, ac yntau a Jessie yng Nglan-yr-afon, hithau wedi mynd 'i Gaergybi i nôl y Pipers [Margaret ei chwaer a Norman ei brawd-yng-nghyfraith] yma dros y Sul', yntau gyda Siân y gorgast wedi penderfynu mynd 'rownd glan y môr i hel glo'. –

> Wrth drwyn Penrhyn Mawr collais fy nhraed yn llwyr a syrthiais fel ffŵl i hafn gan daro fy mhen mewn craig ... Wedi cyrraedd y gwaelod clywais sŵn morforynion yn canu yn fy nghlustiau. Ym mhen ysbaid tawodd y 'gân', a gwelais lawer o gochni – fel ar ddydd lladd mochyn erstalwm! – o gwmpas fy mriwedig benglog. Wedi gwneud yn siŵr fy mod yn fyw, codais ar fy nhraed, a gwelwn fod Siân yn ffyddlon fel Gelert ac yn edrych arnaf yn syn reit. Ceisiais gadw hances ar ochr fy mhen a dechrau cerdded yn ôl. ... Cyrhaeddais y Penrhyn. Tendiodd Olwen – nyrs wrth broffes – fi yn garedig iawn. Mae o fewn tair wythnos i roi genedig-

aeth i'w hail blentyn – gobeithio nad Red Indian fydd o!! Sychodd y gwaed, a golchodd fy mriw, a gwelodd yn syth fy mod yn stitching case. Erbyn hyn yr oedd dy fam wedi cyrraedd yn ôl i Glan-yr-afon, ac aeth â mi i'r Stanley. Yno y gwelais hi 'altogether lovely' 34 mlynedd yn ôl gyda llaw. Yr oedd Dr ap Cynan yno, a chefais dderbyniad gorseddol ganddo. Nid oeddwn wedi torri dim wrth lwc. Wedi rhoi 3 phwyth yn fy mhen – plaster helaeth ar fy ysgwydd dde a phlaster dipyn llai ar fy ffêr – dyma deithio'n llon tuag adref. Mam yn dreifio. Pregethais ddoe – i 30 boy scouts yn y bore yn Llanfwrog "in the English tongue", ac yn Abarim pnawn a nos.

A dyma hanes yr ail ymweliad cyn-ymddeoledig y cyfeiriais ato. Am flwyddyn neu ddwy yn niwedd y chwedegau gosododd John Roberts Lan-yr-afon i ddwy athrawes ifanc na fynnent fyw mewn tŷ lodjin ac na allent fforddio prynu eu tai eu hunain. Gwenda Owen oedd y naill, merch y Parchedig John Owen Llanbedr Ardudwy, athrawes yn Rhoscolyn, hen ysgol Mrs Eades; a'r llall oedd Sue Blower o Gaerdydd, a weithiai yn Ysgol Syr Thomas Jones Amlwch. Gan y byddai John Roberts yn 'dod draw yn aml i bysgota, dal crancod a cherdded y traethau,' buan y daeth y ddwy i adnabod eu landlord yn bur dda. Pan ddeuai, am fod modd iddo wneud cwpanaid o de yn hwylus 'yn y sied go helaeth' ym mlaen y tŷ, ni fyddai yn tarfu arnynt hwy o gwbl. Ddiwrnod Arwisgo'r Tywysog Charles yn Dywysog Cymru ddechrau mis Gorffennaf 1969, â'u hysgolion ar gau, yr oedd y ddwy wedi penderfynu na fyddent yn symud o Lanfwrog ac yr arhosent yng Nglan-yr-afon i wylio'r seremoni ar y teledu. Yn ystod y dydd daeth cariad Sue, Sgotyn o'r enw Ian Currie a oedd yn y Llu Awyr yn y Fali, draw i gadw cwmni iddynt, ac i fanteisio ar adnoddau'r bwthyn. Ychydig cyn yr arwisgiad *per se* dywedodd Ian ei fod yn mynd i gael bath, ond siarsiodd y ddwy ferch i alw arno mewn da bryd iddo weld uchafbwynt y ddefod. A dyma nhw'n gwneud. Daeth Ian allan o'r stafell ymolchi gyda lliain am ei ganol a'i sodro'i hun mewn cadair freichiau o flaen 'y tanllwyth tân coed glan-môr' a oedd yn y grât. A dyna'r lle'r oedd y tri – y ddwy ferch fel y dylai merched fod, a'r llanc yn noeth-lymun groen o dan ei liain – yn gwylio'r sgrîn fach pan gododd clicied y drws, a phwy gerddodd i fewn heb hyd yn oed gnocio ond John Roberts, ac eistedd gyda nhw 'i weld yr holl sioe' fel pe na bai dim byd yn rhyfedd yn y sefyllfa o gwbl. Y mae'n amlwg na allasai stumogi aros yn nhref Caernarfon y diwrnod hwnnw, ac iddo gyrchu ei seintwar arferol er ei fod yntau eisiau gweld beth oedd yn digwydd dros y dŵr.

Pan ddaeth hi'n bryd iddo symud yn ôl i Lanfwrog yn barhaol, yr oedd cryn hiraeth ar ei ôl ef a Jessie yng Nghaernarfon. I Trefor a Rhoda Jones yr oedd drws nesa'n wag. Gan y collai eu cyfeillion y diddanwch a gaent yn eu cwmni, buan y dechreuodd rhai o'r hen braidd grwydro i Fôn am flewyn o'u cwmnïaeth. Ni chawsant fyrdd o gerddi ffarwél fel a gawsant wrth ymadael â'r ofalaeth gyntaf yn y Carneddi, ond darfu i rywun ym Modurdy Gwalia lunio ychydig benillion i John Roberts:

A chwi yn symud o'r hen Dre'
Draw acw dros y don, –
Dymuno'n dda, a gwasgu llaw,
A wnawn drwy'r anrheg hon.

Ac er nad ydyw Môn ymhell,
Eich colli wnawn yn siŵr –
Fel cwsmer, ac fel cyfaill hoff,
Y llon anwylaf ŵr.

Ar lawr y 'Garage,' ar y stryd,
'Run gŵr bonheddig clên,
Ac yn y pulpud traethu'r Gair
Wrth gwrs drwy rym a gwên.

(i) '...pregethu'n y fro'; a phregethu fel y cyfryw

Y mae'r olaf o'r penillion a luniodd Elis Aethwy ar batrwm "Y Llanc Ifanc o Lŷn" yn holi ac yn ateb fel a ganlyn:

Ond ble'r ei di heno, lanc ifanc o Fôn,
Ar ben deugain mlynedd o ganmol yr Iôn?
Yn ôl i Lanfwrog, ymlaen efo'r gwaith,
I bregethu'n y fro lle cychwynnais fy nhaith.

Fel y gwelsom, cychwynnodd John Roberts ei daith pan oedd llewyrch o hyd ar grefydd ym Môn, pan oedd cyfoeth y cof diweddar am John Williams Brynsiencyn yn dal i gynhesu calonnau'r ffyddloniaid, pan oedd yng Nghaergybi, fel ym Mhorthaethwy ac Amlwch, gewri, a phan oedd cynulleidfaoedd niferus yn y rhan fwyaf o gapeli'r ynys. Dychwelodd i Fôn y gellid cyfrif ei gweinidogion Methodist gydag abacws bychan, i Fôn yr oedd ei phreiddiau'n denau a'i dealltwriaeth a'i deisyfiad crefyddol ar y cyfan mor anniben ag oeddynt yn siroedd eraill Cymru. Ni allai John Roberts, a adawsai Lanfwrog yn 1928 gyda'r fath ddisgwylgarwch awchus, lai na dychwelyd yno'n feteran pendrist os penderfynol o hyd o ddal ati.

Wythnos bregethau'r Calan 1976 yr oedd ym Methel Bodorgan Nos Lun y 5ed o Ionawr, 'efo'r Baddies (!!)', sef y Bedyddwyr, yn Llanddeusant nos drannoeth, gyda'r Methodistiaid ym Mryn Du Nos Fercher, gyda'r eglwyswyr yn Llanfaethlu Nos Iau, a Nos Wener yn Llangaffo. Mewn llythyr a ysgrifennodd at Elisabeth ac Edward ar y 6ed dywedodd, 'Os clywch am rywun eisiau pregethwr nos Sadwrn, rwyf yn rhydd!! Yn Cemaes y byddaf os byw ac iach y Sul nesaf. Braf ydyw cael bod yn weddol agos i gartref yr adeg hon o'r flwyddyn. *Home sweet home.' Home sweet home* er bod y stormydd a chwalodd ddarn o'r morglawdd yng Nghaergybi yr wythnos flaenorol wedi chwipio dŵr drwy do'r lolfa haul a thrwy'r ffenestri ffrynt yng Nglan-yr-afon ('anfoddhaol yw'r gwaith ar y ddau le yma').

Mewn llythyr ddeuddydd yn ddiweddarach at Nerys Wheldon yn disgrifio'r un wythnos bregethu, ebe fe: 'Gwelwch fy mod yn dal yn eciwmenaidd fy naliadau! ... Credaf y pregethaf heno ar DDUW YN GARTEF.' Ac â rhagddo i ddatgan mai dim ond 'trwy ddarluniau' y mae'n bosib iddo drafod Duw erbyn hyn. ''Rwyf wedi rhoi'r gorau i ddiwinydda am Dduw ers cryn amser. Beth a ddywaid artistiaid am Dduw sydd debycaf o'm helpu yn awr. Williams Pantycelyn yn bennaf o bawb efallai.'

... sydd debycaf o'm helpu meddai. Teg tybied mai ei helpu *ef fel pregethwr* a feddylia, ei helpu ef fel pregethwr gerbron pobl nad oes ganddynt gan mwyaf ddim o'r crebwyll meddyliol i drafod Duw yn ddiwinyddol. Y mae'r un mor deg inni feddwl ei fod ef ei hun wedi colli golwg ar ddiwinyddiaeth fel modd i ddwyn Duw at bobl. Er pwysleisio mewn pregeth ar ôl pregeth ar hyd ei yrfa yr athrawiaethau mawr canolog am aberth ac eiriolaeth Crist dros bechaduriaid, diwinyddiaeth 'wedi bod drwy ffwrnais profiad' oedd yn cyfrif iddo bob amser. Yn awr yr oedd yn gwneud mwy a mwy o ddefnydd o fowldiau i gael siap a llun ar y ddiwinyddiaeth brofiadol honno.

Ac yntau'n ymddeoledig nid yw'n rhyfedd ei fod yn y blynyddoedd hyn yn myfyrio mwyfwy ar bregethu, ar ddiwinydda hefyd, ar berthynas pregethu a diwinydda, ac ar ddiben pregethu. Y mae dyn yn ei drigeiniau hwyr a lafuriodd drwy'i yrfa yn ddifwlch ddygn, hyd at ludded efallai erbyn y diwedd, bron o raid yn pwyso a mesur gwerth yr hyn a gyflawnodd. At hynny, yn y cyfnod hwn, cafodd John Roberts rai achosion penodol i feddwl am bregethu. Yn 1977 gwahoddwyd ef i draddodi'r ddarlith dairblynyddol a drefnid o dan nawdd Cofeb John Williams Brynsiencyn. Ddechrau'r flwyddyn ganlynol, ar farwolaeth un o bregethwyr mwyaf gafaelgar a ffraeth ei genhedlaeth, y Parchedig J. W. Jones Conwy, lluniodd John goffâd iddo yn *Y Goleuad*. A chan fod 1979 yn ganmlwyddiant geni W. Llewelyn Lloyd, paratôdd bapur arno yntau.

I gryn raddau, yr un defnyddiau a ddefnyddiodd i wnïo'r drindod hon o driniaethau. Gan hynny gallwn edrych arnynt fel undod, undod yn mynegi ei fyfyrdodau aeddfed ar yr agwedd bwysicaf ar ei alwedigaeth yn ei farn ef.

Y bri mawr gynt ar bregethu yw dechreubwynt y coffâd i Llewelyn Lloyd. Ebe John Roberts: ni fyddai angen gofyn, ym Môn nac mewn cylchoedd crefyddol drwy Gymru gyfan ryw hanner can mlynedd yn ôl, 'PWY YW LLEWELYN LLOYD?' 'Yr oedd mor adnabyddus â'r prif-weinidog, os nad yn fwy felly.' Y pryd hwnnw yr oedd gan bob un o'r enwadau ymneilltuol – traethu fel y traethai John Roberts yr wyf – ddynion yn bregethwyr y byddai llond capel yn eu gwrando, 'hyd oni ddaeth y rhyfeloedd difaol i ddifa llawer mwy nag eiddo a bywydau – fe laddasant DRADDODIAD PREGETHU.' Nid rhyfedd, felly, ei fod yn dweud mai Llewelyn Lloyd oedd y pregethwr poblogaidd *olaf* ym Môn. A bu ef farw yn 1940. Wedyn nid oedd ond dirywiad.

Rhinweddau hanesyddol Llewelyn Lloyd oedd ei fod yn llinach ysbrydol William Charles Gwalchmai a Richard

Owen Cana, a'i fod yn drwm o dan ddylanwad John Williams Brynsiencyn. 'Magwyd ef yn bregethwr ym Môn – gwlad y pregethwyr mawr a rhai llai. Dywedai fod pob pregethwr ym Môn ar un adeg rywle rhwng John Williams ac Owen Williams, Bethel!' Rhinweddau naturiol Llewelyn Lloyd oedd ei gorff hardd, urddas ei safiad, ei lygaid golau llawn cariad, ei ddawn dweud, ac uwchlaw popeth ei lais. 'Pleth o sŵn telyn a dyfroedd lawer oedd ei lais' yn ôl Moelwyn Hughes, 'llais â dagrau ynddo' yn ôl J. W. Jones. Gyda'r cyneddfau hyn a'i gyffyrddiad chwaethus o hiwmor, barn John Roberts oedd y gwyddai Llewelyn Lloyd 'y ffordd i'r galon yn well na'r un pregethwr arall a glywais i erioed.'

Yr hyn a ddywedodd am J. W. Jones oedd mai ef oedd 'y gadwyn amlycaf rhwng y cyfnod gweddol lewyrchus' yn nechrau'r ugeinfed ganrif 'a'r presennol drwg ei argoel nad oes ganddo ddim pregethwyr i lenwi capel'. Rhan fawr o'r 'diddordeb parhaol' ym mhregethu Cymru, meddai, yw'r amrywiaeth ryfeddol a gafwyd, a hynny dros ddau gan mlynedd a hanner bron o bregethu Methodistaidd, 'yn noniau y rhai a alwyd i gyflawni'r gwaith ofnadwy o bregethu.' Yn ystod y cyfnod hir hwnnw cafwyd pregethu apeliadol, adeiladol, barnol, celfyddydol, dramatig, pregethu protest a phregethu cymdeithasol. A'r cyfan, ar ei fwyaf effeithiol, yn achos lliwgar J. W. Jones fel yn achos cynhesol W. Llewelyn Lloyd, yn bregethu'r gwirionedd drwy bersonoliaeth.

Ond beth am ansawdd a stad pregethu canol yr ugeinfed ganrif? "Pregethu" a roddodd John Roberts yn destun i'w ddarlith yng nghyfres darlithoedd Cofeb Dr John Williams. Fel y mae'n digwydd, yn 1971 J. W. Jones a'i traddododd. Agorodd John Roberts ddarlith 1977 drwy ofyn beth oedd ei diben. A'r ateb? 'Anrhydeddu un o bregethwyr enwocaf ein cenedl ni.' Y mae cwestiwn arall ganddo ynglŷn â'r ddarlith. 'A fwriedir iddi fod yn gynhorthwy i bregethwyr ieuainc?' A'r ateb i'r cwestiwn hwn? –

> Y mae'n weddol sicr ei bod o ddiddordeb i'r rhai sydd o hyd yn dal i gredu mewn pregethu, y peth rhyfeddol yma sy'n cynnwys ymdrech ddynol i gyfathrebu'n llafar wirionedd Dwyfol dros Grist. *Mwydo pobl â gwaed eich calon*, yn ôl Fosdick.

Y mae un cwestiwn agoriadol arall eto. 'Pa gymwysterau sydd gennyf i i draddodi'r ddarlith hon eleni?' Y mae'r ateb yn awr yn driphlyg. Yn gyntaf, cymhwyster ei gysylltiad byw â John Williams. Dywed John Roberts iddo'i glywed yn Salem Llanfwrog yn 1921: edrydd y stori a adroddwyd ym mhennod agoriadol y llyfr hwn am ei dad yn holi o hyd 'Ddaw o, tybed?' ac yn ebychu pan ddaeth *'Mae o yma!'* Yn ail, cymhwyster ei astudiaeth ohono: noda'r darlithydd iddo ymddiddori llawer yn y gwrthrych drwy ddarllen amdano yn y cofiant a luniodd R. R. Hughes iddo. Fel ateg i'r diddordeb hwnnw, y mae cyn-weinidog Moriah Caernarfon yn hawlio eto mai yn y capel hwnnw y cafodd John Williams 'oedfa fwyaf ei fywyd'. Yn drydydd, cymhwyster ei brofiad: bu'n pregethu, ebe fe, am yn agos i hanner can mlynedd, mewn dau gyfnod, cyfnod y capeli gweddol lawn a'r cyfnod wedi chwalfa'r Ail Ryfel Byd, 'a dim byd yr un fath wedyn.'

Clywsom y dehongliad hanes hwn eisoes. A gofynnwyd eisoes pa beth y gellid ei wneud i ddiwygio pethau. *Pregethu'n nerthol o hyd* yw ateb John Roberts o hyd, pregethu, pregethu, pregethu: dweud am Dduw. Yn y rhan hon o'r ddarlith, y mae'n dyfynnu'n helaeth o lythyr a luniodd John Williams yn 1906 i feirniadu 'diffyg arddull deilwng' pregethwyr yr oes honno ac i fawrygu'r traddodiad Cymraeg gwych o bregethu a oedd yn gynhysgaeth hanesyddol dda iddynt. Er cyhoeddi'r cofiant trwm ysblennydd a luniodd Owen Thomas i John Jones Tal-y-sarn yn 1874, onid cynt, credai'r Cymry

> nid yn unig fod nodweddion neillduol, ond fod rhagoriaethau neillduol ac arbenig yn perthyn i bregethu Cymru, sydd yn rhoddi cyfrif ... am y safle uwch sydd i'r pulpud yn ein gwlad, ac i'r dylanwad cryfach sydd ganddo ar feddwl ein cenedl, nag a gafodd, hyd ag yr ydym ni yn deall, ar unrhyw wlad arall, am gyhyd o amser, yn holl hanes yr Eglwys Gristionogol.

Noder yr *hyd ag yr ydym ni yn deall* sydd yn amodi'r datganiad hawlfawr hwn. Y mae'n perthyn i'r *efallai* sydd yn y darn nesaf o lythyr 1906 John Williams:

> Mae Cymru wedi esgyn yn uwch mewn pregethu nag un genedl, a hynny am amryw resymau, fel y mae'r bregeth Gymraeg, – yr "ideal," yn uwch efallai na'r eiddo neb arall.

Wele, yr oedd John Roberts o hyd yn annog pregethu yn rhannol am mai dyna a wnaethai'r Cymry ers cenedlaethau. Agwedd yw'r tueddfryd hwn ar ddiwinyddiaeth ddatganiadol fel y'i gelwir, ar *recital theology*, y ddiwinyddiaeth drwy'r hon y clywai cenedl Israel o hyd ac o hyd am ei pherthynas arbennig â Duw, drwy'r hon yr adroddid wrthi beth a wnaethai Duw drosti, iddi a thrwyddi. Effaith y pregethu neu'r traethu neu'r datgan hwn – galwer ef a fynner – oedd cynnal ysbryd y genedl, a'i adfer pan oedd raid, o genhedlaeth i genhedlaeth. Y mae'r ddiwinyddiaeth ddatganiadol hon i'w chlywed drwy'r Hen Destament, mewn rhannau o Lyfr yr Actau, ac yn y rhannau hynny o Epistolau Paul lle mae ef yn pregethu'r efengyl yn hytrach nag yn siarsio pobl ynglŷn â'u hymddygiad. Parhaodd yn wedd ar bregethu Cristionogol drwy'r Oesoedd Canol a chyfnod y Diwygiad Protestannaidd, a thrwy'r canrifoedd modern cynnar hyd at ein hoes ni. Beth bynnag am Owen Thomas a John Williams, wrth bwysleisio'r ddiwinyddiaeth ddatganiadol hon, nid mawrygu'r pulpud Cymraeg ar draul pob pulpud arall a wnâi John Roberts, ond ceisio cysuro pregethwyr 1977 a draethai ger bron cynulleidfaoedd tlawd drwy ddweud wrthynt fod ganddynt hil, drwy ddweud wrthynt nad dynion unig mohonynt, eithr eu bod mewn llinach o bregethwyr yr olrheinid hi i'r Apostolion, ac, o'u blaen hwy, i broffwydi Israel.

Ond er cydnabod traddodiad, rhaid cydnabod hefyd fod pob oes yn wahanol i'w gilydd. A rhaid i bob cenhedlaeth o bregethwyr astudio'i hoes ei hun a'i hadnabod. Trigai Jeremeia, medd John Roberts, mewn oes wrthnysig, trigai Paul mewn oes baganaidd, yr oedd y ddeunawfed ganrif yn oes grefyddol, y bedwaredd ganrif ar bymtheg yn oes rheswm, ac y mae'r ugeinfed ganrif yn oes wyddonol. A beth yw ei nodweddion arbennig hi? Dyry dair nodwedd i ni eu hystyried:

> (1) Wynebwn orchestwaith gwyddonol mewn seting o ddiffrwythdra moesol ac anhwylder ysbrydol gyda'r mwyaf difrifol a welodd y byd.
> (2) Wynebwn y ffydd (neu'r grefydd) farcsaidd gyda'i thuedd i ddefnyddio darganfyddiadau diweddar i sicrhau ei buddugoliaethau ei hun.
> (3) Wynebwn Gristionogaeth Americanaidd gyda'r cymysgwch rhyfeddaf o gapeli llawnion a'r ysfa gapitalaidd-filitaraidd.

Fel hyn y mae yn holl wledydd Cred. Yng Nghymru, at hynny, meddai, wynebwn 'werin wedi colli ei harchwaeth ysbrydol.' Eithr ym mhob oes ac ym mhob gwlad, ebe fe ymhellach, er pregethu i bobl sydd wedi alaru arnom, 'RHAID INNI BREGETHU – dyna'r dilema y cawn ein hunain ynddo.' Dyfynna Eseciel 2:7: 'Eto llefara di fy ngeiriau wrthynt, pa un bynnag a wnelont ai gwrando ai peidio; canys gwrthryfelgar ydynt.'

O bregethu, rhaid pregethu'n Gristionogol, gan ddilyn Crist yn Ei ddull ac yn Ei ddefnydd o'r Gair, gan bregethu gydag awdurdod ond nid yn awdurdodedig. Yn wahanol i oesoedd o'r blaen, rhaid i'r gennad yng nghanol ac yn niwedd yr ugeinfed ganrif ennill ei gynulleidfa, – ni chydnebydd hi hen awdurdod di-syfl y pulpud, – ac oni chysyllta â hi bydd yn druenus arno. Er bod y gynulleidfa yn amlach na heb yn anwybodus ym mhethau'r Ffydd, ni all y pregethwr draethu uwch ei phen heb ei cholli. Golyga hyn fod yn rhaid i'r pregethwr efengylu'n ddeallus, yn apelgar, yn atyniadol, yn gynnes ac yn nerthol, gan addysgu ei gynulleifa a'i difyrru â straeon a hanesion yr un pryd, a rhoi iddi o'i stori ef ei hun, fel y gwêl nad yw'r neges sydd ganddo yn annynol er ei bod yn ei hanfod yn ysbrydol. *'Oilskin job'* os bu *'oilskin job'*!

Y mae John Roberts yn dwyn ei Ddarlith John Williams i ben drwy nodi bod tri pheth yn sylfaenol i bregethwr effeithiol: disgyblaeth, dirgelwch, dylanwad. Y mae disgyblaeth, meddai, yn gofyn ymarfer duwioldeb. Golyga ddarllen diwinyddiaeth a hanes a 'llenyddiaeth yr iaith y pregethir ynddi'; golyga hefyd hyfforddi'r doniau rhethregol a lleisiol. Nid yw'r darlithydd mor sicr o'i bwnc wrth sôn am ddirgelwch y pregethwr. Yn wir, y mae hwn yn bwynt gwan iawn ganddo. Heblaw dweud bod Daniel Rowland yn Llangeitho yn sicrhau ei ddirgelwch drwy fynd i'r pulpud drwy'r drws bach a osododd yng nghefn Capel Gwynfil, a bod John Wesley'n gwneud yr un modd ym Mryste, yr unig beth a ddyfyd yw bod 'pregethwr yn wyrth' a bod 'gwyrth yn ddirgelwch.' Gyda golwg ar drydydd hanfod y pregethwr effeithiol, sef dylanwad, eneiniad a olyga, y ddawn ysbrydoledig honno i gael effaith ar bobl, y ddawn a feddai John Williams Brynsiencyn, y ddawn a feddai Thomas John Cilgerran, a edrychai mor esgyrnog salw â Frankenstein, a'r ddawn a feddai S. T. Jones y Rhyl, yr hoffai John Roberts ddweud amdano y gallai 'greu creisus y FARN â'i atal-dweud'. Dyna hefyd ddawn Richard Owen Cana, a lwyddai i gael 'ugeiniau o afradloniaid adref o'r wlad bell â llais trwynol, a heb godi ei ben i wynebu'r bobl hyd bron ddiwedd ei bregeth.' Dynion oedd y rhain i gyd a oedd 'yn troi geiriau yn saethau..., yn anelu i'r unig le y mae'n gyfreithlon i bregethwr anelu, sef, calon a chydwybod ei wrandawyr.'

Hawdd dychmygu pa mor argyhoeddiadol y traethai John Roberts ei ddarlith a pha mor wresog y derbynnid hi. Wedi'r cyfan, yr oedd yn draethwr rhagorol, ac yr oedd ei gynulleidfa'n gynulleidfa gydymdeimladol. Y mae'n beryglus dweud iddo ddefnyddio hen ddawn Sir Fôn wrth draddodi, oblegid, yn ôl Puleston Jones, 'gweiddi rhywbeth' oedd ystyr honno ar ei gwaethaf; ar ei gorau, yr oedd yn ddefnydd tonnog o'r llais, yr oedd yn cyfleu hwyl ac angerdd. Diau bod John Roberts yn swynol ac yn angerddol, ac yn gwbl ddiffuant. Wedi'r cyfan, traethai am bwnc nad oedd ei bwysicach iddo, ac am bobl yr oedd ef onid yn gynefin â hwy yn gynefin iawn â'r hanes byw amdanynt. Yr *oedd* ef yn *wir* ymwybodol o'r olyniaeth apostolaidd y perthynai iddi. Hawdd dychmygu hefyd fod y rhan fwyaf o'i frodyr yn y weinidogaeth a wrandawai arno gyda blas yn cytuno â'i neges. Ond beth am y to ifanc a wrandawai arno? Beth a feddyliai'r to ifanc tenau o bregethwyr yn saithdegau'r ugeinfed ganrif o'i gyfeiriadau rhwydd at Thomas John Cilgerran ac at Robert Owen Cana, pregethwyr o ddau hanner canrif Victoria? Ie, ac o greisus y Farn Fawr Ddiwethaf a âi â bryd S. T. Jones y Rhyl? Sut, mewn byd tra tra gwahanol, y gallai'r ifanc feddwl am gyffroi cynulleidfaoedd fel hwynt-hwy, â llais trwynol neu heb lais trwynol, ag atal-dweud neu heb atal-dweud? Yr oedd problemau dihidrwydd a gwrthgiliad ac anffyddiaeth Cymru ail hanner yr ugeinfed ganrif yn wahanol iawn i'r achosion yr ymlafniodd Cilgerran a Chana ac S. T. Jones â hwy. Yr un peth – unwaith yn rhagor – nas ceir yn yr ymdriniaeth hon â phregethu yw dadansoddiad o'r newidiaeth ddeallusol a'r newidiaeth mewn awdurdod ysbrydol a'r newidiaeth yn seicoleg y gymdeithas a barwyd gan y ganrif fawr wyddonol y trigasai John Roberts drwy'r rhan fwyaf ohoni.

Wrth gwrs, ni ellir ei feio am apelio'n ysgrythurol at hanes, nac am gyfeirio at hen bregethwyr apelgar brawychus y Cymry. Dyma'r diwylliant y maged ef ynddo ac iddo. Ac fel y dywedais o leiaf unwaith o'r blaen, nid meddwl yr hanesydd syniadau a roddwyd iddo ond calon a dychymyg yr efengylwr. Hyd yn oed yn 1977 yr oedd pregethu traddodiadol a phregethwyr hanesyddol yn bethau mor fyw ac mor fywiol iddo ef fel y gallai draethu ar 'y pregethwr mwyaf a gafodd y cyfundeb' – ni raid dyfalu'n hir ynghylch enw hwnnw – mewn cymhariaeth â'r mawrion eraill. 'Efallai nad gormod dweud,' meddai mewn papur o'r enw "Y Dr John Williams", 'ei fod, o'i gymharu â'i ragflaenwyr, yn rhagori mewn rhywbeth ar bob un ohonynt.' Ni feddai eneiniad Henry Rees, ebe fe (sut y gwyddai, ni wn), ond 'rhagorai arno yn naturioldeb dynol ei weinidogaeth.' Nid oedd yn gymaint o feddyliwr â David Charles Davies, ond 'yr oedd yn llawer mwy o areithiwr nag ef.' Ac felly ymlaen. Er heb feddu ar apelgarwch Owen Thomas at 'galon a chydwybod ei gynulleidfa', yr oedd 'cylch ei genadwri'n ehangach a'i arddull lenyddol yn llawer mwy cain'. Yr un fel, honnai fod egni a bywiogrwydd pregethau John Williams yn rhagorach na disgrifiadau barddonol Dr John Hughes Lerpwl. Eto i gyd ni allai ef na neb arall ddarlunio John Williams yn gyflawn am na ellid 'ail-gyfleu yr hyn yr oedd yn rhagori ynddo, sef *areithyddiaeth.*' Yna, yng nghanol yr araith arwraddolgar hon, gan gyfeirio at waith Brynsiencyn yn recriwtio milwyr i fyddin Prydain Fawr yn 1914-18, *fe* ddywed John Roberts ei bod yn resyn na fuasai 'wedi cadw a chysegru ei ddoniau'n llwyr i'r pwlpud'.

Er ei fod yn rhy wylaidd i dderbyn hynny, ac a bwrw bod unrhyw werth mewn dweud hynny, yn niwedd y saith-degau a dechrau'r wythdegau, ef oedd pregethwr mwyaf y Methodistiaid ym Môn – pregethwr mwyaf yr Ang-hydffurfwyr oll, nid hwyrach. I'r Parchedig Harri Owain Jones, a ddychwelodd i weinidogaethu yn Sir Fôn yn 1981, yr oedd presenoldeb John Roberts yn y cyfarfodydd a drefnai gweinidogion yr Hen Gorff ymysg ei gilydd bob bore Llun cynta'r mis yn ysbrydoliaeth fawr i'r gweddill, yn enwedig 'yr angerdd oedd ganddo, a'r argyhoeddiad o'r angen i bregethu Crist' er gwaetha'r ffaith 'fod ein cynulleidfaoedd yn edwino.'

A chyda golwg ar y cynulleidfaoedd hynny, dywedodd mewn mwy nag un man, ac *wrth gynulleidfa* yn ei bapur ar John Williams, fod llawer wedi'i ysgrifennu 'ar ba fodd i bregethu pregethau' ond na chlywodd 'am neb yn trafod Pa fodd i *wrando* pregethau?' Ni ellid pregethu effeithiol, meddai, heb gynulleidfa dda yn ogystal â phegethwr da. 'Rhaid bod cadwyn gref rhyngddynt.' Ond torrodd rhywun y gadwyn honno 'yn ein dyddiau ni'. Pwy? 'Mae'r gynulleidfa'n dweud mai'r pregethwr, ac mae'r pregethwr yn tueddu i ddweud mai'r gynulleidfa.' Yr ergyd olaf at y gynulleidfa yn y papur ar John Williams yw hon: 'Anodd iawn i bregethwr atgyfodi'r CREFYDDWR ynoch ar y Sul a chwithau yn bopeth ond crefyddwr drwy'r wythnos.' Noder mai am *gynulleidfaoedd y capeli* y mae'n sôn, am y rhai a ddaethai'n aelodau eglwysig ond na welent yn dda i fynychu'r moddion, neu, o'u mynychu, nad oeddent yn gyfarwydd â'r ddysg a'r neges a drosglwyddid yno, nac â'r ymarfer o dduwioldeb a ddisgwylid ganddynt gartref. Ni sonia air am yr hyn a elwid gynt *y byd*, sef y mwyafrif o bobl na fynychent dŷ addoli o gwbl ac a oedd gan hynny yn llwyr y tu allan i gylch dylanwad yr Efengyl.

Er cryfed ffydd ymddangosiadol John Roberts mewn pregethu, yn ystod y blynyddoedd hyn ymdeimlai'n fawr â'i ddiffygion ef ei hun fel pregethwr, megis yr ymdeimlai ag amhosibilrwydd cwrdd â gofynion diddanu ac addysgu a phorthi cynulleidfa – pa mor anwybodus bynnag honno – mewn cwta hanner awr. Ychydig flynyddoedd cyn ymddeol, 'fy ngwaith i yw pregethu,' ebr ef mewn sgwrs Saesneg a luniodd "About Poetry",

> and I have spent nearly forty years learning my trade, but I must confess, with a certain amount of sadness, if I may borrow Thomas Hood's lines:
>
> But now 'tis little joy
> To know I'm further off from heaven
> Than when I was a boy ...

Yr un oedd ei deimladau ychydig flynyddoedd ar ôl ymddeol. Yn angladd y Parchedig Ddr Llewelyn Jones Caergybi, a fu farw mor annhymig yn 1978 yn 56 oed, wrth dalu teyrnged i'w gyfaill dychrynodd John Roberts lawer o bobl yn y gynulleidfa pan ddywedodd ar goedd fod ei weinidogaeth ef ei hun 'yn *failure*'. Ar un wedd, rhaid dweud ei fod yn siarad dwli: yr oedd yn bregethwr cyrhaeddgar mewn cyrddau mawr a bach, buasai'n weinidog cydwybodol a hynod hoff gan y rhan fwyaf o'i aelodau, ac yr oedd yn emynydd a ddaliai i roi mynegiant clir ac iasol i brofiadau miloedd ar filoedd o addolwyr anghenus. Ar wedd arall, rhaid ei ganmol am fod yn barod i gyfaddef fod a wnelo gweinidogion fel efe, a'r weinidogaeth fel y cyfryw, *o leiaf ryw gymaint* â'r enciliad a welsai'r Gristionogaeth yng Nghymru'r ugeinfed ganrif.

Yma, yn ogystal â thrafod y John Roberts aeddfed yn ymdrin â phregethu, hoffwn hefyd grynhoi un neu ddwy o'r pregethau a bregethodd ef ei hun yn ystod y cyfnod olaf hwn. Cofir iddo ddweud wrth Nerys Wheldon ddechrau Ionawr 1976 ei fod yn mynd i draethu'r Nos Iau honno bregeth ar Dduw'n gartref, Duw yn fagwrfa'r teulu, a'i fod yn pregethu darluniau yn hytrach na diwinyddiaeth. Lluniodd fwy nag un bregeth ar y teulu, gan gynnwys pregeth ar Malachi 4:6, sy'n trafod perthynas dwy genhedlaeth o fewn teulu, a phregeth arall ar Effesiaid 2:19 ar 'deulu Duw.'

Ac ystyried fel yr oedd hi arno ef a Jessie gartref, ni ellir peidio â dychryn wrth egrwch y bygythiad sydd yn adnod olaf Llyfr Malachi: 'Ac efe a dry galon y tadau at y plant, a chalon y plant at y tadau; rhag i mi ddyfod a tharo y ddaear â melltith.' Y mae John Roberts yn agor y bregeth hon drwy ddweud bod y geiriau *tadau* a *phlant* yn awgrymu *cartref* – 'ac y mae hwnnw,' meddai, 'fel magwrfa cymeriad mewn dygn berygl yn ein dyddiau ni.' Cyfeiria'n ddilornus at y gân boblogaidd sy'n cynnwys y llinell 'Chwiliwch y byd, ... | 'Does unman yn debyg i gartref', gan ddatgan, mewn gwrthgyferbyniad i'r sentiment sydd ynddi hi, mai 'chwalfa cartrefi yw un o arwyddion sicr dadymchweliad hynny o wareiddiad sy'n sbâr yn ein plith.' Ond nid cartrefi ar chwâl yn unig sy'n esgor ar farbariaeth, ebe fe. 'Daeth tensiwn argyfyngus rhwng *Rhieni* a *Phlant* ... i fygwth cysegredigrwydd y daliadau puraf ar yr aelwyd lanaf.' Ni raid dychmygu am bwy y meddylia. Yna try'r cymdeithasegwr yn ysgrythurwr gan ddweud mai cryfder Hen Genedl Israel gynt oedd cryfder y teulu. Yn amseroedd

Abraham, Isaac a Jacob, Duw'r teulu oedd Jehofa: amddiffyn teulu oedd amddiffyn cenedl. Iddew, ebe fe, oedd Iesu Grist, Iddew a barchai deulu'r genedl. Y syniad o deulu sydd y tu ôl i'w ddisgrifiad o Dduw fel 'TAD'; ac adfer y teulu yw hanfod neges y ddameg fwyaf a lefarodd, sef Dameg y Mab Afradlon. Gan gyfeirio'n ôl at adnod ei destun, adnod olaf yr Hen Destament, deil y pregethwr mai 'ergyd olaf yr Hen Destament fel y mae gennym ni ydyw AMDDIFFYN TEULU DYN.' Fel y daw adnod gyntaf Llyfr Genesis â'r teulu dynol i fod, felly y mynn adnod olaf Llyfr Malachi gadw'r teulu'n fyw.

Gyda'r cymesuredd hwn yn llwyfan i'w rethreg, y mae'r pregethwr yn awr yn codi esgyll ei gwestiynau: 'Pwy sy'n mynd i droi calon y tadau at y plant a chalon y plant at y tadau?' Ai pwyllgor? Ai comisiwn? Ai'r llywodraeth? 'Yr ydym yng nghanol y *generation gap lletaf* mewn hanes. ...Pwy a ddaw i'r adwy?' Y mae'r plant yn gweld y tadau'n rhy gul, yn rhy rhagfarnllyd, yn rhy ddigydymdeimlad; ac y mae'r tadau yn gweld y plant yn rhy ehangfryd a diddisgyblaeth. 'Beth yw'r ateb?' Awn yn ôl at Malachi: 'efe a dry galon'. 'Nid problem teulu mewn ystyr gyfyng sydd yma, ond problem BYWYD yn y byd modern.' 'Pwy sy'n abl i weithio'r bont? – pont cymod a chyd-ddeall a chariad. Yr ateb yw CRIST, ELIAS Duw'r GENHEDLAETH NEWYDD.' Efe yn unig a sicrha fod y lliaws sy'n credu yn deulu 'o un galon, ac un enaid' (Actau 4:32). *Efe* a dry galon, meddir eto. 'Y mae yna waith troi ar y tadau,' ebe'r pregethwr. Rhaid iddynt gydnabod bod bywyd yn newid: y mae arnynt angen ffresni, gobaith, ieuengrwydd. Yn yr un modd 'y mae yna waith troi ar y plant': y mae arnynt hwy angen mwy o ddiolch am aberth y tadau gynt. Apêl gytbwys olaf John Roberts yw

DADAU, cydymdeimlwn â'r plant yn gorfod wynebu oes mor greulon.
BLANT, byddwch amyneddgar â ninnau yn gweld chwalu cymaint o freuddwydion.

Ing y penteulu gofidus sydd yma, ing y penteulu a fynn weld yn y Gair ateb i ofid cyffredinol ei genhedlaeth ac ateb i'w ofid personol ef gartref. Anodd dal bod yma ddim diwinyddiaeth, ond y mae profiad yma'n drwch.

Pregeth ar deulu'r Eglwys yw ei bregeth deuluol arall. Egyr y bregeth ar Effesiaid 2:19 drwy ddweud bod gan Paul lawer enw tlws ar Gristionogion: brodyr, rhai annwyl yn Nuw, saint, ffyddloniaid yng Nghrist, cyd-ddinasyddion â'r saint, a theulu Duw. 'Tylwyth tŷ Dduw' sydd gan William Salesbury, ebe fe. Ond bellach pwy a ddaeth i'r teulu ond '*displaced person* paganiaeth'. Pennai'r bregeth yw

(1) Cymeriad y Teulu
(2) Breiniau'r Teulu
(3) Etifeddiaeth y Teulu.

(1) Nod amgen ei gymeriad yw ei unoliaeth. Dyna nodwedd ddelfrydol y rhai a ddaeth i dŷ Dduw drwy'r bedydd Cristionogol: 'Fel y mae Duw yn un, UN yw ei deulu i fod.' Eithr un o anffodion ein hamserau ni yw bod aelodaeth eglwysig wedi colli ei bri. Er hynny, deil pobl i gael eu geni i'r teulu, caiff eraill eu derbyn iddo, ac eraill eto eu mabwysiadu ganddo. (2) Eu breiniau ynddo yw rhyddid, diddanwch, diogelwch. (3) Ac etifeddiaeth y teulu yw 'anchwiliadwy olud Crist' (Effesiaid 3:8), yr hawl i alw Duw yn Dad, a sicrwydd cadwedigaeth. Os tlawd yw'n hetifeddiaeth yn awr,

Mae inni etifeddiaeth fawr
Yr ochor draw i'r bedd.

Anaml y sonia John Roberts am y nef yn ei bregethau, ond yn ei drigeiniau yn ei drafferthion teuluol daearol y *mae*'n sôn amdani. Mewn pregeth a luniodd neu a orffennodd yn Ebrill 1978, pregeth ar y pwys angerddol a ddyry'r Apostol Ioan ar gariad, maentumia mai'r 'anian ddwyfol' ynom sydd yn 'agor y ffordd i ddyfodol o hapusrwydd' yn y nefoedd. Eithriad arall yn ei bregethau yw unrhyw stori sentimental, ond cyfeiria yma at Evangeline Booth, merch yr enwog William Booth, yn adrodd hanes ei thad yn marw. Hithau'n ei godi i weld machlud haul:

'Welwch chi'r haul yn machlud, 'nhad?'
'Na, ond mi ga i 'i weld o'n codi.'

Dyfynnir Williams Pantycelyn yn syth:

Mi wela'r cwmwl du
  Yn awr ymron â ffoi,
A gwynt y gogledd sy
  Ychydig bach yn troi:
'N ôl tymestl fawr, daw yn y man
Ryw hyfryd hin ar f'enaid gwan.

Bron na theimlir bod John Roberts yma'n ymgysuro yn yr addewid o baradwys nefol.

Cyfeiriais at y bregeth hon fel un *a luniodd neu a orffennodd* John Roberts yn Ebrill 1978 am ei fod, fel yn y blynyddoedd o'r blaen, yn gadael i'w bregethau gymryd amser i aeddfedu. Clywais ar dâp yn ddiweddar bregeth a draddododd mewn Cyfarfod Pregethu yn y Bala yn nechrau'r wythdegau, pregeth y dywed ynddi na wyddai eto a ydoedd yn bregeth ai peidio. Yn ei farn ef cyfres o bwyntiau ar ffurf nodiadau ydoedd, nodiadau heb eu coethi. Ond y mae'n amlwg ei fod yn dymuno rhoi prawf pulpudol ar y nodiadau hynny: onid e, nis defnyddiai. Diau ei fod eisiau gweld a oedd diben ymdrafferthu ymhellach â hwy. O'r tu arall, y mae'r nodiadau llawysgrif sydd ar ymyl nifer mawr o'i bregethau teipiedig yn profi na fyddai odid fyth yn bodloni'n llwyr a hollol ar bregeth, ac nad oedd iddo y fath beth â phregeth orffenedig. Ar ôl ei thynnu allan o ryw ddrôr neu'i gilydd, myfyriai arni, cymonai hi neu ychwanegai stori neu ddyfyniad ati, a thrwy hynny ei bywhau.

Yn 1982 y pregethodd yn y Bala y bregeth nad oedd eto'n sicr a oedd hi'n bregeth ai peidio. Yn 1982, fel yn 1983 ac yn 1984, daliai i lunio ychydig o bregethau newyddion, ac ynddynt cyfeiriai'n fynych er yn anuniongyrchol at ei ofid ef a Jessie gartref. Y mae'r bregeth ar un o gymalau Genesis 4:7 – 'pechod a orwedd wrth y drws' – yn enghraifft o'r cyfeirio hwnnw, fel y mae'n enghraifft arall ohono'n trafod Duw drwy ddarluniau. 'Barddoniaeth yw'r testun,' ebr ef. Beth sydd yma ond 'anifail rheibus, ymosodol, parod ei bawen i larpio.' Rhoes linellau cochion yn hirsgwar o gylch yr adnod yn un o'i Feiblau gwaith, ac ar ymyl y ddalen ysgrifennodd y geiriau *yswatio, cyrcydu* i gyfleu'r ystyr a ddyry'r Beibl Saesneg Newydd iddi: 'sin is a demon crouching at the door'. Dyma'r tro cyntaf i'r gair *pechod* gael ei ddefnyddio ar dudalennau'r Beibl, ebe fe, er bod 'y peth ei hun wedi ymddangos o'r blaen', yng nghodwm Eden. Y mae'r pregethwr a ddywedodd ei fod wedi bwrw heibio ddiwinyddiaeth yma'n gofyn 'Beth am y pechod gwreiddiol?' ac yn ateb gan ddweud bod y 'tueddiadau'n wreiddiol.' Gan ddyfynnu Karl Barth dywed mai pechod 'sy'n uno PAWB': 'Yn Stryd Balchder y magwyd ef. Plentyn CHWANT a CHYFLE ydyw, ... Merch hynaf BELIAL yw ei fam. Wrth y drws y mae'n gorwedd, ond nid i orffwys – dydi o byth yn gorffwys.'

Os pechod biau'r rhagymadrodd, â'r drws y daw drwyddo y mae a wnelo pennau'r bregeth. Dyma'r pen cyntaf: 'Nid yw wahaniaeth pa ddrws y mae'n ei ddewis cyn belled â bod tenant yn y tŷ.' Pa dŷ? 'Pob tŷ. O'r bwthyn distadlaf i'r plasdy crandiaf, ... Drws y MANS, neu ddrws y *mansion*. ... Drws puteindai, neu ddrysau breintiedig – 'does dim gwahaniaeth, mae HWN yn barod. Cyfoethog, tlawd, dysgedig, du, gwyn, caeth, rhydd, comiwnydd, capitalydd.' Y mae'r ail ben yn darllen fel hyn: 'Unwaith yr agorir y drws, mae o i mewn, heb ei wâdd.' '*Sin spares no one*. Fel y mae tân yn llosgi, gwenwyn yn lladd, mae pechod yn difa. 'R oedd si y sarff ymysg blodau Gardd Eden, ond cael brawd i ladd brawd yw ei gampwaith.' Fel y mae'r Ysgrythurau yn dangos pechod yn gorwedd wrth ddrysau pobl, wrth ddrysau Saul, Dafydd, Samson, Pedr, felly y dengys y dramodwyr mawr a'r nofelwyr mawr 'fod agor y drws i bechod yn bla dinistriol.' 'Beth yw'r ateb?' Y trydydd pen yw'r ateb: 'Diogelwch rhag ei hafog – hafog pechod – ydyw sicrhau ein bod yn agor y drws i Un cryfach na phechod, a hynny mewn pryd.' Yr Iesu yw Hwnnw, yr Iesu na sonia am bechod fel y cyfryw oddi gerth 'ar ryw dri achlysur', a hynny 'bob tro ynglŷn â maddeuant' – yr Hwn 'sydd wrth y drws ac yn curo', nid yn gorwedd, 'ond yn sefyll a churo'n fonheddig.' 'Unwaith y daw Hwn i mewn, "Ffy'r gelynion ...".'

Pan oedd John Roberts yn mynd i hwyl yn ystod munudau olaf pob pregeth, safai yn ei unfan yn y pulpud, ond fel y codai ei lais codai ar flaenau'i draed, a datgan yn raenus uchafbwynt ei bregeth gyda'r eneiniad mwyaf iasol. Ef, yn pregethu'r bregeth hon y cyfeiriais ati'n awr, mewn oedfa ddeg yn Rhos-y-gad Llanfairpwll, yw'r unig bregethwr a glywais i yn chwarter ola'r ugeinfed ganrif yn peri cryndod yn ei wrandawyr. Yr oedd yn brofiad dychrynllyd a gwefreiddiol. Y rhyfeddod i ni fel teulu y bore Sul neilltuol hwnnw oedd iddo ddod i'r tŷ ym Mhen-rhiw ryw hanner awr cyn yr oedfa fel dyn wedi'i wasgu o bob diferyn o'i nerth am iddo fod ar ddi-hun gyhyd y noson gynt ar ôl digwyddiad enbydus pan fu'n rhaid iddo fynd yn y car i gyrchu Gwen mewn cyflwr drwg o rywle. Er iddo gyfeirio at y digwyddiad ni fanylodd arno, dim ond cerdded i fewn drwy'r gegin i'r ystafell fyw yn araf lwytwedd fel petai ei gorff yn un ochenaid, syrthio i gadair esmwyth fel gŵr ar drengi, cyn ei chychwyn hi eto ym mhen ugain munud am y capel, lle pregethodd yn ddigymar reiol. Clywais lawer o bobl eraill yn disgrifio angerdd arbennig John Roberts yn y cyfnod hwn, ac yn cyfeirio at ei deimladrwydd dwfn yn y pulpud.

(ii) Defosiwn distawrwydd

Er hyn, yn ystod yr union flynyddoedd hyn, pan lafuriodd lawer ar astudio arddulliau'r pregethwyr mawr a lenwai'r pulpudau pan oedd ef yn llanc, pan ddaliai i annog eraill i gyhoeddi'r Gair yn ddi-gryn er gwaethaf anawsterau'r amseroedd, a phan roddodd gymaint ohono'i hun ac o alaeth ei aelwyd ei hun i'w bregethau newyddion, yr oedd rhan ohono yn amau gwerth pregethu o gwbl. Neu, a siarad yn fwy manwl, yn argyfwng cyfoes addoli yng Nghymru yr oedd rhan ohono o'r farn y gallai distawrwydd yn awr ac yn y man fod yn ddefosiwn mwy buddiol na'r traethu parhaus a geid yn y capeli. O du Edward ac Elisabeth Lynn y daethai'r dylanwad hwn. Yr oeddynt hwy, fel y cofir, wedi dod yn Grynwyr cyn priodi. Yn ystod y saithdegau hwyr anfonai Elisabeth gopïau o gyfnodolion y Crynwyr Saesneg, *The Friend* a'r *Junior Friend* a'r *Quaker Monthly*, i Lan-yr-afon yn rheolaidd, darllenai John Roberts hwy, a myfyriai ar eu cynnwys. Anfonai Elisabeth lyfrau a llyfrynnau i Lan-yr-afon hefyd – er enghraifft, adargraffiad 1975 o *Sacraments: A Quaker Approach* M. H. Creasey, ad-argraffiad 1965 o *Essentials of Quakerism* George H. Gorman, a'r Cymreigiad ohono, *Hanfodion Ffydd y Crynwyr*. Ym mis Mai 1979 cafodd John Roberts bwl ar y galon, ac yn ystod ei waeledd, pan na châi bregethu, weithiau âi gyda'r Lynniaid i gyfarfodydd y Crynwyr yn Wrecsam, profiad a gafodd 'effaith ryfeddol' arno.

Y flwyddyn ganlynol, cyhoeddodd y *Quaker Monthly* ddarn o farddoniaeth ganddo, sef cerdd *vers libre* Saesneg, "Benjamin", a argraffwyd ar ddalen flaen rhifyn Rhagfyr 1980. Y mae'n amlwg mai baban oedd Benjamin, y dywed y bardd iddo ddarganfod yng nghylch addoli'r Crynwyr yr heddwch a'r tawelwch yr oedd pawb yno'n ei geisio:

He was placed apart
from the stiff-chaired group.
He was not bound
to the silent circle;
he was free
in his carry-cot
on the solid floor.

We knew
that breath and spirit
are self-rooted.
We panted quietly
for the spirit within.
He breathed eloquently
in his serenity,
and soon made evident
his tranquility.

The hour ended.
There was the formal handshaking.
He opened his ebon eyes, and looked at me,
as if pitying my breaking
the silence with words.

He had been
breathing for peace,
and had found what we all sought.

Pan dderbyniodd John Roberts lythyr ar ran Bwrdd Darlith Davies a'r Gymanfa Gyffredinol yn ei wahodd i draddodi Darlith Davies yng Nghymanfa Gyffredinol y Methodistiaid Calfinaidd yn yr Wyddgrug yn 1982, yr oedd wedi'i drochi'i hun mor llwyr yn y wedd hon ar Gristionogaeth fel y penderfynodd draethu nid ar bwnc pregethwrol neu emynyddol ond ar ddefosiwn distawrwydd: *defosiwn* yn golygu 'teyrngarwch a ffyddlondeb i wasanaethau crefyddol' a *distawrwydd* 'yn awgrymu'r wedd fewnol-ysbrydol i grefydd.'

Prin y gallasai draethu ar bregethwyr oblegid yr oedd ei gyfaill J. R. Roberts Pen-y-cae wedi traethu ar *Canrif o Bregethu Cymraeg: 1850 hyd 1950* yn ei Ddarlith Davies ef yn Aberystwyth yn 1977, darlith a gyhoeddwyd yn llyfryn y flwyddyn ganlynol. Diau bod y ddau wedi trafod ei chynnwys droeon yn ystod 1976-77. Y pryd hwnnw yr oedd golygon J. R. yn prysur ddirywio, ac eraill, yn enwedig Megan ei wraig, yn gorfod darllen iddo. Yn wahanol i draethiadau Llanfwrog ar bregethwyr nid oes yn Narlith Davies John Roberts Pen-y-cae na ffefrynnu na ffromi, ond yr un yw'r neges yn ei bharagraff clo â byrdwn y darlithoedd gan John Roberts Llanfwrog y cyfeiriais atynt uchod, sef bod yn 'rhaid dal ati i bregethu. ... Pregethu wnaeth Gymru yn genedl Gristionogol; ac nid oes dim ond pregethu a ddaw â hi yn ôl at Grist heddiw ac yfory.' Nid oes yma, rhagor nag yn narlithoedd Llanfwrog, ddim ystyriaeth o'r ffaith fod pregethu wedi methu â gwneud dim o Gymru'r ugeinfed ganrif.

Y flwyddyn o flaen 1982 traethodd J. E. Wynne Davies Ddarlith Davies ar David Charles Caerfyrddin a'i emynau.

Er hynny, nid oedd dim i rwystro John Roberts yntau'n ei dro rhag llefaru ar Bantycelyn neu Forgan Rhys neu ar le'r emyn mewn addoliad neu ar unrhyw bwnc crefyddol-lenyddol arall a oedd yn amlwg at ei chwaeth ac yn rhan o'i gynhysgaeth ddysgedig. Ond na, distawrwydd defosiwn oedd y pwnc a ddewisodd. O'r ychydig gyfleon a gaiff academydd i drafod ei bwnc o ddifrif y tu allan i'r ddarlithfa, ni thrysorais i yr un yn fwy na'r cyfle a gefais pan ofynnodd John Roberts imi, yn gyntaf, drafod y pwnc hwnnw gydag ef dros hir ddyddiau yn niwedd 1980 a dechrau 1981, ac yna'n ail pan ofynnodd imi fraslunio rhaglen astudiaeth iddo. Man cychwyn y drafodaeth rhyngom oedd traddodiad geiriol Anghydffurfiaeth, tradoddiad y bregeth a'r emyn a'r weddi gyhoeddus, ac yna'r gweithgareddau diwylliadol a'u clymodd eu hunain wrth grefydd y capeli, yr ysgol gân a'r gantata a'r eisteddfod a'r ddrama. Symud wedyn at drafod pa mor gaeth oedd crefydd diwedd yr ugeinfed ganrif i iaith y canrifoedd modern cynnar a'r ddeunawfed ganrif, ac at y paradocs sy'n gorwedd yn y ffaith mai iaith y dychymyg ysbrydol cyn-wyddonol oedd honno a'n bod ni'n trigo mewn oes ryddieithol fecanistig, mewn oes na all ddirnad bod gwirionedd y grefydd Gristionogol yn guddiedig mewn delweddau nad ydynt yn ddim ond ymgais i'w ddiffinio. O gymryd y delweddau hynny'n llythrennol, tyb yr oes oedd ohoni oedd fod twyll ynddynt, neu, yn garedicach, eu bod yn annigonol i gyfleu ei hawydd a'i hofn.

Yn y braslun o astudiaeth y gofynnodd John Roberts amdano yr hyn a gafodd oedd rhaglen ddarllen gan hanesydd llên. Beth a gafwyd yn y Ddarlith Davies yng Nghymanfa'r Wyddgrug yng Ngorffennaf 1982 oedd araith gan seraff-bregethwr ar werth y pethau mewnol, ysbrydol. Yr un defnydd oedd i'r astudiaeth ac i'r araith – Morgan

Llwyd a'i gyfeiriadau gant at fewnolrwydd yr Ysbryd a William Williams yn cyfaddef ei anallu i 'draethu i ma's' yn ddigonol. Yr oedd yn hyfryd gan John Roberts gyfeirio at y 'llu o ymadroddion' yn llyfrau Llwyd 'sy'n cynnal llinell meddwl defosiwn distawrwydd', ac yr oedd yr un mor hyfryd ganddo adrodd y farddoniaeth hon sy'n cyfaddef pa mor annigonol yw iaith i fynegi'r anfynegadwy:

Pell uwch geiriau, pell uwch deall,
　Pell uwch rheswm gorau'r byd,
Yw cyrhaeddyd perffaith gariad
　Pan enynno yn fy mryd:
Nid oes tebyg
Gras o fewn y nef ei hun.

Rhaid im adael ei ddirgelion
　Hyfryd heb eu traethu i gyd,
Am nas galla' i, maent mor ddwfwn,
　Nes im dreiddio maes o'r byd:
Tragwyddoldeb,
Mi gaf weld ei wreiddiau maes.

Ond, bron na ddywedaf *wrth gwrs*, nid trafodaeth academaidd ar annigonolrwydd geiriau a gafwyd gan John Roberts, ond math o ddarlith ar werthoedd ysbrydol, math o ddarlith nad oedd ef ei hun yn fodlon arni – 'nid wyf yn fy ystyried fy hun fawr o ddarlithydd' – ond a oedd, ym marn ei gwrandawyr, yn ysgytwol fel pregeth. Beth bynnag am ddylanwad y Crynwyr arno, a beth bynnag am y ffaeledigrwydd pulpudol honedig yr oedd ef yn ysbeidiol yn ymwybod ag ef, John Roberts y pregethwr a draethodd y Ddarlith Davies. Ynddi priododd ei hoffter diweddar o dawelwch Crynwriaeth â'i hen hen ymlyniad selog wrth ddiwygiadaeth Methodistiaeth. Yn ei gopi o'r *Essentials of Quakerism* tanlinellodd y dyfyniad hwn a gododd George

Gorman o *English Social History* G. M. Trevelyan: 'Christian qualities matter much more than Christian dogmas.' Pwysleisiodd hynny hefyd yn yr Wyddgrug. Dywedodd mai'r 'oedfa fwyaf cyffrous' iddo ef fod ynddi erioed 'oedd yr oedfa ddau o'r gloch ym Methania Treforys yng Nghymanfa Gyffredinol 1942', pan bregethodd y Parchedig M. P. Morgan Blaenannerch ar "Sêl dy Dŷ di a'm hysodd i." Yr oedd yn oedfa gyffrous, meddai, am mai ynddi hi y gwelodd 'mai hanfod crefydd yw crefydd ysbrydol, ac mai eilradd yw'r allanolion bethau sy'n gynheiliaid dros dro i grefydd.' Dyna'i rhoi hi i ddogmâu, a dyna'i rhoi hi i sgaffoldion y Ffydd.

(iii) 'Ap Ensiwn' a'i Bethe

Ni chyhoeddwyd y Ddarlith. Y gwir plaen yw nad oedd yn ffit i'r wasg – nid oedd gan y darlithydd o'i flaen yn y Gymanfa ddim ond drafft teipiedig o ddarlith y pensiliwyd tipyn arno – ac er dweud y ceisiai'r 'hamdden angenrheidiol' i'w hysgrifennu'n daclus, nid aeth ati i'w chaboli. Ond anfonodd dâp ohoni i Lanfynydd, lle trigai Elisabeth ac Edward, a llythyr (teipiedig eto, fel y rhan fwyaf o'i lythyron) i gyd-fynd â hi yn y post. Yn y llythyr hwnnw nid y Ddarlith a gafodd sylw mwyaf yr epistolwr ond y ffaith iddo, ar gais diweddar Mrs Williams, lunio englyn beddargraff i Peleg Williams, organydd Moriah gynt, a fuasai farw ar y 7fed o Dachwedd 1981. Fel y gwelsom, bu'r gweinidog a'r organydd yn cydweithio am flynyddoedd ar gyngherddau a chyfarfodydd cerddorol eraill yng Nghaernarfon, ac at hynny rhoddodd Peleg rai o garolau Nadolig John Roberts ar gân. Y Sul cyn iddo ysgrifennu at Elisabeth ac Edward, buasai'n pregethu yn Nhŵr-gwyn Bangor, a rhwng cinio a the yng nghartref Syr

Thomas a'r Fonesig Parry dangosodd John Roberts yr englyn iddynt, 'ac yr oedd y Syr yn ei hoffi.' Dyma fe:

Heb nac organ na phiano, na chôr
Na chân i'w chyfeilio;
Ac o dan di-fiwsig do,
Ni fynn gymanfa heno.

'I Peleg yn unig y mae' oedd barn Syr Thomas, ond, fel y clyw Elisabeth ac Edward mewn llythyr arall a ysgrifennodd John Roberts atynt ar yr 11eg o Hydref 1982, 'nid oedd yn plesio' Mrs Williams, a ddewisodd yn hytrach yr englyn canlynol gan Gwilym R. Tilsley i'w dorri ar garreg fedd ei gŵr:

Gwiw atgof am ei gytgan – a mwynhau
Ei gwmnïaeth ddiddan;
Â llafar gord llifai'r gân
Yn hardd eurgerdd o'i organ.

'Mae Syr Thomas Parry yn wallgof am y peth,' ebe John Roberts, 'a ffoniodd fi i ddweud hynny y dydd o'r blaen. Tynnodd ... sylw at wendid y gair *gwiw*, ac mai gair er mwyn cynghanedd yw *eurgerdd*.' Er mor siomedig ydoedd, ni pheidiodd â chanu – yn gyntaf peth gywydd i'w westeiwyr yn Victoria Avenue, Bangor Uchaf. Er bod gennyf syniad go lew beth a ddywedai'r Syr, chwedl yntau, am y disgrifiad dwl a di-alw-amdano ohono fel 'einioes yr haf' – cymal a luniwyd er mwyn y gynghanedd os lluniwyd un erioed – diau yr hoffai'r llinell gyntaf a'r llinell olaf a geir yn y dyfyniad hwn o'r cywydd, sydd, ar y cyfan, yn bur raenus:

Sgolor a llenor lluniaidd,
Yn dŵr ei oes hyd i'w wraidd;
Ein Syr hoff, einioes yr haf,
Ef a'i Enid addfwynaf.

Yr oedd yn y llythyr cyntaf at Elisabeth ac Edward y cyfeiriais ato ar ddechrau'r adran hon beth o hanes Gwen. Pan ddywedais fod John a Jessie Roberts wedi symud i Lanfwrog i fyw, gallwn fod wedi lled-ychwanegu bod Gwen wedi mynd gyda nhw. Do, a naddo. Do, yn yr ystyr iddi adael Caernarfon yr un pryd â nhw, a do hefyd yn yr ystyr fod ganddi ystafell yng Nglan-yr-afon. Ond, o ran ei bod yn treulio tipyn o'i hamser mewn llefydd eraill, mewn tai yng Nghaergybi yn amlach na heb, na, ni letyai o dan eu cronglwyd yn rheolaidd. Yr oedd i'w hwyedigrwydd ryw ryddhad; eto yr oedd yn ofid parhaus. Pan nad oedd yn eu gŵydd caent rywfaint o hamdden oddi wrthi, ond hamdden – os hamdden – di-hedd ydoedd. Weithiau, pan na wyddai ei rhieni ba le yr oedd hi, âi John Roberts, fel cynt yng Nghaernarfon, i holi ac i chwilio amdani, a'i chael yn aml mewn tŷ tafarn. Eto er hyn ei ferch ef oedd hi. Wrth gerdded ar hyd un o strydoedd Caergybi un diwrnod clywodd ferch ifanc yn dweud wrth ei chyfeilles, 'Tad Gwen ydi hwnna.' 'Dyna'r compliment mwya a gefais erioed,' meddai wrth gyd-weinidog iddo.

Y llythyr mwyaf calonrwygol a welais i ymysg ei bapurau oedd hwnnw a ysgrifennodd at Elisabeth a Judith ar y 15fed o Fehefin 1976 yn disgrifio'r 'diwrnod duaf' a welsai yng Nglan-yr-afon. Sef y diwrnod cynt pan wawdiodd Gwen ef 'ar f'aelwyd fy hun' – ' a hynny am ddim ond fy mod wedi dweud wrthi pan groesem y Cob ein bod eisiau clirio'r awyr a siarad yn blaen am sefyllfa pethau rhyngom, fod amser actio gyda'n gilydd drosodd.' Y mae'r llythyr fel petai'n awgrymu mai dyma'r tro cyntaf i'w thad a'i mam geisio trafod ei thrafferthion gyda Gwen o ddifrif calon, er eu bod wedi gorfod eu dioddef ers blynyddoedd, ond prin fod hynny'n wir. Fel hyn yr â'r llythyr rhagddo:

> Daeth i mewn i'r tŷ a throi at ei mam a dweud, "Wel, be' dach chi eisiau ei drafod?" Yr wyf wedi clywed huawdledd lawer gwaith oddi ar lwyfan ac o bulpud, ond erioed ni chlywais ddim byd mwy ysgytwol na'ch Mam annwyl yn delio â Gwen yn ei dagrau, a'r dagrau i bob golwg fel dŵr ar gefn hwyaden cyn belled ag yr oedd teimladau Gwen yn bod, ond wrth gwrs 'allwn ni ddim dweud yn bendant. Fel y gwyddoch y mae Gwen yn aros (am ryw hyd) yn 42 Maeshyfryd. Cymerodd eich Mam y gair Maeshyfryd i fyny. [Yno y mae mynwent gyhoeddus Caergybi.] *"Yno* y maen nhw", meddai, "heb fod ymhell o'r lle yr wyt ti yn mynd i aros. Mi gwelais nhw'n cefnu, nes peri gofid mawr iawn i mi, am fy mod yn eu caru gymaint, ond [mae] dy weld di yn cefnu fel hyn yn llawer mwy o ofid imi..."

Ar hynny, ebe John Roberts wrth ei ddwy ferch hŷn, bu'n rhaid iddo ef fynd allan am na allai 'wynebu mwy o eiriau o'r fath': 'Dyma enghraifft o wir deimlad yn rhoi geiriau a grym dweud heb eu tebyg.' Ar ôl dweud ei meddwl aeth Jessie i gerdded glan y môr gyda Siân. I'r gwely yr aeth Gwen. Ymhen ychydig oriau wedyn, ebe John Roberts, 'Gelwais arni i gael swper efo ni (yr oeddwn wedi codi tatw newydd o'r ardd), ond 'doedd gan Gwen ddim i'w ddweud. Yr oedd ogla diod gadarn arni drwy'r adeg, ond 'doedd hi ddim yn feddw o gwbl.' Ar ôl swper casglodd ei phethau ynghyd, rhoddwyd hwy yn y car, ni ddaeth Jessie allan o'r tŷ, ac i ffwrdd â John a Gwen i Gaergybi. 'Fy ngeiriau olaf wrthi oedd, "Mae'r cartref yn Glan yr afon yn agored i ti, Gwen. Os bydd y drws ynghlo, fe wyddost p'le mae'r agoriad. Drwg iawn gennyf mai fel hyn y mae pethau wedi troi allan".' Ni raid pwysleisio'r cariad sydd yn harddu'r drasiedi hon, na'r diddymdra yr oedd Gwen ei hun yn ei ddioddef.

Ond câi hi gyfnodau pan oedd 'pethau'n well' arni. Dilynodd gwrs yng Ngholeg Pencraig Llangefni a dod yn flaenaf yn y dosbarth. Yn 1977 ac yn 1978 cafodd waith mewn cartrefi hen bobl, yn y Garreg Lwyd yng Nghaergybi am bwl ac yna yn Llandudno. Un diwrnod, a hwythau wedi trefnu ymweld â hi yn Llandudno, ffoniodd i ddweud wrth ei rhieni am beidio â dod. Megis i gadw'r oed a drefnwyd ar gyfer y dydd hwnnw mewn ffordd arall, y mae ei thad yn ysgrifennu llythyr ati, gan nodi ynddo pwy fu'n ymweld â Glan-yr-afon yn ddiweddar ('John Lyons a'r teulu ... mae'n uchel yn Lerpwl ym myd y plismyn'), gan adrodd hynt sgript y pasiant a ysgrifennai ar Anthropos, "Y Gŵr o'r Pentre Gwyn", a berfformid yn Theatr Seilo Caernarfon ('Mae'r holl beth wedi bod ar fy meddwl yn rhy hir o lawer'), a chan sôn am ei mam yn cymowta ('Y mae dy fam wedi penderfynu mynd i'r Fali i wneud busnes yn y Banc, a rhyw dipyn o negeseuau. Yr oedd wedi dresio i fynd i Landudno, a gwell oedd mynd i rywle, ac 'roedd y Fali ar y map, beth bynnag!'). 'Gyda llaw,' ebe'r llythyrwr wedyn, 'yr wyf wedi cael trowsus melfaréd o'r diwedd! Ddoe y cafodd dy fam ef yng Nghaergybi. 'Rwyf 'run fath â'm tad yn awr! Byddai ef yn medru gwneud swish-swish rhwng ei goesau wrth gerdded – ond dydw-i ddim wedi mynd cyn belled â hynny eto!' Yna y mae'n copïo cerdd, nad oes iddi fawr hyfrydwch celfyddydol, cerdd o'r enw "Masg", a '*ddaeth* y dydd o'r blaen':

> Mae pawb ohonom, i raddau, yn gwisgo masg,
> A'i gadw'n orchudd sidêt yw'n pennaf dasg.
>
> Ei gadwyno'n dynn am y clustiau a'r ên,
> Rhag i neb amau gweld craciau mynd yn hen.
>
> Byddai'n drychineb o'r mwyaf i'r masg ddisgyn,
> A phobl yn ein gweld heb y parchus blisgyn.

Y mae'n demtasiwn chwarae'r seicolegydd amatur yn y fan hon, a hawlio mai pennaf ddiben y llythyr hwn at Gwen oedd anfon y cwpled olaf hwn ati, y cwpled lle mae'r gweinidog o dad megis yn awgrymu wrth ei ferch druan nad yw yntau mor gywirbur ag yr ymddengys. Ac eto go brin. Yn y paragraff clo troi i drafod crefydd y mae John Roberts, neu o leiaf fugeiliaeth grefyddol:

> Pob dymuniad da, a chymer ofal ohonot dy hun. Tybed a oes yna weinidog yn galw heibio i'r Home yna? Byddwn i yn mynd rownd y lot pan oeddwn yn weinidog gynt, ac y mae'n syn clywed heddiw am lawer yn edrych yn ôl mewn gwerthfawrogiad o'm hymweliadau, er cyn lleied a allwn ei wneud yn aml.

Llofnodir y llythyr gan T. P. B. D., sef yw hwnnw 'Tywelwr Plu Bili Dowcars'. Mynnai ddangos fod ganddo'i synnwyr digrifwch o hyd. Yr oedd ganddo lofnodion eraill yn ogystal, 'Ap Ensiwn' yn un a 'Doyen Digger' yn un arall. Cofnodi y mae'r olaf y difyrrwch a gâi John Roberts o hyd, fel yn ei fachgendod gynt ac fel yn ystod y gwyliau haf cyson a dreuliasai yn Llanfwrog o 1939 ymlaen, ar lan y môr ac ar y creigiau geirwon rhwng Porth Penrhyn ac Ynys Fydlyn yn hel pysgod cregyn. Mewn llythyr ddechrau Ionawr 1976 at un o'i gyfeillion yng Nghaernarfon dywed iddo fod gydag Edward, Elisabeth, Gareth, Miriam a Siân yn Ynys Fydlyn drannoeth y Nadolig: 'Nid oeddwn wedi bod yno ers llawer iawn o flynyddoedd, a dywedais yn syth, dyma'r lle i fynd â ffrind â diddordeb mewn creigiau a môr a cherdded.' Casglai froc môr fel hanner canrif ynghynt, a chwiliai am gimwch a *shrimps* fel hanner canrif ynghynt. Y mae ffotograff celfydd-ddramatig ohono – ni wn gan bwy – yn camu'n gynaeafus ar greigiau ysgythrog ei hoff arfordir ar bwys ffon braff, ef ar ei ben ei hun mewn côt a chap, ei lawes dde wedi'i throi i fyny'n barod i grynhoi ei helfa, ei fag am ei ysgwydd yn barod i'w chasglu, cwmwl mawr llwyd yn llenwi'r awyr fygythiol uwch ei ben, a'r awyr tuag at y gorwel yn ysgafnach ac yn oleuach. Y mae unigrwydd arwrol yn y darlun. Y mae ynddo hefyd hyfrydwch dyn yn dilyn ei ddiddordebau o ddifrif. 'Ar y traeth af i roi tro | Reit araf 'r ôl reteirio' ebe Bodfan yn ei englyn "Ymneilltuo". Gwelir nad yn 'reit araf' y rhoddai John Roberts dro, ac nad ar esmwythder traeth yn unig y troediai.

Cafodd bedair blynedd o iechyd corfforol pur dda yn Llanfwrog i ganlyn ei ddyletswyddau a'i ddiléit, i bregethu, i hel broc ac i drafod crefydd a barddoniaeth. Pan bregethai yn ne-orllewin Môn galwai yn Nhŷ Pigyn Malltraeth, lle trigai Tom Parri Jones, awdur *Teisennau Berffro* (1958) ymhlith llyfrau eraill, un garw am lên ac am farnu llên pobl eraill. Dyma'r T. Parry-Jones y meddyliodd Thomas Parry ei fod yn ei gadeirio ym Methesda ddeng mlynedd ar hugain ynghynt! Galwai John Roberts arno, fel y dywedwyd, ac ysgrifennai ato, gan anfon ambell gân yn yr amlen. Gan fod John Roberts yn giamster ar y teipiadur, atebai Tom Parri Jones ef yn ei goin megis, un tro ar ei '*portable* Imperial' ei hun a thro arall ar Remington International a fuasai'n eiddo i'r nofelydd a'r dramodydd John Ellis Williams a fu farw yn 1975, ac a ddaeth rywsut yn eiddo i Dŷ Pigyn. Y mae llythyr yr 2il o Chwefror 1977 yn amlwg yn parhau sgwrs a fu rhyngddynt y Sul cynt, sgwrs a gynhwysai rywfaint o sôn am A. E. Housman. Dwg Parri Jones i gof 'un nos olau leuad' flynyddoedd maith ynghynt pan oedd ef a Williams Parry a J. O. Williams 'yn pwyso ar giât cae tua hanner y ffordd o Goetmor i'r fynwent', ill tri wedi'u swyno 'gan wynder annaearol sofl tan olau'r lleuad fedi'. Bardd yr Haf yn gofyn iddo 'pa Sais' a hoffai. A Parri Jones yn 'ateb yn chwap mai'r tramp W. H. Davies a Housman. A dyma [Williams Parry] 'n adrodd y gerdd am "gadw'r gôl", cyfieithiad J. T. Jones Porthmadog. Diango.' Diangof yn wir, a John Roberts yn cael ei gario'n ôl, y mae'n siŵr, i'r blynyddoedd pan oedd yn y Carneddi a'r Port. Cyfeiriais ar ddechrau'r bennod hon at ddatganiad gormodieithol J. T. Jones nad oedd neb ym Mhorthmadog yn adnabod Williams Parry. Wel, yr oedd rhywun heblaw John Roberts yn ei adnabod ym Môn.

Cafwyd parhad i'r seiat lenyddol hon ymhen tair wythnos wedyn, ac adeg 'pregethau'r Groglith' yn Niwbwrch. Parri Jones dro yn canmol 'y gerdd dyner' a ysgrifennodd John Roberts er cof am fam Alun Creunant Davies, gŵr llengar arall a ddaeth yn gyfaill iddo, a thro wedyn yn cyfeirio at gerddi a oedd ar y gweyll ganddo ef ei hun: 'Altro'r wyf "Saga'r edn drasig ar ro". Os gallaf fy modloni fy hun tipyn gwell, mi yrraf gopi ichi ei malu'n racs jibi ders cyn dŵad â hi efo chi'n ôl ddydd Sul.' (Bu farw Parri Jones yn 1980.)

Yn nechrau 1978 dechreuodd John Roberts gadw dyddlyfr unwaith eto. Ond, fel yn y blynyddoedd o'r blaen, am bwcs yn unig y'i cadwodd, a byr dros ben yw'r cofnodion sydd ynddo. Y 26ain o Ionawr nodir fel hyn: 'Cael ein hargyhoeddi, Jessie a minnau, nad oes angen angladd siarad er cystal y siarad yn angladd J. W. Jones [Conwy].' Yr 2il o Chwefror, hyn a gofnodir: 'Darllen – darllen – darllen: meddwl ond y nesaf peth i ddim. Oscar Wilde: *I am dying above my means.*' Digwyddiad mawr y flwyddyn honno iddynt oedd cael dathlu eu priodas ruddem yng nghwmni'r merched a'r meibion-yng-nghyfraith a'r wyrion: gwledd yng Nglan-yr-afon, chwaraeon yn yr ardd, a John a Jessie yn eu penwynni yn bennaeth a phenaethes eu llwyth. Ymhlith y cyfarchion a gawsant yr oedd llythyr oddi wrth Queenie a Jack Lynn, rhieni Edward, a drigai erbyn hynny ger Redditch – Mrs Lynn yn cyfeirio at gerdd serch *arall* a anfonasai John iddi pan oedd yn sâl mewn ysbyty (y *ladies' man*, chwedl Jessie, wrthi o hyd), ac at wahoddiad a gawsai gan Jessie i aros gyda nhw. John yn anfon cerddi serch ati, a Jessie'n cynnig iddi ddod i Lanfwrog i gryfhau. 'Ah, tempt me not.'

Yng ngwanwyn 1979 caewyd cylch arall. Ar y 7fed o Ebrill bu farw'r Parchedig William Morris, yr hwn, fel y cofir, a weithredai fel ysgrifennydd Cwrdd Misol Môn pan dderbyniwyd John Roberts yn ymgeisydd am y weinidogaeth hanner canrif ynghynt. Ef a Thomas Parry a roddodd y teyrngedau iddo yn ei angladd. Yn nodweddiadol, sôn a wnaeth John Roberts yn anad dim am William Morris yn ddyn ifanc o Feirion yn dyfod yn weinidog i Fryn Du pan oedd cewri ym Môn, John Williams, Thomas Charles Williams, R. R. Hughes, W. Llewelyn Lloyd a D. Cwyfan Hughes ifanc; a chanmol wedyn y gwaith mawr a wnaeth fel gweinidog a golygydd a bardd.

Fis wedi'r angladd hwnnw y cafodd y trawiad ar y galon y cyfeiriais ato gynnau, trawiad a'i nychodd, nid yn enbyd ond yn ddigon difrifol i'w gadw rhag gweithio am rai misoedd. Mewn llythyr yn Awst 1979 dywedodd wrth Mrs Olwen Pierce ei fod 'yn y *siding* ... ers tri mis, a rhaid fydd aros yn dawel fel hyn am ryw chwech wythnos eto, medda' nhw. Tybiaf y byddaf wedi anghofio sut i bregethu, os daw cyfle i wneud hynny drachefn!' Wrth Ceridwen, merch Mrs Pierce, mewn llythyr ddeufis yn ddiweddarach, dywed ei fod 'wedi dod dros yr helynt yn rhyfedd, ond fy mod yn fyr iawn fy ngwynt ar adegau.' Gyda'i ffraethineb heb bylu, ychwanega: 'Gormod o wynt yn y lle na ddylai fod, a rhy ychydig ohono yn y fan a'r lle yr wyf ei eisiau.' Yr oedd y fam a'r ferch wedi dod i Lanfwrog i edrych amdano ef a Jessie brynhawn Sadwrn yr 20fed o Hydref, a hwythau wedi mynd i barti pen-blwydd John Ifor i Landegfan: 'anaml yr awn oddi cartref o gwbl y dyddiau hyn, ond fe ddigwyddodd felly'r Sadwrn.' Er dweud ohono nad âi oddi cartref lawer, yr oedd wedi ailddechrau pregethu. A dyry beth o hanes ei gyhoeddiadau wrth Ceridwen:

> Yn rhyfedd iawn yr oeddwn yn sôn am eich mam nos Sul cyn y diwethaf yn Llwyn Idris efo Dr a Mrs Griffiths. Sôn am yr hen amser yr oedd Mrs Griffiths, ac am eich taid a oedd yn 'pals' efo ei thad y Dr John Williams. Bu'r ddau farw o fewn chydig wythnosau i'w gilydd yn 1921. ... Dywedwch wrth [eich mam] fy mod yn pregethu yng Nghapel y Parc y Sul diwethaf (caf fynd allan ambell Sul yn awr a pheidio 'dweud' fwy na *dwywaith* ar y tro). Meddwl am John Owen ym mhulpud y Parc. Bu ef yng ngwlad Canaan, a hoffai sôn am hynny wrth bregethu. Wyneb glân a sglein arno a feddai.

Os hanes yr henaduriaeth yn yr hen amser a geir yn ail chwarter y llythyr, hanes diweddaraf y teulu sydd yn ei chwarter olaf – y ffaith na fu 'pethau'n iawn' gyda Gwen 'ers tua naw mlynedd', y ffaith fod 'Elisabeth yn iawn ac yn gwneud tipyn o waith efo'r *Marriage Guidance* fwy neu lai'n ymgynghorol erbyn hyn', a'r ffaith fod 'Judith yn athrawes yn y Tec. ym Mangor, ac yn eithaf hapus fel arfer.'

(iv) "Yr Emyn Cymraeg" a'i gymrodyr Ewropeaidd

Oherwydd iddo gael y trawiad hwnnw ar ei galon ni allodd ym mis Awst 1979 gadw'i addewid i draethu gerbron Cymdeithas Emynau Cymru ar faes yr Eisteddfod Genedlaethol yng Nghaernarfon. Ei bwnc gweddus oedd "Emynwyr Tref Caernarfon", pwnc y bu'n gweithio arno yn awr ac eilwaith ers o leiaf bymtheng mlynedd. Huw

Williams a anerchodd yn ei le, ond cyn bo hir yr oedd John Roberts wedi mynd ati i baratoi'i ddarlith yn erthygl ar gyfer *Bwletin* y Gymdeithas, lle'i hargraffwyd mewn rhannau dros dri rhifyn.* Y mae ôl dygn ymchwil arni. Er dweud ohono nad oes yn Nhraethawd MA Gildas Tibbot ar "Emynwyr Gogledd Cymru hyd y flwyddyn 1800" (Aberystwyth, 1926) 'yr un enw o Gaernarfon', trafododd waith nifer da o emynwyr a ddaethai i'r dref i fyw, gan eu rhestru'n drefnus a chan eu tafoli'n sensitif.

Y mae yn yr erthygl rai cyffyrddiadau personol. Un o'r llu emynwyr dŵad i'r dref y mae'n eu trafod yw'r diweddar gyfaill William Morris, a oedd wedi ennill ar gyfansoddi emyn "Dathliad Heddwch" yn yr Eisteddfod Genedlaethol drigain mlynedd ynghynt, gŵr y dywedodd Syr Thomas Parry amdano yn ei angladd yn Ebrill 'mai un o uchelwyr y Werin Gymraeg' ydoedd. Yna gofyn John Roberts yn rhethregol: 'Onid cerddi'r werin yw emynau ein gwlad?'

A dyma gyfeiriad personol arall. – Er nad aeth John Roberts i'r Eisteddfod i Gaernarfon, gwrandawodd ar raglenni radio a ddarlledwyd oddi yno. Ar un o'r rhaglenni hynny, wrth drafod yr emyn gan Herber Evans sy'n defnyddio'r byrdwn 'Bydd goleuni yn yr hwyr', cyfeiriodd yr Athro Gwynedd O. Pierce, brodor o'r dref a mab Mrs Olwen Pierce, at y ffaith fod Herber yn byw yng ngorllewin Twthill mewn tŷ'n wynebu machlud haul dros Sir Fôn, a'i

*Dywedodd Dr E. Wyn James, a olygai'r *Bwletin* y pryd hwnnw, ei fod yn cofio'n dda i John Roberts, wrth anfon y teipsgript o'r ddarlith iddo, ddweud ei fod wedi gorfod ei 'Bovrileiddio', sef ei berwi'n ddidrugaredd er mwyn ei chael i ofod cyfyngedig. Yr oedd yn sobor o hoff o lunio geiriau fel yna: mewn un bregeth clywais ef yn cyfeirio at 'Fytlineiddio gwyliau' a 'Grahameiddio crefydd'.

bod yn fwy na thebyg mai dyna'r goleuni hwyrol a gyffrôdd yr emynydd i lunio'i linell enwog. Ebe John Roberts: 'Gwelais y golau byr-ysbeidiol hwn fy hunan o lecyn arall yn y dref, "a'm haul bron mynd i lawr".' Yn herwydd Gwen? Ynteu yn herwydd dihidrwydd y bobl? Ond nid cyfleu digalondid y mae'r llinell yn yr emyn. 'Y mae emyn Herber yn un crefftus, ond y mae ynddo beth pwysicach fyth i emyn, sef teimlad sy'n cynhyrchu teimlad, a hwnnw'n deimlad gobeithiol.'

Buasai John Roberts yn astudio emynyddiaeth er pan aeth gyntaf at yr offeryn yn Salem Llanfwrog ganol y dauddegau. Dweud yr amlwg yr ydys wrth ddweud bod emynau'n bwysig iawn iawn iddo, fel dyn ac fel pregethwr. Gan na cheir yn ei bapurau'r un englyn o'i waith ei hun ar "Emyn", y mae'n amheus gennyf a gystadlodd arno yn Eisteddfod Genedlaethol Aberafan 1966, lle cafwyd 257 o gynigion, y gorau un, ym marn y beirniad William Morris, gan y Parchedig O. M. Lloyd Dolgellau:

Mae'n dod â diod awen – at enau
Saint Iôn yn eu hangen,
Y fawlgan hoff, fel gwin hen
O nodd y Wir Winwydden.

Mewn darlith sylweddol ar "Yr Emyn Cymraeg" y dechreuodd John Roberts ei llunio yn y saithdegau (ac yr ychwanegodd ati dros y blynyddoedd) y mae'n dyfynnu'r englyn hwnyna, fel y dyfynna englyn G. O. Roberts ar yr un pwnc:

Unwaith yn sŵn emynau – mi welais
Am eiliad yn llathru
Y Groes a dagrau Iesu,
A fflach o'r gyfrinach fry.

Yn y ddarlith, yn rhagymadroddol y dyfynna'r ddau, megis

i gyfleu i'w gynulleidfa y wefr y gall emyn ei roi i'r credadun. Y mae'r ddarlith o hynny ymlaen yn trafod hanfod yr emyn, ei hanes, anhepgorion ei gyfansoddi, a'r perygl o ymyrryd â'i destun.

Ei hanfod yw bod yn gân o fawl i Dduw, a chan hynny y mae'n gyfrwng addoli yr un mor bwysig â gweddi a phegeth. Os ystyrir gwasanaeth o addoli yn wledd, ebe John Roberts, 'nid rhyw damaid i aros pryd yw'r emyn, ond rhan o'r pryd ei hun.' Fel John Wesley, nid ystyriai fod yr emyn yn bod er ei fwyn ei hun, eithr yn hytrach ei fod yn gyfrwng trosglwyddo a lledaenu cenadwri fawr yr Efengyl: 'PREGETHWR cynnes ei gân yw'r emyn ar ei orau.' Cerdd o fawl a fu erioed, gyda'i enw, meddai, yn dod o wreiddyn yn awgrymu *cyffwrdd*, cyffwrdd tannau'r delyn nid hwyrach.

O ran ei hanes yn y cyfnod ar ôl cyfieithu'r Beibl i'r Gymraeg, dywed y darlithydd yn gywir ddigon fod y Salmau Cân wedi rhagflaenu'r emyn fel y gwyddom ni amdano: 'Daw Edmwnd Prys o flaen Williams Pantycelyn.' Er y mynn John Roberts na ellir gorbwysleisio pwysigrwydd Edmwnd Prys fel addysgydd ysgrythurol nac fel awdur a gyfansoddodd ganeuon odledig er mwyn i'r bobl eu defnyddio wrth addoli, ys dywedodd Williams Parry, 'fe wyddai mai troi gwin yn ddŵr yr oedd wrth droi "Yr Arglwydd yw fy Mugail" yn "Yr Arglwydd yw fy Mugail clau | Ni ad byth eisiau arnaf, ...".' Cyfeiria John Roberts wedyn at ambell ymgais i lunio emynau gwreiddiol yn yr ail ganrif ar bymtheg – gan Vavassor Powell, er enghraifft, a oedd, meddai, 'yn ddyn da heb ddim awen'. Nid tan Williams Pantycelyn yn nhân y Diwygiad Methodistaidd y cafwyd emynau mawr yn y Gymraeg, ebe fe. Yn ei sgîl ef wele nifer da o emynwyr gwych, gan gynnwys Morgan Rhys, 'bardd bychan tan eneiniad yr Ysbryd Glân', ac Ann Griffiths, 'syndod mwyaf ein hemynyddiaeth'.

Nid oes gan y darlithydd fawr i'w ddweud wrth emynwyr cyfoes. Megis y dywedodd wrth Helen Rowlands mewn llythyr yn y pumdegau – 'mwyaf oll a welaf o waith emynwyr y blynyddoedd hyn, mwyaf oll yw'r hwyl o ganu emynau Williams' – felly y dywed yn ei ddarlith mai prin y cynhyrcha eisteddfodau 'emynau a fydd byw.' Ac ni all, mwy na minnau, osgoi'r demtasiwn o ddyfynnu englyn campus ddilornus John Rowlands Fourcrosses i'r cyfansoddwyr emynau a gafodd £300 yn wobr yn Eisteddfodau David James Pantyfedwen:

Hyd gyrion bro'r gogoniant – y mae sôn
Am y siec a gawsant;
Er hynny, bois, mae'r Hen Bant
Yn trechu'r emyn trichant.

Gyda golwg ar gyfansoddi, y mae John Roberts yn cydnabod bod yn rhaid wrth batrymau, sef yw'r rheini emynau'r gorffennol, a geir, meddai, ar bedwar ugain o fesurau gwahanol yn *Llyfr Hymnau* 'r Methodistiaid, 1927. Yn ogystal â phatrymau, rhaid wrth 'y peth dros ben hwnnw sy'n ennyn cyffro creadigaeth yng nghalon emynydd', ie, awen. Ond 'pwysicach na dim yw eneiniad.' Dyfynna wedyn y rhagymadrodd miniogwych a luniodd Pantycelyn i *Ffarwel Weledig, Groesaw Anweledig Bethau,* 1763-69, ac a atgynhyrchir ar dudalen 193 yr ail gyfrol o *Weithiau Williams Pant-y-celyn* a olygodd N. Cynhafal Jones yn 1891. Beth a ddyfyd Pantycelyn yno yw y dylai pwy bynnag a ddanfono hymnau i'r argraffwasg yn gyntaf 'ymofyn am wir ras eu hunain' a 'gwir adnabod Duw yn ei Fab': 'heb ba beth y mae yn rhyfyg ofnadwy i gyffwrdd ag arch Duw.' Yn ail, dylai ddarllen 'yn Saesneg', oni all ddarllen mewn ieithoedd eraill, 'i adnabod prydyddiaeth – pa le y mae ei thegwch yn gorffwys, at ba ddiben y mae, a'r amryw reolau sydd yn perthyn iddi.' Yn drydydd, dylai ddarllen 'drachefn a thrachefn lyfrau'r Proffwydi, a'r Salmau, y Galarnad, y Caniadau, Job, a'r Datguddiad, y rhai sydd nid yn unig yn llawn o ehediadau prydyddiaeth, troellymadroddion,' &c., ond sydd hefyd 'yn ennyn tân, zêl, a bywyd yn y darllenydd tu hwnt (am mai llyfrau Duw y'nt) i bob llyfrau yn y byd.' Yn olaf, dylai beirdd beidio â 'gwneud un Hymn fyth nes y byddont yn teimlo eu heneidiau yn agos i'r nef, tan awelon yr Ysbryd Glân'.

Amrywiad plaen ar y siars aruchel hon yw'r hyn y cofia John Roberts John Jones Llanrwst, un o seraffiaid gwreiddiolaf yr Hen Gorff yn hanner cynta'r ugeinfed ganrif, yn ei ddweud, sef fod yn rhaid wrth ysbrydoliaeth i gyfansoddi emyn, ysbrydoliaeth i gyfieithu emyn, ac weithiau ysbrydoliaeth 'i berswadio ambell un i beidio â gwneud hynny!'

Pwnc olaf y ddarlith ar "Yr Emyn Cymraeg" yw'r tramgwydd o olygu emynau, newid eu geiriau, weithiau frawddegau, a thrwy hynny 'golli'r cyffro cyntaf, colli'r brwdfrydedd, ac weithiau colli'r gwreiddioldeb.' Cri'r golygyddion fel arfer, meddai John Roberts, yw bod angen diwygio'r hen emynau 'i ateb gofynion yr oes.' Eilio'r ffraeth Ddeon Inge y mae wrth ateb y gri honno. 'Os yw pregethwr ac emynydd,' meddai, 'yn mynd i briodas â'i oes, mi fydd yn ŵr gweddw yn yr oes nesaf!' 'Newidir ambell emyn,' meddai, 'i wella'i iaith, i'w wneud yn fwy *derbyniol.*' Canlyniad hyn eto yw colli cyffro'r gwreiddiol. Un o'r rhai sydd o dani am ymyrraeth ag emynau yw Elfed, emynydd o bwys nad yw ei ganu yn 'creu synnu fyth ar synnu' er bod ganddo rai cyfansoddiadau rhagorol, mewn rhyddiaith yn ogystal â barddoniaeth. Nid y lleiaf o'r rheini yw clo'r ddarlith ar yr emyn Cymraeg a draddododd Elfed i Undeb yr Annibynwyr yn ugeiniau'r ganrif ddiwethaf. Y mae John Roberts yn dyfynnu'n helaeth o hon am ei fod yn rhannu'r meddwl a'r teimlad sydd ynddi, — *y sentiment sydd ynddi* a ddywedai'r 'genhedlaeth fydol a choeg' sydd ohoni:

> Yr hen Emyn Cymreig! Dy anadl a adfywiodd lawer cwrdd gweddi a seiat a chyfeillach rhwng muriau moelion, a enynnodd hwyl ar wyrddfaes aml gymanfa, ac a gerddodd yn ddiwygiad ar led Cymru ac hyd ymhell. Na choder llaw halog i'th ddifwyno, na meddwl anhirion i rwystro dy ddylanwadau grasol, na chenhedlaeth fydol a choeg i'th ollwng tros gof.

Nid yw uchafbwynt ei ddarlith ef ei hun yn llai ehedog. Yn wir, y mae'r hyn a hawlia yno yn ymddangos yn gwbl herfeiddiol. Hawlio y mae fod yr emyn wedi llwyddo i ddwyn undeb i blith Cristionogion y methwyd â'i gael drwy gynadleddau ar uno a thrwy lysoedd eglwysig — hawlio buddugoliaeth yr awen eneiniedig dros wleid-yddiaeth enwadol. Wrth sôn am y Pentecost cyntaf, mynn nad 'siarad yr un iaith' a geid, 'ond peth hollol wahanol a godidocach, deall ei gilydd, er i'w hieithoedd fod yn wahanol.' Yn y 'Pentecost tragwyddol' yr un modd,

> bydd **Bernard** yn canu *Jesu, dulcis memoria*
> a **Luther** ei *Ein fest Burg ist unser Gott*
> a **Watts** ei *When I survey the wondrous Cross*
> a **Pantycelyn** ei *Iesu, Iesu, 'rwyt ti'n ddigon*
> heb i Bernard anghofio ei Ladin, na Luther ei Almaeneg, na Watts ei Saesneg, na Phantycelyn ei Gymraeg, a heb i hynny rwystro mewn unrhyw fodd gynghanedd berffaith eu cyd-ddeall a'u cyd-ganu.

Dyna fesur nerth a dylanwad ysbrydol yr emyn Cristionogol i John Roberts Llanfwrog.

(v) Emynydd Cenedlaethol

Ni ellir dweud ai'r parch rhyfeddol hwn at ddylanwad emynyddiaeth a'i cymhellodd ef yn gynnar yn ei yrfa i droi ei law at gyfansoddi emynau, ynteu ai ei awen bersonol a barodd iddo uchelbrisio'r traddodiad Pantycelynnaidd y daethai'n rhan ohono. Dywedodd fwy nag unwaith mai 'ffurf ar farddoniaeth yw emyn, ond [nad] y beirdd mwyaf yw'r emynwyr gorau bob amser.' Nid oedd ef, mwy na'r mwyafrif o brydyddion, yn fardd mawr, ond fe ysgrifennodd rai o emynau gorau'i genhedlaeth. Gwelsom yn y braslun uchod o'i ddarlith ar "Yr Emyn Cymraeg" na roddai werth mawr ar emynyddiaeth ei oes ei hun. O ystyried natur ei meddwl, nid yw'n syndod mai cyfran fechan o emynwyr da a gafodd yr ugeinfed ganrif. Dynion a aned yn y ganrif o'i blaen yw'r amlycaf ohonynt: Elfed, Ben Davies, H. T. Jacob. Yna, yn ail hanner yr ugeinfed ganrif, dangosodd W. Rhys Nicholas ddawn nodedig at y gwaith, gwaith y gellir i gryn raddau gymharu gwaith John Roberts ag ef. Fel y dengys yr ail argraffiad o *Cerddi Mawl: Emynau, Carolau, Salmau*, 1991, ysgrifennodd Rhys Nicholas nifer mwy o emynau na John Roberts, ond credaf ei bod yn deg dweud mai tua'r un nifer o emynau mawr gan y naill a'r llall a enillodd galonnau'r bobl. Yn bennaf yn achos Rhys Nicholas, "Tydi a roddaist" a "Tyrd atom ni"; ac yn bennaf yn achos John Roberts yr emyn lleddf-fendithiol sy'n dechrau gyda'r llinell 'Pan fwyf yn teimlo'n unig lawer awr' a'r emyn y rhoddwyd y teitl "Gweddi Heddiw" iddo ac sy'n agor gyda'r geiriau 'O, tyred i'n gwaredu, Iesu da'. Nid dyma'r lle i gymharu'r ddau gyfoeswr, ond os rhywbeth y mae mwy o'r cynulleidfaolwr moliannus yn Rhys Nicholas a mwy o'r erfyniwr eneidfawr yn John Roberts.

Yr wyf wedi argraffu nifer o'i emynau yn y llyfr hwn

eisoes, ac wedi ceisio'u lleoli yn y llefydd a'r amseroedd y cyfansoddwyd hwynt. Yma hoffwn gyfeirio'n fyr at gysylltiadau 'Pan fwyf yn teimlo'n unig lawer awr', ac yna mi driniaf ddatblygiad "Gweddi Heddiw".

Y thema lywodraethol yn yr emyn sy'n agor gyda'r llinell 'Pan fwyf yn teimlo'n unig lawer awr' yw'r gwrth-gyferbyniad rhwng unigrwydd a thrymder ysbryd yr hwn sydd yn adrodd am ei drueni a sicrwydd y llaw ddibynadwy sy'n gafaelyd ynddo. Nid yw'r defnydd o'r llaw fel symbol o gysur a gofal yn ddieithr i ganu John Roberts. 'Llaw dy gariad a estynnaist | I amddiffyn plant dy oes,' ebe emyn gweddol gynnar ganddo. Dywed yn un o'i salmau mai 'Â'i law' y cadwodd yr Arglwydd ef 'rhag cwymp,' –

> Hi a'm harwain dros fy holl ddyddiau.
>
> Pan nas gwelaf, y mae ei gafael ynof,
> A'i chysgod drosof yw fy niogelwch.

Yr un fel, yn y gyfres o englynion a ysgrifennodd o dan y teitl "Litani", gwelsom ei fod eto'n gofyn i'r Iesu roi 'llaw heddiw ar friwiau | Un â'i gwyn yn ei lesgáu.' Ac mewn cyfres o gwpledi o'r enw "Troeon y Daith" dyma'r agoriad:

> Ar y ddu awr, mor dda yw
> Llaw i adfer un lledfyw.

Gan amled y cyfeirir yn yr efengylau at yr Iesu yn gosod ei ddwylo ar bobl, nid yw'n syndod bod beirdd ac emynwyr, fel arlunwyr, Albrecht Dürer yn anad neb, hwythau'n defnyddio'r symbol hwn. Yng nghyfnod Caernarfon lluniodd John Roberts bregeth ar Mathew 19:13 a Luc 4:40 a 24:39-40 a'i galw yn "Dwylo'r Iesu". Yn rhagymadrodd y bregeth honno, ar ôl rhoi gwers fer anatomegol i'w wrandawyr, disgrifia wahanol ddwylo – dwylo segur (y ceir digonedd ohonynt), dwylo prysur wedi llonyddu (megis dwylo Hedd Wyn 'na ddidolir rhagor'), dwylo ystwyth (dwylo'r pianydd Artur Rubinstein), y cast plaster o law farw Keats (dyn â marwolaeth yn ei law, ys dywedodd Coleridge), a dwylo rheumatig Renoir. Corff y bregeth yw'r sylwadau a geir ar ddwylo'r Iesu a'u rhinweddau, dwylo iacháu, dwylo bendith, dwylo aberth. Dyfynna'r hyn a ddywedodd John Williams Brynsiencyn braidd yn stroclyd i'm chwaeth i, sef mai'r 'dwylo fu ar y Groes sydd bellach ar *levers* y bydysawd', a dyfynna hefyd o gerdd T. Rowland Hughes, 'Dwy law yn erfyn'. Diwedda'r bregeth drwy ddarllen ei emyn (enwog bellach) ef ei hun. Wele, yr oedd yn aml gysylltiad ym meddwl awenus John Roberts rhwng ei bregethu a'i emynydda. Yr oedd iddynt wreiddiau yn yr un dychymyg profiadol.

Troer yn awr at "Gweddi Heddiw", yr emyn mawr a gysylltir â blynyddoedd olaf ei fywyd, am mai yn ystod Eisteddfod Genedlaethol Ynys Môn 1983 y canwyd ef am y tro cyntaf. Ers ychydig flynyddoedd buasai'n arfer gosod cystadleuaeth cyfansoddi emyn-dôn yn y Brifwyl, a daeth yn arferiad i ganu'r geiriau gosod ar yr emyn-dôn fuddugol yn y gymanfa a gynhelid ar ddiwedd yr ŵyl. Ar gyfer Rhestr Testunau Eisteddfod Genedlaethol Ynys Môn, gan fod un o emynwyr gorau'r Gymru oedd ohoni yn trigo ar yr ynys, ac, at hynny, yn gadeirydd y Pwyllgor Llên, yr oedd yn naturiol i drefnwyr yr ŵyl honno ofyn i John Roberts am eiriau i geisio emyn-dôn newydd 1983 arnynt. Pan ddaeth y geiriau grymus i law yr oeddwn i, fel tipyn o gadeirydd y Pwyllgor Gwaith, yn meddwl iddynt gael eu cyfansoddi'n benodol ar gyfer yr Eisteddfod. Ni wyddwn y pryd hwnnw am ddulliau cyfansoddi John Roberts, y modd y treuliai amser hir, blynyddoedd yn yr achos arbennig hwn, i ddwyn ambell gyfansoddiad i fwcwl. Nid oeddwn chwaith wedi bod yn ddigon llygadog wrth ddarllen rhifynnau *Bwletin Cymdeithas Emynau Cymru*.

Tri phennill chwe llinell sydd i'r emyn cadwynog "Gweddi Heddiw". Y mae geiriau olaf y pennill cyntaf yn agor yr ail bennill, y mae geiriau olaf yr ail bennill yn agor y trydydd, ac y mae llinell olaf y trydydd pennill yn ailadrodd llinell agoriadol yr emyn. Y mae yn yr emyn odlau cryfion. Ac yn fwy na dim, yn herwydd ei grefftwriaeth ddeniadol a'r ymbiliad taer sydd yn rhoi iddo'i ystyr, y mae'n emyn canadwy, cofiadwy, apelgar ym mhob rhyw fodd, ac yn fynegiant croyw o ddyhead taer am waredigaeth gan rai 'dan ofnus bla'. At hynny, y mae'r cyfeiriad sydd yn y pennill cyntaf at y Crist atgyfodedig yn ymweld â'i ddisgyblion ofnus, a'r cyfeiriad sydd yn y pennill olaf at y dilyw tân Datguddiadol, yn ei wneud yn emyn ysgrythurol hefyd:

O, tyred i'n gwaredu, Iesu da,
Fel cynt y daethost ar dy newydd wedd,
A'r drysau 'nghau, at rai dan ofnus bla,
A'u cadarnhau â nerthol air dy hedd:
Llefara dy dangnefedd yma'n awr,
A dangos inni greithiau d'aberth mawr.

Yn d'aberth Di mae'n gobaith ni o hyd;
Ni ddaw o'r ddaear ond llonyddwch brau;
O hen gaethiwed barn rhyfeloedd byd,
Hiraethwn am y Cymod sy'n rhyddhau:
Tydi, Gyfryngwr byw rhwng Duw a dyn,
Rho yn ein calon ras i fyw'n gytûn.

Cyd-fyw'n gytûn fel brodyr fyddo'n rhan,
A'th gariad yn ein cynnal drwy ein hoes;
Na foed i'r arfog cry' orthrymu'r gwan,
Ac na foed grym i ni ond grym y Groes:
Rhag gwae y dilyw tân, O trugarha,
A thyred i'n gwaredu, Iesu da.

Dim ond pan euthum i bac John Roberts wrth baratoi'r gyfrol hon y gwelais nad emyn newydd ar gyfer Eisteddfod 1983 oedd hwn, ond bod fersiwn cynnar ohono mewn cyfrol breifat a deipiodd ac a rwymodd yn anrheg Nadolig i'w briod dros ugain mlynedd ynghynt, yn 1962, a bod ar gael ail fersiwn 1971. Ond y mae cryn wahaniaeth rhwng y fersiynau hynny ac emyn gorffenedig 1982-83. Y mae i'r fersiwn cyntaf bedwar pennill, pedwar pennill wyth llinell ddecsill. Erbyn i John Roberts deipio'i ail fersiwn yn 1971 aethai'r pedwar pennill yn dri. Yn hwn y mae'r ail bennill yn cadwyno gyda'r cyntaf fel y mae'r trydydd yn cadwyno gyda'r ail, ond nid yw'r llinell glo yn ailadrodd y llinell agoriadol. Ond diffyg yr emyn, yn 1971 fel yn 1962, yw nad yw'n canu. Gwrandewch wrth ddarllen yr olaf o benillion 1971:

> Boed byw'n gytûn fel brodyr inni'n nod,
> A'th gymod yn gynhaliaeth trwy ein hoes;
> Ffordd dra rhagorol cariad fyddo'n clod,
> Ac na bo grym i ni ond grym y Groes:
> Emaniwel ein Duw, ymwêl â ni
> Rhag dyfod arnom lid y dilyw tân;
> Fel cusan bywyd yw dy Ysbryd Di,
> A'th wefr a dry ein calon wyw yn lân.

Y mae holl feiau'r ddau ddrafft yn y pennill hwn: 1. llinell agoriadol ryddieithol y gellid ei chamgymryd am arwyddair newydd i'r *Boy Scouts*; 2. defnydd diangen o ddau air haniaethol gyda'i gilydd – 'a'th gymod yn gynhaliaeth' – yn yr ail linell; 3. cymal chwithig anghan-adwy'r drydedd linell; a 4. noder y gymhariaeth yn y cwpled clo. Soniais fwy nag unwaith am John Roberts yn brolio *love essence* Jessie ac amdani hi'n cyfeirio ato ef fel *ladies' man*. Er mai'n chwareus y defnyddient yr ym-adroddion hyn, noder *bod* John Roberts yn ddyn synhwyrus iawn, ac yn ddyn a werthfawrogai'r rhyw deg a gogoniant serch. I feddwl ei fod wedi defnyddio'r gymhariaeth 'Fel cusan bywyd' i ddisgrifio effaith Ysbryd Duw arnom, ac wedi sôn am y peth fel gwefr! Dylsai ef o bawb wybod mai cusan bywyd yw'r *lleiaf gwefreiddiol* o bob cusan. Heb os, yr oedd yr Homer yn John yma'n hepian. Ond fe gyhoeddodd y fersiwn hwn o'r emyn: y mae i'w weld yn ei anghanadwyedd lletchwith yn rhifyn Gorffennaf 1971 *Bwletin Cymdeithas Emynau Cymru*. Drwy drugaredd, gwyddai ei awdur nad oedd yn emyn da. Ni wn pa bryd y gorffennodd y fersiwn a gafodd Eisteddfod Genedlaethol Ynys Môn, ond erbyn hynny yr oedd yn emyn graenus, caboledig, gwerth ei gael.

Yr oedd yn werth ei gael er ei fwyn ei hun, ac, fel y gŵyr y cyfarwydd, am iddo ysbrydoli J. Haydn Phillips Aber-fan i gyfansoddi emyn-dôn a gydweddai'n berffaith ag ef. O'r chwech a deugain a gynigiodd yng nghystadleuaeth yr emyn-dôn, dywedodd y beirniad, T. Gwynn Jones Tregarth, y gallasai ddyfarnu unrhyw un o'r saith gorau yn fuddugol. Rhannu'r wobr a wnaeth, rhoi £25 i Haydn Phillips am y dôn "Bro Aber" am ei bod 'yn llifo'n naturiol yn amser ¾, a'r gynghanedd yn grefftus', a rhoi £10 i Robert Arwyn Jones o Ruthun, a oedd eisoes yn adnabyddus yn y maes cerddorol yng Nghymru. Y mae'n amlwg na thybiai'r beirniad fod "Bro Aber" ben ac ysgwydd uwchlaw'r dôn gyd-fuddugol.

Ond *fe* ddywedodd y buasai'n 'cydio mewn cynulleidfa'. Yn wir, fe gydiodd o'r tro cyntaf y'i canwyd yn gyhoeddus, yng Nghymanfa Nos Sul yr Eisteddfod, y 7fed o Awst 1983, cymanfa a lywyddwyd gan John Roberts ei hun. Ymhen mis yr oedd y Parchedig Idris T. Davies Tredegar, 'Cymro glân a cherddor hefyd', wedi anfon at Haydn Phillips gopi o gyfieithiad Saesneg a wnaeth o'r geiriau ('O come to be our saviour, Jesus Friend, | As when you came of old in majesty'). Anfonodd yntau gopi ohonynt i Lanfwrog, ynghyd â chais: 'a ydych chi'n barod i roi eich caniatâd i Gymanfa Ganu Saesneg yn Tredegar ddefnyddio y cyfieithiad o'ch Emyn ...?' Fel petai chwiw newydd wedi gafael, yn y man wele gyfieithiad arall, y tro hwn gan Iorwerth Pritchard Porthcawl ('O come, deliver us, Lord Jesus, come; | As thou appeared in form unknown before'). 'Mae y geiriau yn fwy agos at eich geiriau chi,' ebe Haydn Phillips am y cyfieithiad hwn, 'ond nid yw rhyw ddwy o'r llinellau yn rhedeg yn esmwyth ar y dôn.' Y peth rhyfedd a wnaeth H. Niblock o Gaergybi – ni roddodd ei enw bedydd – oedd llunio geiriau Saesneg newydd sbon 'to the new Welsh Hymn-tune "BRO ABER"', geiriau *na ellir* eu canu ar y dôn hyd y gwelaf i.

I ddychwelyd at yr emyn gwreiddiol, ym Medi 1983 gofynnodd Euros Jones Henllan am ganiatâd John Roberts i 'grŵp bychan ohonom' ganu'r emyn yn ystod y cyfarfod diolchgarwch yn eglwys y plwyf 'nos Fercher y 12fed o Hydref' ('Yr wyf hefyd yn anfon at Mr Haydn Phillips'). Erbyn hynny yr oedd Mrs Nansi Richards, priod y Parchedig Alun Richards Abertawe, wedi'i gyflwyno i Gymanfa Ganu ym Minnesota, 'lle creodd argraff fawr ar gynulleidfa fawr.' Gartref yn yr Hen Wlad yr oedd datganiad Côr Eisteddfod Llangefni o'r geiriau ar "Fro Aber" wedi bod ar y radio chwe thro yn barod. Ar yr 8fed o Fedi dywedodd Emyr Jenkins, Cyfarwyddwr yr Eisteddfod Genedlaethol, iddo dderbyn cynifer o geisiadau am y dôn, 'tôn sydd wedi mynd yn syth at galonnau cynifer o bobl', fel y penderfynodd ryddhau hawlfraint y gerddoriaeth i Haydn Phillips yr un pryd ag y trosglwyddodd hawlfraint y geiriau i John Roberts.

Gan mor llwyddiannus y briodas rhwng y geiriau a'r dôn, y mae'n amlwg oddi wrth y dystiolaeth fer hon fod mynd garw arnynt. Cyn pen dim daeth "Bro Aber" yn un o ffefrynnau'r cynulleidfaoedd ym mhob cymanfa; a pharhaodd felly hyd y dydd heddiw. Ond diau i Haydn Phillips *geisio* cyhoeddusrwydd i'w gyfansoddiad hefyd. Anfonodd hi, er enghraifft, at Billy Graham. Y cyfan a gafodd yn ôl oedd llythyr swta o gydnabyddiaeth oddi wrth *The Billy Graham Evangelistic Association Limited*, os gwelir yn dda! At hyn, cofrestrodd ei hawlfraint ef a John Roberts i'r cywaith mewn cytundeb cyfreithiol a ddrafft-iwyd gan y Solo Copyright Bureau, cwmni a weinyddid gan frawd-yng-nghyfraith iddo. Ond ni chawsant fudd ohono.

Tan 1983 nid oedd neb wedi gosod geiriau gan John Roberts ar gân er dyddiau Peleg Williams yng Nghaer-narfon. Ond yn fuan ar ôl llwyddiant "Gweddi Heddiw", dyma Gwenda D. Williams o Bwll-glas ger Rhuthun yn gofyn, yn ei swildod drwy gyfnither iddi yng Nghaer-narfon a adwaenai John Roberts, a fyddai'n fodlon ysgrifennu geiriau ar emyn-dôn newydd o'i chyfansoddiad hi. Ac fe wnaeth. Yn wahanol i emyn Llangefni, nid ymbiliad sydd yn hwn ond datganiad o hyder yng ngrym achubol Duw. Y mae yn y pennill cyntaf fydryddu hyderus a defnydd celfydd o ddau drosiad goleuni:

> Daeth toriad gwawr ar nos ein truan fyd,
> A dydd goleulon i fendithio Duw;
> Yn nerth goleuni gras y mae o hyd
> Y grym i ddifa pechod gwaetha'i ryw;
> Deil Haul Cyfiawnder yn ehangder nef,
> A meddyginiaeth yn ei esgyll ef.

Nid yw'r ail bennill cystal, na'r trydydd; er, fe geir yn hwnnw barhad o'r trosiad goleuni lle try gwawr ddaearol yn berffaith ddydd nefol:

Ein nod yw codi draw i'r perffaith ddydd,
    Heb fraw cysgodion oer i'n blino mwy;
A bod am byth â'n trigfa lle ni bydd
    Hen wae rhyfeloedd arnom megis clwy';
A byw yn deulu Duw mewn uchel gân
O glod i'r Tad a'r Mab a'r Ysbryd Glân.

(vi) 1984

Ddechrau 1984 y mae Haydn Phillips yn ysgrifennu at John Roberts drachefn ac yn dweud bod 'y misoedd diwethaf wedi bod yn brysur ac yn wefreiddiol iawn i mi.' Buont yn fisoedd prysur i John Roberts yntau. Ond nid yn brysurach na chynt. Drwy'r ddwy flynedd o baratoi at Eisteddfod Genedlaethol 1983 cadeiriodd y Pwyllgor Llên gydag urddas a graen. Pan ofynnais iddo, ar awgrym Bedwyr Lewis Jones, ymgymryd â'r swydd, 'Beth a wnewch chi â chadeirydd o hen ŵr fel fi?' a gefais. Yng nghyfarfodydd y pwyllgor hwnnw creai ei raslonrwydd pwyllog y fath awyrgylch braf fel na fynnai neb ddadlau'n arw ar odid ddim. Yno hefyd adroddai straeon am Williams Parry, ac adrodd rhai o sylwadau beirniadol Williams Parry, ac wrth wneud hynny, heb yn wybod iddo'i hun, am a wn i, fe'n torrai i'n seis. Ond y mae'n arwyddocaol mai atgof ysgrifennydd y Pwyllgor Llên hwnnw, yr Athro Gruffydd Aled Williams, chwarter canrif yn ddiweddarach, yw bod John Roberts 'yn llesgáu'n o arw erbyn hynny.'

Yr oedd yn dair ar ddeg a thrigain, yn ŵr a ddioddefiasai drawiad ar y galon, a fynnai bregethu ddwywaith y Sul o hyd, ac a dreuliai oriau bwy'i gilydd beunydd yn gweithio yn y cwt-allan lle cysgasai ef a'i rieni pan oedd yng Nglan-yr-afon ymwelwyr o Saeson ers llawer dydd: yn y fan honno yr oedd ei stydi daclus. Yn ogystal ag *ambell* bregeth newydd cyfansoddai gerddi: er enghraifft, cywydd i Sara ei wyres ar ei phen-blwydd yn ddeunaw, englyn i ddathlu priodas gweddw'r Dr Llewelyn Jones gyda'r ardderchog ddysgedig A. Kyffin Morris, englyn i Elin ni, englynion marwnad i rai o gyn-aelodau Salem Llanfwrog, megis y farwnad i Elinor Owen, ysgrifennydd yr eglwys a fu farw'n hanner cant a thair oed: 'Myned o *Ben-y-mynydd* I Un â'i dawn fel gwên y dydd.' Yn y saithdegau hwyr ac yn yr wythdegau cynnar cymerai ofal hanner-bugeiliol o Abarim Llanfachraeth fel o Salem Llanfwrog: ef a dderbyniai'r ifanc yn gyflawn aelodau yn y naill gapel fel y llall. A darlithiai hefyd. Ni wn sawl un a ddywedodd wrthyf am y wefr a gawsant yn gwrando arno'n traethu ar emynau David Charles Caerfyrddin yng Nghapel Mawr Porthaethwy yn ystod ei fisoedd olaf.

Fel yn hanes pawb, yr oedd y blynyddoedd yn newid rhai pethau yn ei fywyd ac yn peri i bethau eraill barhau. Yn niwedd 1980 bu farw un o'i gyfeillion gorau, J. R. Roberts, cyn cyrraedd ohono oed yr addewid. Y Sadwrn cyn y Pasg 1981 priododd Gwen, ond ni pharhaodd y briodas. Drwy 1982 a 1983, fel y gwelsom, cyfrannodd John Roberts i'w Bethe orau y gallai, er ei fod yn aml yn diffygio. Yn 1984 aeth i angladd Idris Foster yn eglwys Glanogwen a dod oddi yno'n siomedig nad oedd neb o werin Pesda yno. Yn ddiweddarach y flwyddyn honno cymerodd ran mewn rhaglen deledu o'r enw *Credaf* ar HTV Cymru, un o gyfres lle holai Gwyn Erfyl wŷr a gwragedd amlwg ynghylch eu cred, a chafodd hwyl ar grynhoi i hanner awr y profiadau a gafodd a'r argyhoeddiadau a'i cynhaliodd. Yr un rhai ag a welsom yn y llyfr hwn oeddynt, y profiad cyffrous o fynd i'r weinidogaeth, y llanw crefyddol gynt a'r trai mawr wedyn, ei gred fod 'pregethu'n waith dwyfol', fod 'pŵer ysbrydol' wedi'i gynnal, a bod y grym hwnnw wedi'i wneud yn 'anfeddyginiaethol o optimistaidd':

> Rof i byth i mewn os galla i beidio, er gwaetha'r cwbl i gyd, ac rydw wedi gweld digon o bethau sy wedi pery i mi gael aml ergyd – fy llorio a dweud y gwir, yn llythrennol felly.

Prysur a *gwefreiddiol* yw'r ansoddeiriau yn llythyr Haydn Phillips ddechrau 1984. Blwyddyn *drasig* fu honno i deulu Glan-yr-afon. Yn sydyn, ym mis Mawrth, heb arlliw o rybudd fod unrhyw beth o'i le arno na bod unrhyw beth yn ei boeni, diflannodd Edward Lynn o'i gartref yn Llanfynydd, gan adael Elisabeth a'r plant Gareth a Miriam, fel ei mam a'i thad ac fel Mr Lynn yn Redditch, – buasai ei fam farw ychydig yng nghynt, — yn arteithiol boenus yn eu hanwybodaeth ynghylch yr hyn a ddigwyddodd iddo. Aeth misoedd heibio cyn iddo roi gwybod iddynt ei fod ym Mharis, ond nid oeddynt ddim callach beth a aeth ag ef yno na pham yr arhosai oddi cartref. Yna ar y 3ydd o Fedi ysgrifennodd at Judith ac Elwyn i ofyn iddynt ymgymryd â'r dasg annymunol o ddweud wrth Elisabeth ei fod wedi cymryd ei fywyd ei hun. Canfu'r heddlu ei gorff yn y bryniau uwchlaw'r Bala, yn yr ardal lle buasai gynt yn blentyn cadw. 'And my poor fool is hang'd,' ebe Lear, ac ebe John Roberts mewn llythyr at ei ferch drallodus: 'No, no, no life!' Yr hydref hwnnw, am na allai ddim amgen, ysgrifennodd englynion i farwnadu Edward, englynion a ddaeth 'o'm calon' sydd yn amlwg yn ymdrech i ddeall yr hyn a wnaeth ei fab-yng-nghyfraith ac i fynegi'r artaith o'i golli. Ar ôl gweithio'n galed arnynt daeth i ben â'u cyfansoddi ganol Tachwedd. Yn y llythyr a anfonodd at Elisabeth i gyd-fynd â'r englynion dywed fod y 'brofedigaeth fawr yn llenwi fy nychymyg o hyd', fel yr oedd yr anhawster a gafodd i roi mynegiant iddi yn ei boeni o hyd. Poenai am y gair *tristwch* yn ail linell yr englyn olaf, er enghraifft. 'A fyddai "dryswch" yn well gair?' Cofio y mae am yr emynydd o Gaerfyrddin yn dweud 'Ei dryswch mwyaf mae | Yn drefen glir', ond nid yw'r emynydd o Lanfwrog 'yn gweld pethau'n glir o gwbl: ... y mae'r tristwch yn aros, ac yn dristwch di-ystyr.' Dyna ddweud mawr i un yr oedd ei ffydd wedi'i gynnal erioed. Y rhain yw'r englynion sy'n coffáu Edward:

Ni flinai y gŵr aflonydd ei gamre,
  Hoff gymrawd y mynydd;
Ond daeth taw ar hen awydd
Dringwr brwd mewn cwmwd cudd.

Ei ddydd a droes yn ddioddef, a'i fyd
  Yn ofidus hunllef;
O'i wyll oer ni allai ef
Edrych a gweld ffordd adref

I fwynaf gwlad Llanfynydd, a hawlio
  Ei aelwyd o'r newydd;
Aeth ei hiraeth o'r herwydd
Yn ddim ond hiraeth heb ddydd.

Mud yw cân ei biano; a'i fysedd,
  Difiwsig ŷnt heno:
Ni rydd y meistri iddo
Nwyd y gerdd nad â o go'.

Encil haf ym min afon a fynnodd
  Yn fynwent gobeithion;
Y wefr hael a daniai'r fron,
Hithau ddiffoddodd weithion.

Dolur fu ei dawelwch, a'i osteg
  Yn ddiystyr dristwch.
Heb fedd, fe gafodd heddwch
Noswyl hir ynys ei lwch.

Dyma'r gerdd olaf a gyfansoddodd John Roberts Llanfwrog. Yn wir, dyma'r olaf peth iddo'i gyfansoddi o gwbl. Yr oedd ysgrifenyddion y capeli'n daer i gael cyhoeddiadau ganddo o hyd, yntau'n gyndyn i wrthod ac yn gyndyn i dderbyn. Ganol Hydref, pan oedd wrthi'n ymlafnio gyda'r englynion i Edward, teipiodd gerdyn post i O. T. Rowlands Penmon, a'i gwahoddasai i bregethu yn y Cyfarfod Diolchgarwch yn Nhŷ Rhys Llangoed yn 1985. Gwnaf, mi bregethaf acw, ebe fe, ond nid i ddiolch am y cynhaeaf. 'Gan eich bod mor daer mi rof LLANGOED i lawr ar gyfair *Awst 11 1985*, gyda diolch. A bwrw ein bod ar gael y pryd hynny, aros gyda Judith yn Llandegfan fydd ein hanes, mae'n siŵr. Cadw'r DIOLCHGARWCH gartref sydd orau i ni bellach.'

Ie, *a bwrw ein bod ar gael y pryd hwnnw*. Ddydd Llun y 19eg o Dachwedd yr anfonodd yr englynion marwnad i Lanfynydd. Nos drannoeth yr 20fed aeth yn wrol i gadw dosbarth allanol yn y Fali yn lle'r Athro John Rice Rowlands, a thraethu ar 'farddoniaeth grefyddol heddiw'. Yr 21ain, ar ôl iddo gael trawiad arall ar y galon yn ystod y nos, aed ag ef i Ysbyty Stanley, lle bu farw ar yr 22ain. Yr oedd yn 74 oed. Am na fynnai 'angladd siarad', y teulu'n unig oedd yn y cynhebrwng, a rhoddwyd ei weddillion, yn unol â'i ewyllys, yn y bedd nesaf at y morwyr anhysbys ym mynwent Eglwys Mwrog. Claddwyd pregethwr ac emynydd mawr ei gyfraniad i grefydd ddiflanedig Cymru'r ugeinfed ganrif, do, a phenteulu triw y mae'r cof amdano'n afieithus ac anrhydeddus.

ÔL-NODYN

Yn 1987 cyhoeddodd Gwasg Gee ddetholiad o gerddi ac emynau John Roberts o dan y teitl *Glas y Nef*. Bu farw Jessie Roberts yng Nghartref Nyrsio Bryn Mêl Llandegfan, ar ôl cystudd hir, ar y 5ed o Orffennaf 1997, yn 82 oed. Ar yr 16eg o Hydref 1988 dadorchuddiodd ei ferched blâc coffa i'w tad ar un o furiau Ysgol Ffrwd Win. Y mae'r hen gartref, Glan-yr-afon, yn dal i fod yn eiddo'r teulu: yr hynaf o'r wyrion sy'n byw yno ers blynyddoedd bellach. O'r eglwysi y bu John Roberts yn gweinidogaethu ynddynt, Capel Tegid y Bala yn unig a erys.

MYNEGAI